图书在版编目（CIP）数据

华裔女市长 / 何建明著 . -- 北京 : 新世界出版社，2018.3

（何建明文集 ; 25）

ISBN 978-7-5104-6344-0

Ⅰ . ①华… Ⅱ . ①何… Ⅲ . ①传记小说－中国－当代 Ⅳ . ① I247.5

中国版本图书馆 CIP 数据核字 (2017) 第 173128 号

华裔女市长

作　　者：何建明
特邀丛书编辑：韩小群
责任编辑：陈　超
责任校对：宣　慧
责任印制：王宝根　苏爱玲
出版发行：新世界出版社
社　　址：北京西城区百万庄大街 24 号（100037）
发 行 部：（010）6899 5968 （010）6899 8705（传真）
总 编 室：（010）6899 5424 （010）6832 6679（传真）
http://www.nwp.cn
http://www.nwp.com.cn
版 权 部：+8610 6899 6306
版权部电子信箱：nwpcd@sina.com
印　　刷：北京京华虎彩印刷有限公司
经　　销：新华书店
开　　本：710mm × 1000mm　1/16
字　　数：270 千字　　印　　张：17.5
版　　次：2018 年 3 月第 1 版　2018 年 3 月第 1 次印刷
书　　号：ISBN 978-7-5104-6344-0
定　　价：46.00 元

何建明文集

卷二十五

华裔女市长

何建明 著

新世界出版社
NEW WORLD PRESS

1978年——中国改革开放启幕

1978年——我的文学生涯开始

庆幸，我的命运与时代、与祖国同行。还有一份安慰：当我离开这个世界时，有人可以从我的文字里触摸到中国今天的脉搏是如何跳动的……

何建明

重要创作历程及个人成就

1978 年　创作第一篇中篇散文《湘西探险记》

1980 年　发表第一篇报告文学《腾飞吧，苍龙》

1982 年　创作第一部军事题材小说《第二道战壕》

1986 年　出版第一部报告文学作品集《缉私大王》

1988 年　出版第一部长篇小说《东方毒蛇》

1989 年　由同名作品改编的电影剧本《西行囚车》被搬上银幕，此片获珠江电影制片厂优秀故事片奖

1990 年　第一次获中华宝石文学奖

1993 年　任文学杂志《新生界》主编

1993 年　发表第一部长篇报告文学《野性的黑潮》

1994 年　第一次成为《青年文学》封面人物

1995 年　《共和国告急》出版，此后获第一届鲁迅文学奖

1995 年　《科学大师的名利场》发表

1998 年　《落泪是金》发表，此后获第二届鲁迅文学奖、第一届徐迟报告文学奖、中国改革开放优秀报告文学奖

2000 年　《中国高考报告》出版，此后获第一届正泰杯全国报告文学奖

2001 年　《中国高考报告》被日本、澳大利亚翻译出版

2002 年　《根本利益》发表，此后获第二届徐迟报告文学奖、人民文学奖特等奖、第六届国家图书奖提名奖、第二届正泰杯全国报告文学奖，入选中宣部推荐的党的十五大献礼书目

2002 年　《国家行动：三峡大移民》出版，此后获中宣部第九届“五个一工程”奖，入选中宣部推荐的党的十六大献礼书目

2003 年　《北京保卫战》发表，获《文汇报》优秀作品奖

2003 年　完成电影剧本《廊桥悠悠》创作（此为与谢晋导演合作项目）

2004 年　由《根本利益》改编的电影《信天游》上映

2004 年　《永远的红树林》发表，此后获第四届正泰杯全国报告文学奖

2005 年　《李琬若：从中国留学生到美国市长》出版，并被美国翻译出版

2005 年　获国务院授予的“全国劳动模范”称号

2005 年　任《中国作家》杂志主编

2006 年　《男人的美丽男人的梦》出版

2007 年　散文《父亲的体温》入选中学课本及教辅资料

2007 年　《部长与国家》获第四届鲁迅文学奖、第三届徐迟报告文学奖荣誉奖

2008 年　《生命第一——5·12 大地震现场纪实》出版，此后获第二届“中华优秀出版物”奖、第四届徐迟报告文学奖

2008 年　任作家出版社社长

2008 年　荣获“全国新闻出版行业领军人才”称号

2008 年　根据《国家行动》改编的同名电视连续剧在央视播出

2009 年　任中国作家协会党组成员、书记处书记，中国作家出版集团党委书记、管委会主任

2009 年　《国家行动》电视连续剧获中宣部第十一届“五个一工程”奖

2009 年　《我的天堂》出版，获中宣部第十一届“五个一工程”奖

2009 年　《永远的红树林》获新中国六十年优秀中短篇报告文学奖

2009 年　获中华全国总工会“时代领跑者——新中国成立以来最具影响的劳动模范”评选活动提名奖

2010 年　根据《部长与国家》改编的电视连续剧《奠基者》在央视黄金时段播出，此后获中宣部第十二届“五个一工程”奖

2010 年　《忠诚与背叛：告诉你一个真实的红岩》出版，此后获中宣部第十二届“五个一工程”奖、第三届中国出版政府奖，入选“2013 年全国青少年推荐阅读的优秀书目”

2010 年　任中国作家协会副主席至今

2011 年　《国家——2011 · 中国外交史上的空前行动》出版，后获人民文学奖特等奖，入选“2012 年中国报告文学优秀作品排行榜”、中宣部推荐的党的十八大献礼书目

2012 年　《三牛风波》出版，荣登北京图书大厦畅销书排行榜

2012 年　任中华文学基金会理事长至今

2012 年　当选中国报告文学学会理事长至今

2014 年　《南京大屠杀全纪实》出版，此后获第四届中国出版政府奖、人民文学奖特等奖

2015 年　获亚洲品牌协会“中国文化品牌新领军人物”荣誉

2015 年　《真假之间》发表

2016 年　《爆炸现场》出版，获中国出版集团优秀销售奖，入选“2016 年中国报告文学优秀作品排行榜”

2017 年　《死亡征战》出版，被英国、法国翻译出版

2017 年　《那山，那水》发表

（截至 2017 年 9 月）

目　录

序　一个“谜中之人”

226年前，一个名叫托马斯·杰斐逊（Thomas Jefferson）的人，在一次庆典上气壮山河地发表了以下面这些文字为核心内容的宣言——

> 在有关人类事务的发展过程中，当一个民族必须解除其和另一个民族之间的政治联系，并在世界各国之间依照自然法则和上帝的旨意，接受独立和平等的地位时，出于对人类舆论的尊重，必须把他们不得不独立的原因予以宣布。我们认为下面这些真理是不言而喻的：人人生而平等，造物者赋予他们若干不可剥夺的权利，其中包括生命权、自由权和追求幸福的权利……和我们作战，就是敌人；和我们和好，就是朋友……

这一天是公元1776年7月4日。人类历史在这个看似平常的日子里诞生了一个伟大的国家，它就是美利坚合众国。

被后人称为“独立之父”的美国第三任总统，也是美利坚合众国的主要缔造者托马斯·杰斐逊在这一天发表这份《独立宣言》时，在地球东半球的中国，此时已走过了近5000年的历史，仅有名有姓的皇帝就不下数百个。美国的历史与中国的历史相比，就如同石缝里长出的一株绿枝与一棵参天大树相比。但有谁想到弹指一挥间，石缝里的绿枝来了个石破天惊，让人叹为观止；相反，那参天大树却枯叶纷落，直落得最后无可奈何地仰头遥望别人长出的新绿，直到近几十年才重新恢复元气……

美国就是这样一个国家。短短200多年历史，彻底地改变了自己，也彻底地改变了整个世界。直到今天，我们仍然感觉它的形成与发展是个不解之谜。正是这个原因，它才格外地让人神往又恐惧，想爱又心颤。

谜之所以把人吸引，是因为所有对它着迷的人始终站在谜之外。可是我们有谁真正能站在谜之中感受谜本身令人着迷之处呢？

当我有机会同在海外生活了几十年甚至几代的华裔谈起此事时，他们的反应几乎是一致的：欲解美国之谜，你必须投身于这个谜之中，并且这种投身不是简单地在那儿生活和工作几年、几十年，而是必须亲身加入美国的主流社会并在其中搏击奋斗无数个回合，才能体味与解读美国的真正谜底。

几年来，我始终在苦苦寻觅一个真正能揭开此谜的人。李琬若(Lily Lee Chen)的出现使我的悲观情绪一下变成了一种喜悦——我知道这不仅仅对我一个写作者是这样。很多人在见到我的主人公后，都曾期望她把在美国生活了几十年和在美国政坛叱咤风云的那些真实感受写出来。

“你的经历就是一部美国社会的活教科书。”

“你的奋斗过程就是美国今天的历史。”

人们这样评价李琬若，也期望她把自己的经历与奋斗史变成一部有关美国今日写照的史书。

我与本书主人公李琬若的相遇便成了这样的一种必然：我们都想把一个相对真实的美国和真实的在美华裔形象介绍给有兴趣了解美国之谜的中国读者。我想，李琬若从一名女留学生成长为美国政坛的一个杰出女政治家和著名社会活动家，其本身的奋斗过程和传奇经历就是一个完整的“美国梦”和我们可以解读的

“美国之谜”，她对今天的广大中国青年、广大政坛官员及从事美国问题研究的学者、战略家来说，都是一份难得的宝贵财富。

其实李琬若本身就是一个谜中之人。

她出生在海河边的天津，从小就看到了日本侵略者的铁蹄对自己家乡的蹂躏。后在宝岛台湾成长为全岛瞩目的青春偶像；但反叛的心理使她孤身越洋过海成了“美国之音”的一代名记者；她光芒四射，追求者甚众，她却因一位书痴的一句“嫁给我吧”而以身相许，并经历了一段极其悲壮的生死恋情。在华人和女人得不到尊重的时代，她舍家弃业，跻身政坛，周旋于美国上层主流社会，成了美国第一位主事亚裔和少数族裔事务的女处长及执掌县政府财政预算的行政主管。之后她参加竞选议员，成为美国历史上第一位华裔女市长。中国传统的文化背景和东方女性的干练，使她能在任期大刀阔斧地把蒙特利公园市变成全美国驰名的“小台北”，并名扬四海。之后，在她先后出任数任美国总统和白宫政府的顾问期间，又为打开中美关系友好之门，尽展了一位东方魅力女人的才华和智慧，赢得广泛赞誉。

我们有理由相信，对中国各个阶层的广大读者来说，本书主人公李琬若的经历是一份非常特殊的精神财富。有一点可以证明，在我从事新闻职业和文学创作的20余年里，我还没有哪一次同一个采访对象谈得像与李琬若女士那么深入。同这位女政治家的相识是一个巧合，相识后我们彼此都感觉有谈不完的话，以致受命于中国国家领导人召见而参加全球华裔领袖会议的李琬若与丈夫一推再推返回美国的行程时间，直到新一届美国总统选举在美国本土如火如荼之际，大洋彼岸逼她“火速回家”后，我们才结束了数十日连续不断的采访与倾诉。

我曾经问她，如果让你在美国和中国之间必须做一选择，你该怎么办？她说这是一种双爱的情怀，她既深深地爱着养育她的中国，同时对美国又一往情深。

她说她之所以愿意将自己在美国40多年生活和参政经历真实地告诉华人同胞，就是因为她同时爱着两个国家，而这两个国家之间却对彼此真实的东西了解得实在太少、太片面。而今天的世界，正是她爱着的这两个国家在决定着人类的进步与落后、幸福与灾难、光明与黑暗。能让两国的人民之间、政治家之间相互了解，对我们的人类太重要太重要了。因此我自信地认为，本书不仅是第一部写给世界上两个伟大的国家的人民看的书，而其内容折射的也正是一个在两位母亲抚育下成长起来的女儿的真切心声——那就是呼唤两个国家之间的和平与平等、认同与谅解、友好与发展的心声。

现在，就让我们听听这位昔日的中国女留学生闯荡美国政坛、走向白宫权力堡垒的那些惊心动魄又妙趣横生的故事吧——

第一章 激情留学与浪漫爱情

一个是美国名牌理工大学的博士毕业生，即将进入待遇很高的著名飞机制造公司工作；一个是已经成名且前程似锦又才貌双全的名门闺秀，而她所研读的专业又注定她未来是个受人瞩目的公众人物。

也许上帝总是把幸福与浪漫升华为一种命运，一种需要去体味和努力创造与经历痛苦的过程。

1. 上头版新闻的西雅图国道惨祸

清晨，美国西部，从旧金山通往西雅图的那条长长的98号高速公路上，一对如胶似漆坠入爱河的中国年轻恋人驾驶着飞驰的汽车，时而依偎在一起亲密接吻，时而共同放声高唱“致天上的酒神”(美国国歌《星条旗》曲调)。

“噢——朋友们，为我们祝福吧！”

“西雅图在召唤我们！”

再没有比这一情景更叫人羡慕和受感染的了。那一辆辆迎面而来或擦身而过的汽车上，友善的美国朋友们都带着微笑向他们投来祝福的目光。

汽车冒着白烟，路上飘着雪花，这对东方恋人进入了忘情的那一刻……

突然，汽车的车轮下银光一闪，那结成冰碴的路面冷不防像从地心蹿出的一头猛兽，狰狞地嘶嚎一声，顿时载着这对幸福甜蜜的东方恋人的汽车如同一只纸糊的玩具，被甩出高速公路，直向几十米深的沟壑翻滚而去……

次日，发生在98号高速公路上的这次车祸上了当地《尤金纪事报》的头版新闻。警察拍下的车身毁坏的现场照片令人不寒而栗。当我在采访中看到当时刊出的这则新闻图片时，简直不敢相信那辆破碎得像被大吊车碾压过几次的汽车下面还能有活人出现。

但死神确实放过了这两个生灵。

这是40年前的一幕。那起震惊美国俄勒冈州的车祸当事人就是本书的主人公，后来成为美国政坛明星的李琬若女士和她的丈夫陈宝和先生。

那时陈宝和还不是李琬若的“先生”，他们是一对在异国邂逅的恋人和普通留学生。

俄勒冈州境内从前一天就开始普降雨雪，零星的雪花飘扬着，向田野和公路撒去，雨雪间是阵阵刺骨的寒风……

“宝和！宝和！——”不知过了多久，被半途抛出车外躺在斜坡上的琬若姑娘醒来了。她睁开眼睛，看到那混沌的天空，好像就在屋顶上面那么压抑地笼罩着她的视野。再轻轻地歪过头看了一眼：是高高的与天连接的绿色斜坡。转过头又看向另一侧：是同样深深的绿色斜坡……我这是在哪儿？在干什么？琬若的脑子里一片空白……她抬手使劲拧了下脸颊，生疼生疼的。啊，原来我还活着！脸上怎么会有血？她突然神志清醒起来，像从噩梦中醒来，于是第一反应是她的恋人在哪儿，还有他驾驶的“老爷车”呢？

“宝和，宝和——”空旷的高速公路边的那条峡谷里，琬若使尽全身力气喊着。但她发现嗓子像冒着火，一点儿声音都没有发出来。她急了，一个翻腾坐了起来，再转过身去看。

啊——她看到了，那辆她刚刚还在上面与恋人甜蜜亲热的车子翻到了沟壑的谷底，车身已变得像被人踩过的一只纸蝴蝶，只有几缕冒着的青烟证明它是一辆刚刚出了车祸的残骸。人呢？人在哪儿？琬若拼命地奔过去，那一刻她的奔跑可以用飞奔来形容，但却是跌跌撞撞的。

她最终在残骸的边上见到了已经不省人事的他。

“宝和，你要挺住，要挺住呀！”琬若抚摸着血肉模糊的恋人，眼泪和泣啼一起迸出，如同被遗弃的小兽在绝望地哀号。

宝和一点儿反应也没有，只有那魁梧的身躯使琬若感到异常沉重。她想用自己娇小的身子架起他，却马上意识到这是徒劳。上面是 50 多米高的大斜坡，即使她空身一人爬上去也会喘息不止。

“宝和啊，让我怎么办呀？”琬若不由得哭出了声，她想唤醒恋人，以求帮助，但血肉模糊的宝和依然如死了一般。

琬若急得两眼泪雨纷飞，突然，她抬头看到高速公路上掠过的车影，于是放下宝和，不顾一切地拼命爬向高速公路，然后毫无顾忌地站在高速公路边，使劲地向过路车辆招手示停……

也许是雨雪天，又在人烟稀少的西部，长长的高速公路上难得见到车影。她一直等呀盼呀，终于看见远处有一辆面包车驶来。

“停车停车。”琬若又挥手又蹦脚。

飞驰的汽车急刹而止，那车上的司机看到满脸是血的中国姑娘，立刻明白是出了车祸。但令琬若想不到的是那司机不仅没有下车，反而重新启动马达，疾驰而去。

“上帝，怎么会这样！”琬若急得快发疯了。

她仍拼命地向空无一车的马路中间招手，哭喊着：“你们救救宝和呀！救救他吧……”

过了一会儿，从她身后相反方向又急驶而来一辆汽车，见有人招手，便靠边停了车。那车上跳下的是一位牧师，他看了看琬若，又看了看翻到公路下的汽车，问道：“打电话给 911 了吗？”

琬若摇摇头。

正在这时，只见一辆救护车闪着红灯，已来到了他们面前。

琬若猛然间明白了，原来刚才那位没有停车的司机，已经为他们打了急救电话。这就是美国式的救护方式，他们在为伤者争取每一分最宝贵的时间。

看到前来救助的牧师和救护车，琬若眼前一黑，失去了知觉……

"宝和？宝和！你在哪里？"昏迷中的琬若并没有停止思考。她的记忆重新将她拉回到赴美留学后不久的一次同学聚会——

那次聚会是琬若终生难忘的。

当时有位长得温文尔雅、体格健壮的小伙子就坐在她身边。

"请问您是学什么专业的？"

"电机工程。"

"您是哪省人？口音这么熟悉。"琬若好奇地盯着这位同学问道。

"天津。我父母现在还都在那儿。"

"哇，太巧了，我也是从天津到台湾的呀！"本来说话就爱一惊一咋的琬若，没有想到在异乡他国能遇到海河畔的同乡。她高兴地惊叫起来，惹得其他同学纷纷投来惊奇的目光。随着满屋的留学生同学的哄堂大笑，坐在琬若旁边的陈宝和被弄得满脸通红。

而当年正是小伙子——不，在李琬若眼里是大哥哥的陈宝和这副老实巴交的样子，使她怦然心动。

"能问一下你是什么时候离开天津到台湾的？"琬若有意把话题引下去。

"1948 年 10 月。我是乘最后一班'美信'轮离开天津的……"小伙子不经意地多说了一句，却让李琬若小姐惊喜地跳了起来。

"天啊！我也是乘最后一班'美信'到的台湾呀！哈哈哈……太巧了，就像小说上描写的那样……"

琬若兴奋得握起两个小拳头使劲地在桌子上敲了起来。“真是不可思议的巧合！”

“琬若小姐，恐怕更多巧合的事还在后头呀！”当日参加聚会的田长霖教授（后来成为加州大学伯克利分校校长）和几个同学应声围过来，仿佛要把李琬若与陈宝和的情感牵在一起。

“哇，我感到这儿真温暖。”这已经是同学聚会后的某一个日子，琬若轻轻地脱去飘逸的外套。

“我帮你拿着。”并肩走在旧金山绿荫大道上的陈宝和接过琬若的外套，拿在自己手中。

“唔——对了，我到旧金山时间还不长，今天需要到州立大学办个注册手续。你有事吗？能不能陪我去一趟？”

“当然可以，坐我的车去吧。”

“行。我们现在就走。”

宝和动作敏捷地打开车门，琬若笑逐颜开地钻进车子。

“我进去啦——”到了办事的地方，琬若下车后说。

“去吧，我在这儿等着你。”宝和说。

怎么会这么长时间呀！原来以为几分钟就能办成的事，却用了两三个小时。琬若急得不知所措，而那些美国工作人员似乎在有意拖延时间。

完了，第一次约会就要泡汤了。最后，琬若带着一副失魂落魄的心情向外走去。“时间就是金钱”，美国在二十世纪五六十年代就已经流行这样的名言，尤其是中国台湾来的留学生们，谁不在为自己的学业和生存与宝贵的时间赛跑？

“办好了？上车吧！”琬若刚刚走出校门口，宝和已经将车停在她跟前。

“你一直在这儿等着我呢？”琬若惊讶地问。

“嗯！你不出来我怎么能走呢？”宝和一脸真诚。

琬若感到非常抱歉。可等她上车后，宝和却飞步下车跑开了。“哎哎，你到哪儿去呀！”琬若急得叫喊起来。

宝和不说话，指指楼群里的卫生间，便迅速消失在琬若的视野里。等他再回到车上时，琬若轻轻地问：“这几个小时里，你就没有离开过车子？”

“哪敢？我怕你出来找不到我着急。”宝和说得自然，但姑娘听后心头却热浪滚滚……

这一刻，琬若做出了一生最重要的选择。

李琬若中学毕业后，原来志愿报考的是台湾大学，但偏偏在这个时候一位充满魅力的成熟男人的一番动听的话，点燃了少女从小有志于公众社会工作的心。

“Lily，我看你在台湾就是一个很愿意为大众服务和关心他人的好学生，你将来应该去美国攻读社会工作专业。”第一次用这个英文名字称呼她并跟她说这话的是毕业于哈佛大学的姐夫胡光泰。姐夫这么夸小姨子是有道理的。1956年，中国内地和香港的部分地区经历了特大自然灾害，正在台湾读中学的李琬若因为有个当“立法委员”的父亲，所以经常能看到有关这方面的报道。那一天，李琬若从父亲看过的一叠报纸上剪下灾难中的中国内地和香港百姓受苦难的图片和报道，自己用糨糊贴在一张硬纸板上，然后组织同校的同学排成长长的队伍，上街为灾区同胞募捐。她的义举当时在台湾各界引起强烈反响，包括一向严厉教育她的父亲也十分欣赏女儿的行为。

“既然我们都是从大陆过来的，为什么就不能直接向正在受灾的大陆同胞们给予物品支援，而非得辗转他国，耽误很长时间呢？”一日，琬若见客厅里的父亲与台湾几位政要在谈到想要将岛上居民们募捐的物资送达香港和内地同胞手中而无计可施的窘况时，大声插话说。

“琬若，这儿有你说话的地方吗？”一向在政治上不敢越雷池一步的父亲慌忙阻止女儿，然后带着歉意向客厅的来宾连连表示是女儿“童言无忌”。其实琬若从父亲的表情里看出，她的话很得父亲的欣赏。那次代表全岛青年学生上台演讲就是父亲亲自领着她站在镜子面前，一遍又一遍地对口辅导的结果。

中学毕业，姐夫的一句话使骨子里喜欢为公众事业服务的琬若考取了当时很少开设社会工作专业的台湾中兴大学。在这里她运气还是那么好，碰上了一个领她走进新兴社会学科殿堂的导师——留学美国并毕业于哥伦比亚大学社会工作系的叶楚生教授。叶教授年轻而充满活力，漂亮、娇俏，头发总是梳得光光的，流利的英语，说话时带着那种叫人激动的神情，一直都是琬若眼里的偶像。

“Lily，告诉你一个好消息：美国国务院正在全世界招考一批青年领袖到美国培训，这是我刚从美国驻台新闻处的一份内部材料上看到的，你应该争取这个机会。据说全岛可能只招一名，他们的基本条件里有一条是必须英语好。你的英文发音很好，完全有可能竞争到这个名额。”一天，叶教授兴冲冲地找到自己的学生，把这振奋人心的消息告诉了琬若。

能到美国去？那太好了！在二十世纪五六十年代，台湾民众特别是年轻人，简直把美国看作天堂，几乎所有有志向的青年都把到美国留学和定居看作是人生的梦想。尤其对那些女孩子来说，出国比穿美国袜子和用美国香水更为时髦。对美国的憧憬则是所有台湾青年们当时共同的梦想，我们的主人公也不例外。

报考，测试，比赛，琬若连连夺冠。她因此成了全岛第一位参加美国国务院“世界青年领袖培训计划”的代表，前往美国社会考察体验。那时的美国政府为了拉拢人心，选取年轻的学子到美国考察就是其中的一招。“山姆大叔”想让这些年轻人了解美国，并借他们传播美国的理念。

大学时代的李琬若就是这样捷足先登到了美国。用她自己的话说，那半年的“美国之旅”是她所度过的“最张扬个性”的时光。为什么？四十多年后的李琬若告诉我：“那次我是代表青年学生去的美国，所以我特别注意表现我是一个中国人，一个中国形象的青年人。我在公共场合一直穿的是旗袍，头发也是东方式的古典发型。我带去了筷子，教美国人学用筷子吃饭；带了毛笔，教他们写方块汉字。美国政府为了让我回来后宣传他们如何如何好，安排我参观和居住的家庭都是好地方，而我也没有忘记让美国人了解中华文化。那阵子，我用英语到处讲演。在 14 个国家的 26 名代表中，我是唯一来自中国台湾而且是年纪最小的一个。也许因为我年少又爱说话，培训团的团员们一致把我推举为在纽约召开专题大会的主席，这使得我有更多机会表达我们东方人的心声。后来我们被分配到各个固定地点实地考察，我就到了在密歇根州的马丁夫人家。她待我太好了，怕我见不到中国人会感到寂寞，便在周末特别安排我参加大学的中国同学会聚会。这在当时是我很愿意和高兴的事，每次去之前我总要打扮一番，结果问题就出来了。哈哈哈……”李琬若跟我说这话时，她丈夫陈宝和先生也在一旁，于是她忍不住大笑起来。

为了调节气氛，我在旁“开涮”起来：“陈伯伯，你年轻时那么帅，肯定也像李琬若阿姨那样有不少追求者吧？”

从来就很少说话的陈老先生上当了。只见他认真地看了一眼太太，然后非常明确地说：“那时追我的女孩子多得很……”见我们在一旁都快笑弯了腰时，他又特意补充道：“五六十年代到美国留学的中国学生中男女比例为七比一，而我和追求者的比例是倒过来的七比一。”

“哈哈哈哈……”我和李琬若早已笑得前仰后合，陈宝和先生则站在那儿像做学术报告似的一脸认真。他的样子更加惹得我们爆笑。

陈宝和先生的故事还是留到后面再讲吧。

由于当时身为考察学习团成员的琬若姑娘的优秀，再加上她正值青春妙龄，那些远离宝岛的台湾男学生们见了如此一个佳人，不免都会想入非非的。其中一个叫George的男孩子捷足先登了。

“Lily，你不是很喜欢美国吗？那你就别回台湾了，就留在这儿，我保证负责帮你办好留学手续。我认识一个律师，他专为那些移民换成学生身份。”

“不行。我是美国国务院邀请来这儿的，如果不回台湾那影响有多不好？不行，我必须先回台湾后再到美国来留学。”李琬若一听就紧张起来，慌乱地摆脱George伸过来的手。

也许琬若听了这位男孩子的话以后就不会有我们文章开头的那幕惨剧，陈宝和当然也不会成为本书的另一位主人公了。但充满个性的李琬若就是李琬若，所以George这个毛头小伙子无论怎么想法追遍了美国大陆，想逮住心中的“祝英台”，最后我们的琬若小姐还是按时回到了台湾。不过她内心很长时间里一直没有放下那段应该说是非常珍贵的牵挂。

李琬若身边有条爱犬也叫“George”，这是少女时期留存在她心中的一段纯洁而甜蜜的记忆。

这时她的身边，已经有了一个永远不离不弃的高大而执着的男孩子，他就是陈宝和。

但陈宝和从来不是那种捷足先登者。

多情而又有明星效应的李琬若在离开台湾赴美留学前，家里给她介绍了一个正在美国哈佛大学上学的王博士生。那王博士生出身豪门，在美国留学时就有一辆十分讲究的豪车。琬若从台湾到达旧金山后，王博士生几乎每星期都要驾着豪车来接琬若到当地的法国餐馆就餐，或者去博物馆，又或者不断出席上流社会的各种聚会。尽管如此，琬若始终对那王博士生不来“电”。自从认识了天津老乡陈宝和后，琬若突然一下意识到同王博士生整天乘坐着豪华车、吃着山珍海味特别乏味。

“Lily，我带你去一个跳舞的好地方，那儿很大很大。”陈宝和则完全相反，明白人都知道在那些大地方跳舞是不用花多少钱的，而在那些灯火阴暗的小地方才是要花大钱的高级舞场呢。

心里有数的琬若笑笑，不知怎的就跟陈宝和走了，并且两人跳得特别开心。

琬若爱看电影，尤其是爱看悲剧故事片。每逢看这样的影片，她总是随着主人公的悲欢离合而一把鼻涕一把眼泪的。

一旁的陈宝和冷不丁地冒出一句：“那都是假的。”弄得琬若不知该是哭还是笑。

“再这样我就不跟你来往了！”琬若没好气地发出通牒。

小伙子立马不敢吭声。最后还是琬若娇嗔地先开口说一声“傻”，他才真的连声“嘿嘿”傻笑起来。

琬若觉得这是一个透明而且可以信赖的人。

那天，王博士生又打电话约琬若到旧金山一家很著名的上海餐馆吃饭，而偏偏一个多小时前陈宝和也说要带琬若到一家上海餐馆吃饭。无奈撞车，琬若向那王博士生推说她有事。

可当她挽着陈宝和的胳膊走进那间上海餐馆时，正迎面看到王博士生也在里面与几个男同学就餐。琬若灵机一动，故意挽着宝和的胳膊，目不斜视地径直走进餐馆。

吃完饭后，陈宝和心血来潮，说要带着琬若到“又便宜又能聊天”的海滩去玩。谁知陈宝和的“老爷车”半路抛锚，正当琬若满头大汗地帮着修车时，那王博士生开着漂亮的豪车从他们身边驶过。

哈佛博士生意味深长地看了一眼狼狈不堪的琬若，什么话也没说，从此再也没有找过她。

“来，吃这葡萄。”陈宝和似乎什么都没有觉察一样，到了海边的沙滩后，他大大咧咧地捧来一大串葡萄，然后一个一个地剥给琬若吃，一边剥着一边说道：“这绿的没籽，但不是最好吃；红的很香，可有籽，Lily 你喜欢吃有籽的还是没籽的？”

琬若瞧着实心眼的陈宝和，把头紧紧地依在他结实的胳膊上，亲昵地喃喃道：“是你给的我都爱吃……”

陈宝和听后先是一愣，继而手忙脚乱地猛剥起来，然后又连连将一大串葡萄塞进琬若的嘴里。

“哎哟哟，慢点慢点嘛！”

“哈哈哈……看你吃得满嘴都是紫的，像只鸠鸠鸟。”

“好啊，你敢拿我开心。”琬若跳起来，紧握起两个拳头，使劲地捶在那像铜墙铁壁般宽阔的后背上。

“好舒服啊！再来几下再来几下！”宝和痛快地仰头高喊，琬若则瘫坐在沙滩上使劲摇晃着累酸了的双臂。

一缕晚霞映衬下的金色沙滩上，这对中国年轻人热烈地拥抱在一起，他们的身后，是拖挂在宁静如镜的海面上的一双长长的倒影……

琬若在清澈的海水中看到了自己那张幸福的笑脸。

不久她写信把陈宝和的事告诉了父亲，而这次父亲出乎意料地很快来信同意女儿与这位“天津老乡”交往。父亲说，他托熟人去问过女儿男朋友的中学和大学教师，他们都说“陈宝和是个品学兼优且非常有正义感的好孩子”，所以父亲很放心。

“好啊，我说英雄同志，你竟然把最精彩的历史给我隐瞒了？交代吧！英雄同志！”在琬若的不依不饶下，小伙子讲述了他的家世与他独自去台湾后蒙受不白之冤的一连串传奇——

陈宝和家在天津是个有名的工商家族。

父亲陈洁清是纺织界的“老大”，任天津市纺织会长，信奉基督教，每年要把赚来的钱拿出 20% 以上捐献给教会。宝和的父亲做善事不愿让别人知道，儿子长大后每次都让宝和拿着支票交到教会。

天津解放前，国民党政府以引诱手段鼓动有实力的工商界名人将企业迁到台湾，陈宝和的父亲也被列入其中。怎么办？陈老先生俯视着成片亲手创造的家业，就是舍不得离开天津，但紧张的时局又让他不得不考虑儿子的后路与前程，于是在最后一班“美信”轮离开天津时，老人家才匆匆忙忙用了十几根金条换得一张船票，终于将儿子送上了人满为患的轮船。

孤身一人的陈宝和到台湾后没多久，受他父亲委托照顾他的那个人因为赌输了钱，卷起铺盖不辞而别。从此年少的陈宝和在举目无亲的台湾岛靠打工度日和上学。

那时国民党刚到台湾，整个小岛上充满了恐怖的“清理队伍”运动，如果一个人没有任何背景，尤其是年轻人，那么情报机构就会把他定为“危险分子”而打入另册。陈宝和像所有从大陆过去而没有任何背景的人一样，每天小心谨慎地生活着，即使这样，仍有不少人因为一句牢骚话便被关押入狱。由于没有家里的经济支持，宝和只能长期住在一个旧仓库的工作间里。后来考上了台湾大学，但他仍然连一把学习用的计算尺都得向同学借，更没有钱支付住宿费。

大二时，著名学者傅斯年来到台湾大学当了校长，傅校长看到大陆来的多数同学非常困苦，便向当局申请免费向穷学生发放公粮和助学金。第二年傅斯年又想法为学校盖了学生宿舍楼，像陈宝和这样没有家的大学生们都搬进了免费校舍。可就是因为傅斯年做了这些事，在一次“议会质询会”上，一个“大炮议员”向傅斯年发难追问。刚正不阿的傅斯年受不得别人蓄意恶毒的指责，当场心脏病发作，昏倒在会场，第二天因抢救无效而死亡。当消息传到台湾大学，全校师生震惊和愤怒了，他们因此发起了一场声势浩大的示威游行活动。深得傅斯年校长恩泽的陈宝和是此次示威游行的学生领袖之一。后来事情闹大了，台湾当局开始镇压，那些在示威游行中出头露面的人都被特务机关列入了“黑名单”。陈宝和自然是其中的“重要分子”之一，但生性耿直的他并不知道当局已经在他的档案里塞进了“黑色记录”。

大学毕业后，他同所有毕业生一样，被送进预训班进行为期一年的严酷军训。他努力刻苦，但到头来总是被评为“戊等兵”。有一天他终于忍不住找到指导员，人家看了看他，然后从鼻孔里哼了一声，说你没有被关进黑牢就算便宜了你，还梦想什么？陈宝和这才知道他在台湾已经彻底没有了前途，那被特务机关塞进档案里的记录永远像幽灵般盯着他日后的一举一动。他几乎绝望了，无数次独自站在惊涛拍岸的海边，遥望北方，一遍又一遍呼喊着在大陆的亲人，但天不应地不应，只有那望不见边的苍茫大海……

后来，陈宝和找到在台湾某中学当教务主任的佟本仁先生，由于佟先生在天津中学任教时就是陈宝和的老师，对他非常了解，所以出面担保，才使陈宝和有了出国深造的机会。

这是青年时代的陈宝和心头的一个永远的痛。

当他原原本本讲给琬若听后，琬若的心头一下堵得发慌，顿感心痛……

琬若从一阵阵的心痛中醒来。

她睁开眼睛，看见的是一片白色：白的窗帘，白的墙壁，白的床单……唔，我住进了医院？！哪个医院？在什么地方的医院？

她想知道，但没有一点力气，也没有人帮她。看不到熟悉的面孔，更没有亲人。

“宝和呢？他在哪儿？他怎么样了？啊？我要知道呀！快告诉我……”她想说，但感到的只有疼痛，那种透骨的浑身剧烈的疼痛，而这疼痛使她一下又昏迷过去，并且将她带回到了那个疼痛的年代。

2. 海河边的“丑小鸭”有段冤情

1936 年 5 月，海河边的一栋破旧没落的官宅里，传来一个婴儿的啼哭，从此，那条长流不息的海河边又多了个女儿。

以教书育人为生的父亲李曜林一看又是个女儿，说不上高兴，也说不上不高兴，抹一抹嘴，对躺在床上的夫人只说了句“你先养几天吧”，便毫无表情地出了家门。琬若从懂事后所见到的父亲就是这样的一个人，尤其是在母亲面前，从没有半点笑容，只有冷冰冰的几句实在不能不说的话溜出嘴边，就算是“交流”了。

后来琬若还知道，父亲对自己的这门由祖父定下的亲事始终不满，虽说出于孝敬，父亲没有拒绝家里为他娶了一个“小脚女人”，但打心眼里对家人安排的这桩婚事不满意。因此成婚没几天，他便甩手离开天津，到了保定继续学业，一去就是六年。等到父亲见到琬若的姐姐，也就是他第一个女儿时，孩子已经六岁了。母亲虽然裹着小脚，但却仍然保持着健康的体魄和淳朴善良的性格。她用自己全部的心思和力量侍候着李家上上下下好几口人，但并没有获得应有的回报，可她却无怨无悔。

母亲在李家除了生儿育女外，几乎与保姆无异。在琬若出生后的第二年，又一个女儿降临到李家时，父亲在妻子面前更加沉默，甚至是更加暴躁。

琬若始终不理解父亲为什么对母亲冷漠无情，是他祖上一直传到琬若她们这一辈就“断了香火”的缘故？不像。在琬若的眼里和感受中，父亲对她们三姐妹是很好的。她最爱父亲星期天带她到劝业场去看哈哈镜，在忽儿高大、忽儿矮小、忽儿瘦如柴、忽儿胖如牛的形态变化中那父女间无比开心的欢笑，不正是融融亲情的表现吗？父亲爱看京戏，知道琬若唯一感兴趣的是能在这时吃上一块煎饼果子什么的，于是便买上几块后带她进了戏院。但琬若无法原谅父亲在母亲面前的那种撕破斯文面孔的施暴行为。

父亲经常把无名火撒到母亲身上，也不顾幼小的琬若姐妹们万分脆弱的神经，那整桌整桌的饭菜和碗碟在父亲愤怒时总是“乒乒乓乓”地碎满一地。而父亲依然不依不饶，甚至变本加厉地揪住母亲头发，在母亲的脸上左右开弓……

这是琬若一生中最心痛的地方。

母亲因此在女儿的心灵世界里永远是最了不起的人，最值得爱和最值得亲近与保护的人。然而在琬若的记忆之中，母亲的伟大又不仅仅是“以家为命，以夫为尊”，是母亲引她走上了一条自尊和独立的道路。

李家姐妹三人，排行居中的琬若小时候特别不被人看好。年长她 12 岁的姐姐琬如是李家三姐妹中长得最出色的一个，她的那种古典美常常能引发父亲诗情画意般的吟咏。小妹琬君长得甜美可爱，谁见谁喜欢。唯独琬若常被李家众多客人们“怀疑”和“可惜”。你们听听，又是一个老伯母冲着父亲说话了：“哎，曜林啊，真可惜啊，你家老大长得这么漂亮，老三也像天仙似的，就是老二差了许多……”

年幼时，琬若不知什么是自卑，但听到这样的话时，她感觉自己很难为情。但每每在这时，母亲的手总会紧紧地握着她的小手，圆场似的对客人们说：“你们别觉得我们家老二没她姐妹漂亮，她长得可是俏皮，衣服怎么穿就怎么好看，而且做事有主张，她可是我们家的‘儿子’哩！”

“我是李家的儿子！”母亲的这句话深深地烙在琬若的心底。所以以后再碰上客人们到她家议论谁漂亮不漂亮时，那些大叔大伯们怎么议论她，她都不会在意，因为她心里想的是我是李家的“儿子”，跟姐姐和妹妹不一样。

儿子就该干儿子的活吧？于是有一天琬若跑到地下室那个烧烟煤的暖气锅炉给即将熄灭的锅炉加煤，谁知煤还未加上，突然火龙“噗”地蹿起，一下扑到她的脸上。一阵热疼后，琬若不敢吱声，自个儿跑到楼上的镜子里面一照，这下可真惨了：眉毛睫毛全都没了，整个儿是只丑小鸭！

“若儿，快过来跟叔叔阿姨们见见面！”这时母亲在另一个屋里唤她过去。

琬若这次怎么也不愿出去。最后还是母亲硬拉着她跟客人打了个照面。而母亲似乎仍不在意她家的“丑小鸭”没了眉毛睫毛，一个劲地在客人面前夸耀说：“看看，这就是我们家的‘儿子’。她可是我们家最了不起的一个。不但功课好，还代表全校学生向毕业班致辞呢！”客人们自然跟着夸耀起来，于是琬若觉得她这个丑小鸭“儿子”其实也很自豪啊！

一天，她跟同学们在天津耀华小学的操场上玩游戏，老校长坐在窗前观看，正好此时一缕强烈的阳光照在老校长那颗光秃的脑袋上，十分抢眼。琬若不知哪来的胆子，一边过去伸手摸摸老校长的光头，一边嘴里还在嚷着：“你这个秃光光的头……”不等她说完，老校长气得哭笑不得，而同学们则在一旁大笑不止。

当晚，父亲知道此事后，不但没有责怪，反而对她说：“你性格外向，长大后适合做外交官。”

“爸爸，什么叫外交官？”琬若有些得意地问。

父亲顿了顿，说："就是做跟外边的人打交道的事。"

琬若对父亲的话记得很深，她真的开始在等待"做跟外边的人打交道的事"，然而天津已经被日本侵略者占领了，日军的铁蹄残暴地践踏着海河边的每一寸土地。

从此琬若一家进入了白色恐怖下的不安宁岁月。父亲白天以教书身份掩护，晚上便为政府搜集敌人情报，早上再想法把情报送走。

那时琬若最担心的是两件事：一是早上醒来不见了原来住的房子，周围都是陌生的环境，这是因父亲为了躲避日本鬼子的搜寻而时常搬家的结果。琬若在海河边生活的十多年间，印象最淡漠的就是到底自己的家在哪儿。后来父亲告诉她，在日本占领天津的几年中，他们李家至少搬过六七个地方。每到一处，父亲和母亲就告诉她姐妹三人，不准与邻居多来往，也不能告诉他们父亲的真实名字。第二件事是琬若最害怕半夜有人"哐哐哐"地敲门和木楼梯上那"咚咚咚"的踩踏声。那是日本宪兵的搜捕，一次次的搜捕。琬若不明白为什么她家老搬家仍然逃避不了日本鬼子的追寻。有多少次突然在半夜里她被人从被窝里揪起来，然后赶到母亲和姐姐身边。她和妹妹总是被吓得哇哇大哭，这时拿枪的日本鬼子就很恼怒地让同样在一旁瑟瑟发抖的母亲或姐姐管住她们不准出声，但无论如何琬若和妹妹还是"呜呜呜"地哭不停。

"谁再哭，统统死了死了的！"有一次由于琬若和妹妹的哭声惹怒了日本宪兵，一个当官的抽出长长的军刀对准她和妹妹的鼻尖大声威吓着，谁知这也不能阻止小琬若与妹妹的哭声。搜捕无果的日本宪兵们气得直摇头，一声"开路"就走了。

这一招似乎给了母亲一个启示，于是后来一有人上门搜查或询问父亲时，母亲就使一下眼色，琬若和姐姐、妹妹便大哭起来，尤其是有"儿子"之称的琬若，一边哭一边抱住前来搜捕的日本宪兵的腿，吵着嚷嚷“还我爸爸、还我爸爸”。这么一嚷，使得想抓她父亲的日本宪兵半信半疑地相信了琬若的父亲确实没有在家，于是不得不空手而归。

这段心惊肉跳的日子不知过了多久，琬若怎么也记不清。有一次她半夜突然被一阵并不太大的响声惊醒。她偷偷起床隔着门缝看到了日夜想念的父亲，于是忍不住扑过去投进了爸爸的怀里。“爸爸，今晚在家吗？明天可是我的生日，你能带我去海河边买煎饼果子吃吗？”琬若想起了一件重要的事。

父亲点点头，然后让琬若到房间去睡觉，自己又重新开始烧着一张张纸……

第二天琬若醒得早，当她满面春风地起床后找到母亲想告诉昨晚父亲答应她的“重要事情”时，只见母亲两眼泪汪汪地站在门口一声不吭地哭泣着。

“妈妈，爸爸呢？”琬若似乎预感到了什么，便问。

母亲慌忙擦一擦眼泪，说：“爸爸……他出远门了。”然后再也没有说第二句话。

后来琬若才知道，那一次父亲遇到了麻烦。他烧完文件刚想离家就被守在巷口的日本宪兵逮住了。父亲被关进监狱后，日本宪兵队用尽了各种酷刑，仍然毫无收获。于是便用几只特大的灯泡日夜不停地架在琬若父亲的眼前，企图用这种方法叫他开口交代天津地下抗日力量的情报。然而宁死不做汉奸的琬若父亲视死如归。敌人无计可施，便决定枪毙他。就在行刑的前一天晚上，当教师出身的李曜林被一个在日本宪兵队里当差的学生看到了。也许是良心发现，这位给日本人卖了多年命的年轻人做出了一次冒险行动，浑水摸鱼偷偷地将李曜林先生从狱中放跑了。

出狱后的父亲没有回家，而守家的母亲和琬若三姐妹却开始了更加惊恐的生活。日本鬼子为了追捕逃跑的死囚犯，有时一个星期里就要上琬若家搜寻几次，而且从不分白天和黑夜。日久天长，琬若的母亲一听到日本宪兵穿着铁钉的皮靴“咚咚”敲响木楼梯，她的头就会神经质地跟着摇起来，从此这个病根一直痛苦地伴随了她整整一生。

“妈妈，妈妈——日本人终于投降了。”海河边重新有了中国人的欢乐与笑声。可在琬若的眼里，母亲不仅没有因为在这十四年抗战的白色恐怖下为父亲和那个家所做的种种牺牲而得到父亲的任何尊重，相反她仍然忍受着不公平的待遇和暴力的摧残。那一年琬若作为美国国务院“世界青年领袖培训计划”的代表，出访归来刚刚踏进家门没几天，善良勤劳的母亲便带着对女儿们的一片期望而永远地离开了人世。琬若极其伤心，以至于当她本人在过了母亲过世后再谈起自己的母亲时，她依然在我面前毫不掩饰地泣不成声：“我一辈子最感到遗憾的就是没能让母亲亲眼看到我和美的家庭与成功的事业，使她得到她本人应得的那份尊重与收获……”

“妈妈，妈妈——”琬若又一次从昏迷中醒来。

这是98号高速公路旁的一个小镇上的医院，牧师和一旁的护士微笑地站在她的病床前。

“小姐，你可以放心了，医生和护士会照顾好你的。不过现在你还不能见到你的男友……”

琬若终于可以知道自己在什么地方了。当她听到救助她和宝和的那位牧师这样说后不由着急地追问：“我的男友在哪里？他怎么样了？让我去见见他，快快！”

“你现在不能去，他还在抢救之中。”

琬若一听，整个身子犹如沉入万丈谷底……

3．一墙之间传递生死情书

其实，琬若牵挂的心上人就住在与她一墙之隔的病房，只是陈宝和的伤势相当严重，尤其是脖子部位被严重压伤撕裂，医生正在尽全力缝合外部伤口。

琬若急死了。她醒来后的第一件事就是想看一眼不知是死是活的陈宝和。而眼前的这一切对她来说发生得太突然、太意外，又让她太不知所措。

父亲因在抗战期间的天津所做的地下工作为政府立了大功，国民党政府给了他一个“立法委员”的头衔，此后身为李家公主的琬若就一直一帆风顺。虽然留学美国她是只身一人，可这是她青春理想中最向往的前程。当踏上这块充满诱惑的土地后，由于她在台湾已经成名的身份和亭亭玉立的娇美形象，她一直沉浸在别人的追求和慕恋之中。

就在昨天，当她正式决定跟着男友从旧金山迁至西雅图的那一刻，她还兴奋得跑进一座基督教堂，对上帝说了几十声“感谢恩赐”的话呢！

是的，那是太幸福和太浪漫的决定。

那天，宝和依然开着他的那辆“老爷车”将她带到他们常去的海滩。小伙子一反唯唯诺诺的神态，突然用有力的双臂拥抱住了琬若，激动得很长时间说不出话。

“宝和，你今天怎么啦？”琬若不知发生了什么事，连忙问道。

小伙子的脸涨得通红，后来他终于开口说道：“Lily，我今天已经完成博士学业了，而且接到了位于西雅图的波音公司的聘书。你知道我拿到这两样东西后，第一件事想到的是什么吗？”

“什么？”琬若好奇地问。

“我要带你去西雅图！”

“可我在旧金山州立大学的学业才刚刚开始呀！”琬若顿感紧张。

“是的。”小伙子把琬若搂得更紧了。“正因为我知道你刚刚开始这儿的学习，所以我才要把你带到西雅图去。我还知道你对社会工作专业特别有兴趣，在西雅图的美国一流学府华盛顿大学就有社会工作专业，你能在那儿接受最理想的专业教育，而我在波音公司工作，我们天天在一起，你觉得怎样？快说！你快说行吗？”

琬若不知该如何回答，她的脑海出现了空白，只有全身的热血在沸腾……

“去吧，Lily，我要娶你为妻。跟我一起到西雅图去吧！啊？”小伙子的胸膛在不停地起伏，眼里的爱火在熊熊燃烧。

琬若被熊熊燃烧的火焰炙烤着，渐渐地，她的眼里流出了热泪。

“我跟你去西雅图……”

“Lily，我最亲爱的……”

小伙子就这样把一位骄傲的公主俘虏了。而在这次车祸之前，他们丝毫没有怀疑过自己将是这个世界上最幸福的人儿。

是的，一个是美国名牌大学的博士毕业生，即将进入待遇很高的著名飞机制造公司工作；一个是已经成名且前程似锦又才貌双全的名门闺秀，而她所研读的专业又注定她未来是个受人瞩目的公众人物。

也许上帝总是将幸福与浪漫升华为一种命运，一种需要去体味、努力创造与经历痛苦的过程。

突如其来的车祸，使青春命运一向被阳光与欢乐包围的琬若完全处在命运未卜的境地。且不说男友是死是活，抢救过来后能否恢复如常，就说眼前的困境就令她这个在异国他乡的孤单女孩子不寒而栗。她来美国不足半年，旧金山州立大学的学业刚刚放弃，此时出车祸，连个栖身之地都不知在哪儿？医院？一直栖身和生活在这儿，昂贵的医疗费谁出？宝和孤单一人，根本无法同远在天津的家人联系，即使辗转联系上又能支付几个钱？

一切的一切，使这位从来没有因为钱而困惑的姑娘，一下子被逼到了绝境。她好想急电告诉在台湾的父亲，但又不敢，生怕原本孤独伤感的父亲承受不了这意外事件而为她过度担心。

“宝和，你让我怎么办呀？”琬若想到这儿两眼泪如泉涌。但现在令她最担心的还不是这些，从车祸现场到被人送进医院的这几天里，宝和的伤势怎么样了，这才是最重要的。

“医生，我必须知道我的男友情况怎么样了，我要去看他……”琬若流着泪恳求医生和护士。

医生摇摇头，坚定地说：“NO，NO!”

还是那位与琬若年龄相仿的护士小姐有同情心。她悄悄地告诉琬若：你的男友全身被石膏包着，不能动弹。不过他已经脱离了生命危险，你可以给他写信。

写信？仅一墙之隔？

嗯，一墙之隔给男友写信不是很浪漫吗？护士小姐朝琬若耸耸肩，友好而神秘地笑笑。

“谢谢。请你等一等。”琬若转身趴在床头，“唰唰唰”挥笔疾书起来。她用最短的时间将一生的企盼和全部的思恋都写在了一张纸上。

宝和：

我亲爱的心肝，感谢上帝，你可好吗？你哪儿痛？哪儿伤得最厉害？脑袋是否受伤？我要知道，我要去看你，我要在你身边，亲着你，搂着你。这儿的医生真狠心，不准我去看你。可你的 Lily 看不到你会发疯的！我脸上的伤不太重，只是头里面很痛，浑身都痛，不能动。

你不用为我担心，我没有关系，不久就会好的。我想我们应该给波音公司打个电话，告诉他们所发生的事情。

另外如果需要钱，我可以想法尽快通知家里。而这一切我都想听到你的意见。你的心肝，我在这儿每时每刻等待着你的音讯。

吻你的 Lily

琬若顾不上重新审视一遍，就急忙将字条折好放在信封里，双手颤抖着交给了那位护士小姐。

“我真心地拜托你了！”

“放心吧。一定将你的情书送到罗密欧的手中。”

“太谢谢了。”中国的“朱丽叶”感激着，同时又期盼着。

那时间有多长？十分钟？一个小时？

太长久了！自护士走后，琬若坐立不安地站在病房门口焦急地等待着，真是望眼欲穿。

傍晚，护士终于在琬若的病房门口出现了。

“护士小姐，有我的信吗？”琬若早已忍不住了。

“信？什么信？”护士装出几分惊诧反问道。

琬若好不失望。“难道他还不能……”

护士突然哈哈笑了起来，然后从口袋里掏出一张叠好的纸条，在琬若面前扬扬说：“这可不是你要的信。它是中国的罗密欧写给他中国的朱丽叶的情书！”

琬若的脸顿时绯红，她一把抢过纸条，然后急不可待地趴在床上看起来，当她仅仅扫了一遍，两眼就被涌出的泪水模糊了视线……

Lily，我的心肝，你还好吗？这是我最担心和牵挂的，我想把所有的不幸和疼痛留给我一个人有多好，真的，你是我的心肝，我不想见我的心肝宝贝有一点点伤痛，那会要我的命的。至于我，现在尚好，你不要惦记，医生说保证我可以好的，大概现在最需要的是治疗。Lily，你要忍耐、挺住，因为这需要时间。亲爱的，此刻我比任何时候都需要你和爱你。

Your Paul

这是一封特殊的情书。

琬若伏在床头大哭起来，这是生死之别后的幸福泪水，这是缠绵恋情转为刻骨铭心的爱情后的泪水。哭吧，让它哭个彻底，哭个无止……

“护士！护士——”琬若突然发现身边的护士走了，急得又大叫起来。

“什么事小姐？”护士紧张地折回病房。

“求你再等一等。我还要给男友回封信。”琬若一边抹着泪痕，一边抄起笔又“唰唰唰”地写了起来。

护士突然一声尖叫，随后做了一个奇怪的动作，说：“上帝，我要改行成邮差了！”

琬若破涕为笑，将又一封信交给了她，并说：“不会的，你永远是天使。”她给了护士一个甜美的吻。

“哇——我太幸福了！”护士顿时夸张地高喊一声。

于是，在以后的那些分分秒秒和日日夜夜里，在这座美国小镇的医院里，两间仅有一墙之隔的病房里演绎了一段感人肺腑的“情书热流”，那爱意时而如激流汹涌，时而如缠绵细水，把整个医院都感染了。然而在美国是个讲究实际的国度，爱情和情书并不能代替一张张的美钞。没过几天，医生告诉琬若：你们必须离开这个医院，这儿的医疗条件不行，陈的伤势还很严重，应该到条件更好的医院去治疗，以免耽误治疗而造成终身遗恨。

当然，绝不能让他留下残疾，他还年轻……琬若听到赶紧说。

是的，但你们离开这儿之前必须把所有的医疗费结清。

多少钱？

医院的财务主管拿出长长的一串账单。

琬若吓得差点昏倒。可即使昏倒了该交的钱还得交啊，美国是个法治国家，除非你能拿得出正式公民的保险记录卡才可免交医药费。但琬若和陈宝和是留学生，缺的就是这个。

那就交钱吧。耽误了交钱是小事，可耽误了转院事情就大了。

医院不是在吓唬人。

无路可走的琬若想起了宝和在旧金山的那些同学。

“Lily，你先别着急，我们马上会想法凑钱接你和宝和出院的。我们马上会到的……”接电话的是陈宝和的好友莫裕浔。当琬若把他们所遭受的厄运告诉这些同为留学生的好朋友后，大家立即分头到旧金山的朋友那儿凑钱，当夜乘着从旧金山出发的“灰狗”长途公共汽车，赶到了出事地点的医院。莫裕浔他们到底向医院交了多少钱，李琬若到现在都不知道。当时六神无主的琬若完全依着陈宝和的几位同学安排，上了飞往西雅图的飞机，而这时琬若才第一次见到了浑身上下被石膏裹得严严实实的恋人陈宝和。

“宝和，你还疼吗？快告诉我，疼吗？”琬若握着心上人的手，再瞅瞅他苍白的脸和不能动弹的身子，心如刀绞。

宝和想摇摇头，但脖子和整个后脊骨全部被石膏固定着，于是他只能用手指在琬若的手心里轻轻写了个“不”字。

“陈先生太了不起了，他从事故现场到进医院后这么长时间里就没有说过一个疼字。”医生敬佩地告诉琬若。

到达西雅图后，琬若第一眼看到的便是她最先通知的已在波音公司工作的宝和的另一位同学傅京苏。

老同学见面顾不上寒暄，傅京苏对琬若说：“走，我已经安排了最好的医院。现在是最关键的时期，千万不能耽误了！”

从机场驶出的救护车直奔当地一家著名的医院。

“请靠边一点好不好？中国人！”在喧喧嚷嚷的门诊大厅里，琬若推着像植物人似的陈宝和，跟在傅京苏后面焦急地等待就诊，而就在这时这所医院的行政主管非常不耐烦地冲着琬若大声说道。

“我们是来住院的，他伤势很重，请你行行方便马上让我们这位先生住院。”琬若用流利的英语对这位医院行政主管说。

那主管瞪了一眼琬若，然后头也不抬地问：“有保险吗？”

“有。我的男友他只要一到波音公司工作就会有的。”琬若知道这是美国的规矩。

医院主管很傲慢地说：“我问你现在有没有保险？”

琬若只得实话实说：“现在没有……”

“那有车保险吗？”

“也没有。”

“有存款没有？”

“没有。”

“那你们怎么到这儿来住院？像他这么严重的伤，又要动大手术，会需要很多钱的。走吧走吧，你们到公立福利医院去。那儿也许可以收留你们这些没有钱的中国留学生。下一个……”那主管一副拒人千里之外的嘴脸，在琬若心底烙下一辈子的印迹。

琬若急得直跺脚，但那主管根本不理这一套。

“下一个，下一个……”

“对不起，就请你先收了这位重伤的中国先生。”早已满脸怒色的傅京苏把琬若拉到自己的身后，然后带着几分威严对那主管说。

傅京荪随即掏出自己的一张信用卡，又在陈宝和入院的担保人一栏写下自己的名字，一并交到那个主管的面前。“如果陈支付医疗费用有问题，我将负全部责任。”

这一招也许是那位主管始料不及的。他看看傅京荪的信用卡和签字，然后又追问了一句：“可以请问一下先生在何处谋职吗？”

“波音飞机制造公司！”傅京荪回答得顿挫昂扬。

这回轮到那位主管瞪眼了：“噢，Boeing?！OK，OK！”谁不知道能在波音公司工作的都是些什么人，还怕他们交不起医疗费用？

“请吧小姐，你的先生可以在这儿得到最好的治疗。”

琬若站在老大哥傅京荪面前，破涕为笑。

当医生将躺在担架上的陈宝和推向病房时，小伙子突然“Lily，Lily”地连叫起来。

“亲爱的，我会永远在你身边的，你有什么事吗？”琬若急忙上前。

只见宝和的右手做了个写字动作。

琬若立刻明白地点点头，说：“一定。”然后她也做了个同样的动作。

那是这对患难恋人自己才知道的一种传递爱情与思念的特殊方式……

4．与“太空人”如歌如泣的婚礼

关于琬若与宝和两人在医院里写过多少相互倾吐思恋的情书，只有他们俩才知道。不过李琬若告诉我一个秘密：当时他们写的情书她都完好地保存着。假如是这样，我想这将是他们夫妇两人这辈子所拥有的最宝贵的财富了。

而世界上所有最宝贵的财富总是来之不易。

宝和总算在同学的担保下住进了这家著名的私人医院。那儿的骨科医生人很好，他向琬若透露了一个让她直吸冷气的信息：你男友的伤势极其严重，假如得不到良好和及时的治疗，很有可能造成最终的脑瘫痪。

脑瘫痪是什么概念？

就是失去正常思维功能的白痴。

我的天哪！琬若全身颤抖乞求医生："你一定要想尽一切办法将他治好啊！"

"我会尽力的。"医生告诉她，"在这紧要的关头，亲人的关怀和伤员自身的心理状态也非常重要。"

琬若表示明白。

宝和开始按新方案进行治疗。医生先把他全身的伤口重新缝了一遍，然后将他颈部拉直，这一关特别重要，能让受挤压的骨骼有恢复的空间，以免敏感部位的神经受损伤。这是第一步。紧接着医生在他左右太阳穴处打了两个洞，然后用铁钉锁进一根铁杆，再在宝和颈部一直顺着脊梁骨打上近五十磅（1 磅 =0.453592 千克）的石膏，将他整个身子直直地架起，以待内部骨骼和伤口慢慢愈合。这在当时是最先进的治疗方法了。而这种治疗方法使得患者既不能坐着，又不能仰面睡下，连脖子和手臂都不能动弹。高大的宝和被裹在石膏里，活像一尊有生命的雕塑，而那时美国全国上下都在为同苏联竞争太空飞船而大造舆论，普通公民对太空世界充满了神话般的向往。当西雅图医院的这位浑身锁在白色石膏之中的黄皮肤黑眼睛的东方人出现在美国人的眼里时，大家惊奇不已，偷偷地笑言"太空人"来了。

"Lily，我现在是不是特别难看？"一天宝和有些忧伤地问琬若。

琬若赶紧安抚说：“做太空人太时髦了，没什么不好。”话虽这么说，但她的心里却在流泪。琬若绝不是为自己不幸的命运悲伤，而是心疼宝和并担忧他的身体。

那些日子里，大家闺秀出身的琬若完全像变了一个人似的。她每天像保姆似的给宝和做饭喂食，换衣换裤，甚至宝和的大小便都得管，这对一个未婚女孩来说实在为难，可琬若似乎什么都不在意，每天除了自己养伤外，便把所有的精力放在了照顾宝和身体上，生怕有半点不周到而影响宝和的疗效。

在无依无靠的异国他乡，这对患难恋人在医院度过了他们人生中最艰难的日子。那样的日子只有经历过的人才能体味它的艰辛与困苦。

时过数月，宝和终于脱离了脑部神经受损伤的险境，破裂的骨骼开始愈合，而之后的日子便是一个漫长的恢复阶段。有一天医院的医生来找琬若，说你的男友现在可以回家疗养了。

琬若喜出望外地把这一消息告诉了宝和。

“家？我们哪有家呀？”聪明憨厚的宝和一听此话，不仅没有一点儿高兴，反倒傻了眼，他呆呆地看着为他操劳已经疲惫不堪的琬若，不知如何是好。

是啊，我们哪有家呀？我们两人仅仅是一对留学生，一对恋人而已。家？怎么突然冒出个家的概念来了呢？

“宝和，别担心，我们结婚吧，结婚就有家了。”

“琬若，你可别太傻了呀，无论是爱情还是人道，你为我所做的一切，我都领受了，但是，李琬若，我不能，不能让你嫁给我。”全身被几十斤重的石膏绑成只能动嘴不能动身子骨的宝和急得直咽口水，他实在不忍心由于自己的大意和前途未卜的未来而耽误心爱的人。

琬若紧紧地握住宝和的手说：“宝和，我爱你，我要给你一个家，永远的家。”宝和还要说什么，李琬若却不让他说，只是把炽热的双唇贴在了他的嘴上。

说来也巧，就在琬若准备租房子的时候，她接到了一位台北女一中的老同学的电话。当她得知琬若准备结婚时，脱口而出：“李琬若，这是你的终身大事，可不能糊涂啊！凭你的条件什么男人找不到呀？可你却要嫁个穷光蛋！还可能要终身残疾……”

琬若放下电话，她不想听她再讲下去。她爱他，不可能离开他，更不可能在这个时候，在他最需要爱、最需要照顾的时候离开他。琬若找到在西雅图的老校友王鸿恩夫妇，向他们借了100美元，租下了一间月租金只要55美元的最便宜的地下室。租好房子后，琬若满脸灿烂地高声说道：“明天我们就去登记结婚。”

“明天？就去登记结婚？”

“对啊，明天！”

宝和不由得愣了。“对，明天我们就去登记结婚。”这一点他陈宝和是了解琬若的，她是个遇到天大的事都能在几秒钟内决定的人。还在旧金山时，宝和的博士生同学中就有人曾经悄悄对他说过这样的话：“李琬若可是个在台湾就很出名的女孩子，将来一定是个社会公众人物，你书呆子一个，应该找个守家的贤惠妻子才对。李琬若不适合你！”当时宝和就十分不客气地对同学说：“你们根本不了解她，我是爱定她了。”

此时此刻，宝和更觉得自己的眼光没有错，只是他觉得现在自己这副样子，而且未来的命运更加不可知，如此境地实在太委屈琬若了。

“我亲爱的太空人，还顾虑什么呢？明天是我们俩最神圣和最幸福的时刻，让我们一起以欢笑迎接吧！”琬若是个充满浪漫与激情的人，她总会把气氛调节到最佳状态。

对年轻人来说，也许结婚是件最重要和最烦琐的事，但又可能是最简单和最顺当的事，因为这完全是两人可以说了就算的事。现在身处异国他乡的琬若与宝和就属于这种情况。假如此事在中国国内，像琬若这样有身份的家庭，前前后后还不得准备和筹措一年半载的？然而现在是在美国，他们用不着任何世俗的困扰了。在美国结婚登记时只需要两件事：一是你已年满18周岁的身份证明，二是你没有传染病的验血证明。除此之外就是你们自己两个人的事了。

明天？明天就要结婚了！而今天可把琬若忙坏了。她没有时间去准备女孩需要的婚纱，也没有时间去向亲朋好友发请柬，更没有时间去预订婚宴。她忙的是给宝和与自己验血，再者就是布置自己的新“家”。

这是一间真正意义上的“洞房”，里面除了能从窗户处见得一丝光亮外，一片黑洞洞的，连张木床都没有。琬若只拿出了十几美元便从旧家具店搬回一张破床，顺便买回了一床被子。

这就是这对落难留学生婚前的全部准备。

第二天，在西雅图的一个婚姻公证处，琬若与宝和出现时，他们的装束令在场的美国新婚男女们惊诧不已。再看看李琬若与陈宝和，也确实让人忍俊不禁，一个是楚楚动人、身着色彩艳丽旗袍的东方美人儿，一个是直着脖子、全身架着几十磅石膏的“太空人”。

“这是怎么啦？他们爱疯了呀？”

“可不，结婚是大事，小伙子伤得这么重，等身体恢复后再结婚也不迟嘛。”

“是啊，又一对让人弄不懂的中国人。嘻嘻……”

婚姻公证处里聚集了不少前来登记结婚的美国年轻人，他们在窃窃私语着，并不时发出阵阵笑声。但李琬若与陈宝和却旁若无人地手挽着手，尤其是陈宝和，本来他个头就高，加上全身架的石膏，那挺直的脖子、不得不仰起的头颅，使他更显“趾高气扬，目中无人”，让人看后不禁哑然失笑。

他们就这样走到法官面前。

“你愿意嫁给这位先生，并一生陪伴他？”威严的法官开始问话，本来应该是先问先生的，而今天的法官也可能感到这对中国年轻人太特殊了，因此特别调换了一下程序。法官的眼里有一丝淡淡的疑虑，所以他这么问跟前的这位中国美人儿。

“愿意。”中国美人儿说。

“那么你也愿意在他生病或者受难时仍然爱着他？”

“是的，不管他成什么样，我都爱着他。”

法官看看陈宝和，忍不住“哧”地笑出了声，随后装傻般“吭吭”了几声，重新问道：

“那么先生你是否愿意娶这位女士为妻，并一辈子爱她、保护她？”

“是的，我愿意娶她，并一辈子爱她、保护她。”

“那么好吧，我现在宣布：从今天起，你们就成为合法夫妻了。”

这个过程的时间其实并不长，但它却像一部电影的重头戏一样抓住了在场的所有人。当李琬若与陈宝和从法官手中接过结婚证明书时，全场立即响起了雷鸣般的掌声。

美国的同龄男女们热烈地向这对中国爱人表示尊敬和祝贺，一直目送他们走出很远很远……

当日，心中被无限幸福充实的琬若又无比浪漫地搀扶着她的“太空新郎”特意在西雅图最美丽的公园游览了大半天，尽情地享受着太平洋西海岸的太阳与海风。晚上他们怀着十分庄严而神圣的心情，手挽手地走进刚刚租来的地下室。一进门，琬若突然让宝和站着先别动，然后自己坐到那张破木床上，从衣袋掏出一块红布往头上一盖：“快过来嘛……”

她的一声提醒，使站在那儿的宝和顿时明白过来。他赶紧直着身子，一步一步艰难地向前移动着步子，然后轻轻掀开琬若头上的红盖头。

那一刻，小伙子看到了他心目中最爱的人最美丽的容颜。

只见琬若双眼脉脉含情地缓缓站起来，然后再双脚站到床上，这时她感觉自己的高度才可以同自己的“太空人”比较接近，于是她带着火一般滚烫的唇，迅速而坚定有力地贴向另一方同样火一般滚烫的唇……

一切都凝固了，一切都停止了，只有两颗心在“咚咚”作响。

许久，琬若极其深情地喊出了她一生再也没有改变过的两个字：“丈夫”。

这一叫就是几十年，直到现在，琬若无论在家还是在公共场合，她依然称呼陈宝和为“丈夫”。

有一次我好奇地问她为什么一生都把这个身份的名词当作对自己先生的一种永远称呼呢？李琬若很认真地说：“当时我同他在西雅图结婚，是在很特殊的情形下完成的。而我从小把结婚看得很重要，这是一个女孩子一生的转折点。以前我们恋爱时，我称呼他的是英文名字保罗，或者叫他亲爱的，但自从领到结婚证书后，他就不再是我的男朋友，而是我的丈夫了，同时他有北方人的身材，很有男子汉大丈夫的气概，我感到无比骄傲，所以才出口便喊出了我期盼已久的这个称呼。之后便再也改不过来了，因为我们永远相爱。”

据陈宝和先生讲，琬若与他相爱出乎自己的预料，车祸后两人不可分离的情感更使他永生难忘。而突然降临的甜蜜婚事，则使他沉浸在梦境般的幸福之中。因而娇妻的一声“丈夫”，使当时这位被车祸弄伤了脖子和全身多处筋骨都没有流过泪的铁骨铮铮的汉子热泪奔涌……

也许是爱的力量和家的温暖，使宝和的伤愈合得比预料的快了许多，只需走动时托着脖子就行。而此时的琬若始终有个心愿未了，于是在她精心努力下，不久他们搬到了一间月租金65美元的公寓。刚安顿好，琬若便咬牙用打工挣来的65美元，从旧货市场买回一套桌椅和一张半新的床，还有四张旧椅子。又经过一番精心布置后，她将宝和在西雅图工作的几位同学，还有当时在98号公路上搭救他们的牧师请来，补办了一个简朴却异常热闹的婚礼。

几十年后，他们当年的婚礼情景在美国华裔人士中仍传为美谈。

因为在热闹的婚礼上，曾发生了一次让大家伙儿意想不到的“地震”——在接到邀请后，琬若与宝和的同学便询问新郎新娘缺些什么东西。琬若知道大家都是穷留学生，想了想便说如果你们一定要送样东西，那就给我们买个茶几吧。于是几位同学就凑份子给琬若送来了一张茶几，看样子还是新的。婚礼开始后，由于小屋拥挤，几位同学挤坐在那张茶几上，结果刚刚坐下，突然“嘎吱”一声，茶几断成两截，男女同学们“啊呀呀”连呼带叫地一齐仰天倒在地上，弄得极好面子的新娘琬若脸更红了。不过最好玩的还不是这儿，在进入高潮时，老同学们吵着要让新娘和新郎共饮“交杯酒”，宝和当时由于脖子上还高高地架着40斤重的石膏，当娇小的琬若举杯挽过胳膊与他共饮时，那又高又笨拙的宝和怎么也无法喝上那口甜美的酒，而他改不掉的“趾高气扬”的样子显出几分自豪，更让人觉得滑稽可笑。交杯酒不喝是不行的，在老同学的一片叫喊声中，机灵的琬若轻轻示意宝和双膝微微弯曲，然后她唇对唇将口中酒送进了新郎嘴里……

“哇——快看世界上最伟大的爱情呀！”这是太激动人心的场面了，所有参加婚礼的人都为这对幸福的人儿欢呼起来。那时候，在琬若的眼里，宝和确实是世界上最帅、最酷的大丈夫，她面对来宾，无比深情地将头依偎在宝和身上，动情地唱起了刚刚学会的那首《好一朵茉莉花》。那柔婉情深的歌声，像一曲生命赞歌，使在场的所有人都感动得热泪盈眶。因为大家心里明白，正是爱情的力量，才使有“宝岛一枝花”美誉的李琬若这位台湾“立法委员”家的千金小姐和受伤的陈宝和有了这场带几分悲壮色彩的婚礼。

第二章　美国的领袖是这样诞生的

有人曾预言：加州有位东方面孔的华裔女性不久将成为美国政坛迅速崛起的新星。这个预言后来成了现实——

1. “妈妈硕士生”

一声“丈夫”后，大小姐出身的李琬若从此开始了她全新的角色——为人之妻。

坚强的她没有把车祸的全部情况告诉家人，虽说她当时很需要钱，但又一想父亲的薪水也换不了多少美元，反倒叫老人家担忧。在日本读书的妹妹细心，她得知姐姐是在患难中与一位残疾的留学生结婚后，便给琬若寄来一台当时挺流行的唱机，叮嘱姐姐可借音乐解解愁。家有了，治理好这个爱巢又是一项艰辛的事，这对当时的琬若与宝和两人来说相当不易。他们不仅没有工作，特别是宝和仍连生活都不能自理，而琬若的学业中断了，又不可能找到正式的工作，只能打打工而已。两人虽然出院了，但欠医院和同学们的债却多得吓人。如今在别人的眼里人出了医院，又成了小家，总不能再像以前靠借钱过日子呀！琬若头一回感到了治家的艰难。钱！变得那么重要。有一次她竟然到了口袋里没几分钱的地步。那天她打工回家，上了公共汽车后，突然发现自己口袋里连买票的钱都不够了，于是她连声告诉驾驶员：“错了错了，我上错车了。”其实她是没钱买公共汽车票了。

“到站后被人发现那多丢人呀！我就赶紧下来，最后就因为没有这几个硬币我不得不走了好几公里的路才到家。”李琬若说。

到饭店刷碗洗碟子大概是所有中国留学生都有过的生活经历，李琬若也不例外。但琬若上饭店打工还有一个目的：饭店里经常有客人吃剩下的饭菜，这样她就可以为在家不能动弹的丈夫带回些熟食，第二天她出去打工时，能做些简单动作的丈夫陈宝和便可以自己在家把冰箱里的冷菜冷饭放烤箱里一热便可以吃了。当然，在饭店打工如果客人多，小费也就多了。小费和剩饭菜是琬若之所以到西雅图那家颇有名气的中餐馆打工的主要原因。

那时西雅图的人口不算多，有名的中餐馆屈指可数，而琬若打工的那家餐馆恰巧又是中国留学生经常光顾的地方，这使得一向要面子的琬若十分尴尬。谁不知道她李琬若是个大名人，父亲又是台湾的“立法委员”，真要传出去她在餐馆刷盘子还真有点儿尴尬，而让李琬若感到窘迫的另一个原因是她自那次以美国国务院“世界青年领袖培训计划”代表的身份回台湾后，一直担任着美国之音的节目主持人。到美国留学后，承蒙美国之音看重，她始终没有停止过每星期主持一个节目的采编任务。

“你这人是怎么啦？越忙的时候你就越往后躲，这让我怎么给你付工钱？”老板弄不清这个新来打工的中国女孩到底是怎么回事。

“Lily，我们都感到不好意思了，你总是在客人付小费最多的时候就跑到后厨房去了，白白让我们拿小费，真不好意思呀。”一同打工的人则这样说。

每到这时，琬若就想办法把老板和工友们都敷衍过去。她心里说：你们哪知道我比谁都想多拿点小费，可不行呀，来的不是我自己的老同学，就是丈夫宝和的好友，我能要他们的小费吗？

打工的活又苦又累，白天忙了一整天，晚上九十点回家后又得服侍在家养病的丈夫，这可把琬若累惨了。有一天，她在饭店端碗时，实在感到四肢乏力，眼前一晃，一叠盘子“哗啦”一下全都摔在地上。

老板娘瞪了她一眼，很不高兴地说：“Lily，这阵子店里生意清淡，明天你就别来了。”

李琬若心里明白，老板娘是要辞掉她。琬若虽觉很惨，但还是向老板娘说了声“谢谢”。说不干还不容易，可要想重新找个活干却并不容易。琬若原本一直瞒着丈夫说自己有了一份固定的工作，而没有将一直靠打工维持这个家的实情告知他。失去刷盘子的活后，琬若心里特别着急，一则担心掀不开锅——这种事随时可能发生，二则怕重病在身的丈夫起疑心，看出破绽。于是第二天、第三天无工可打的琬若只得推说：“前阵子太忙，没时间好好陪你，现在我请了几个工休日，陪你在家好好待几天。”宝和是老实人，还信以为真。琬若着急呀，嘴上虽说在家陪丈夫，心里却惦记着到外面找工作。这一天里，她时而推说买菜，时而借故上街购物，实际上是拿着招工的报纸广告，跑出去打电话联系应聘事宜。

新活儿总算有了着落，一户人家有位瘫痪在床的妇女需要人照料。琬若前去应试时，人家还以为她是专门给别人介绍活的劳务公司的职业妇女呢。

“你的气质和流利的英语完全可以成为一名优秀而出色的公职人员。”病人的丈夫这么评价她。琬若心想这还有问题吗？我本来就是位可以领导别人的职业妇女嘛。

从小由别人侍候的琬若，此时完全丢下作为大家闺秀的那份高傲与矜持，病人怎么使唤她，她就怎么做，并且尽力去做到病人满意为止。不为别的，她只担心再失去一份可以维持她和养伤的丈夫能继续有个家的工作。

低下高傲的头颅为一个瘫痪在床的外人整天端屎端尿、换洗衣物，需要一定的心理素质。不过那段时间，琬若并不感到太苦，她说因为没人知道她是在干这么又苦又累的活儿，丈夫不知道，同学好友更不知道，所以她认为这是在有丈夫和家以后第一份比较称心的挣钱活。

但打一份工远远不够支付每月需还的债务和支撑小家的费用，更别说为养伤的丈夫提供补品了。琬若后来又在西雅图海军基地的干洗店谋得一个打工机会——做勤杂工。在这儿，琬若遇见了一个非常可恶的工头。按规定，一天的上班时间内上、下午各有15分钟时间处理一些如上厕所之类的私事，中午还有半小时的吃饭时间。李琬若说："每次上完厕所回来，那个白人工头两眼盯着钟表就在那儿嚷嚷，如果是14分钟了她就会说下次可得抓紧时间呀！如果是超出了15分钟那她的眼珠儿就会瞪得像乒乓球似的，这一天我肯定不会好过。这还不算，平时那工头看我干得稍不如她意，她就会一口一个'你们中国人怎么着怎么着'。我最听不得这样的话，但常常又很无奈，因为我要赚那份钱……"

为了能挣更多的钱，琬若同时干着几份完全不同的活儿，在瘫痪病人家里，她完全是一个护理保姆；在海军基地的干洗店，她是一个受气的小勤杂工。而脱下这两个地方的工作服，她又成了一位职业妇女，恢复了她干了长达5年之久的美国之音特约记者的身份。

她向我介绍，那时她当美国之音的记者有两个目的，一是当时在台湾的青年人对美国特别崇拜向往，谁与美国沾点边都觉得特自豪，甚至在台北大街上经常可以看到一些年轻姑娘傍着美国大兵那得意扬扬的神气。她看不起那些女孩子，但也梦想有一天能到美国去留学，因此能获得做美国之音记者这样既体面又光荣的差使，当然很得意。二是每做一次节目可以有30美元的收入，那时李琬若还是学生，能得到30美元可是一笔很高的收入了。但最主要的是她认为通过这份工作自己能学习英语和更多地了解美国，因此她特别卖力。她主持的节目叫《今日美国》，内容与当时社会风潮有关，后来听美国驻台湾新闻处和美国之音记者站的工作人员说，她主持的节目特别受听众欢迎。尤其是那些在金门岛和妈祖岛驻扎的台湾官兵，那时他们看不到电视，只能听收音机，所以这些士兵对她主持的节目非常入迷，据说很多人发疯似的每天给她写信，当然这些信不是直接寄给她的。

几年后，李琬若应邀去了美国之音驻台北的工作站才知道了这些事，才知道自己的节目有多棒，听众的来信多得堆成了山。有位美国之音的负责人特意让她坐在堆得与她一样高的信件海洋里照了一张照片，以证明他们的美国之音在中国台湾及其他亚洲地区多么受欢迎。

其实在从事这份日后给李琬若带来辉煌的工作时，人们并不知道这位中国女孩吃了多少苦。李琬若回忆道："到美国留学后，当我再做这份美国之音主持人工作时，出发点完全不一样了。那真正叫作为了养家糊口。宝和的伤还没有好，不能上班就没有工资，我必须努力地去挣钱。这时候我做美国之音的节目酬金也高了，每次是 50 美元，照例还是一个星期一次。我记得采访的大多数是自己的所见所闻，印象中比较深刻的是采访赴美访问的胡适等名人，而那次采访华盛顿州的一名华裔议员陆荣昌时，令我感触最深。当时我有一种强烈的冲动，就是有朝一日，我也要像这位华裔议员一样，站在美国的政坛上为自己和所有黄皮肤黑眼睛的华人说话办事。这也许是我想在美国从政的最初想法……"

二三十年后，在美国之音的一次重要的庆典活动时，李琬若作为贵宾被邀请到美国之音总部。当她出现在那里时，迎面看到的就是总部大门口挂在墙上的一幅巨大的照片，这照片就是李琬若当年采访西雅图第一位华裔市议员陆荣昌（Wing Luke）的现场镜头。显然，美国之音是以她当年的工作成就来展示美国之音在世界各地的业绩和影响力。今天的美国之音已经不仅仅是广播类节目了，也有自己向全世界直播的电视节目。这次李琬若被请进现场直播节目厅，又开心地为世界各地的观众做了一次她当年如何成为美国之音红星的访谈。

从与恋人激情西雅图到出车祸，之后为了治病，艰苦的打工经历，对李琬若来说这就是她一生中的“草根生涯”。

“草根”两字在美国很流行，它特指基层大众，因此，如果在美国能有人从“草根”阶层成为大富翁或者大政治家也格外受人尊敬。这就是所谓的“美国精神”的突出表现与实质内涵，而通常来自于“草根”阶层的人更能获得选民的高投票率。

美国人中还有一句话也很流行，说美国的政权是建立在“草根”之上的，意思是说，你不管是总统还是国会议员，假如没有足够的选民给你投票，你就当不了总统和国会议员这样的民意代表；而只有代表了广大草根阶层利益的人，才可能进入白宫和国会山庄。这似乎有一定的道理。

不过无论少数人的垄断势力有多强大，在美国，谁要忽视草根阶层，谁就最终会被赶下台。此次总统大选小布什上台，本来投票给戈尔的广大草根选民就怒气冲天，为了平息多数草根选民的情绪，小布什很会来事，最早任命的四位内阁要员便是来自草根（即黑人将军鲍威尔，被聘任为国务卿；黑人妇女赖斯，担任国家安全事务助理；日裔丰田，担任交通部长；华裔赵小兰，担任劳工部长）。于是美国上下马上欢呼“黑人时代”到了。这对小布什的新政府来说，可谓做了一件最让草根阶层提气的事儿，让少数族裔担任政府要职，让广大少数族裔百姓看到了希望。

所以说，少数族裔中由草根奋斗出来的人，在美国总是受到人们的普遍尊敬和拥戴。李琬若讲述她一生的辉煌时最令她骄傲的也是她是从一个普通留学生成长为一名美国政治家和华裔领袖的，她的自豪感来自她自身不懈的努力，这也是我写这本书的一个重要的创作激情点吧。

经过琬若大半年的精心护理和侍候，丈夫的伤基本痊愈，只是落下了颈部不能灵活摆动的残疾，但庆幸的是他的脑袋没有受损。稍好些后，宝和便到波音公司上班去了。他拿到第一份工资后对琬若说的第一件事就是让她赶紧把耽误的学业重新捡起来。

“你嫁给我并不是要变成我的附属品，你愿意做的事你应该去做。现在我认为你最重要的事就是马上去华盛顿大学注册学籍。”宝和说。

那时琬若才从海军基地的干洗店拖着疲惫不堪的身子回到家，听到丈夫这么说，她当时真的很激动，眼泪夺眶而出，伏在丈夫那宽阔的胸前痛痛快快地哭了好一阵……

地处西雅图的华盛顿大学是美国的一所名校，李琬若报考的社会工作专业，在当时的美国也算是新兴热门专业。美国大学的社会工作专业与我们通常了解的专门研究人类学理论的社会学不一样，它是服务大众的专业，专门培养解决社会问题的专业人才。在20世纪60年代初，美国社会最崇尚的是理科，那时男孩子特别是中国留学生几乎全都学理工科，一些在国内学文科的学生到美国后也纷纷改学理工科。女孩子虽说学理工科的少些，但女留学生中当时有种时髦的说法，说你自己不学理工科但你一定得嫁一个工程师或者是学理工科的男人。这与当时美国的经济和社会价值趋向有关：学理工科的人好找工作，工资待遇也高。这种风气似乎一直沿袭到今天，看一看现在到美国留学的留学生情形也差不多，纯粹的文科生很少。而李琬若就在那个时候选择了与众不同的专业。社会学注定了她将与美国主流社会打一辈子的交道。

华盛顿大学社会工作专业的考试是相当严格的，也许美国人早已明白这个专业培养的是他们国家未来的社会精英吧。李琬若占了两大优势：英语好，社会活动能力强。而这对一个从事社会职业的学者来说是最不可缺少的条件。

李琬若是华盛顿大学社会工作专业里当时唯一的一个外国留学生，也是全校唯一的女外国留学生。已经丢失的时光不可弥补，因此第一年她学得特别卖力，也当上了华盛顿大学的中国留学生社团的社长，在很短的时间里，她再度成为校园的一名活跃分子。可问题出现了：有家的她突然感到自己的肚子里多了一样“东西”——她怀上了与丈夫的爱情结晶。

“你可以休学一年，先照顾好孩子和养好自己的身体，同时还可以选学几门课程。”教授对她这位聪慧的中国女留学生给予了特殊关照。

偏偏她不“争气”，儿子尚不到学走路时，李琬若又有喜了。

这回教授朝她无奈地笑笑：“除非你自己放弃学业，否则你只好当‘学生妈妈’了。”

李琬若向可敬的教授耸耸肩：“看来我只有选择后一条路了！”

有孩子是件幸福的事，但烦心的事却更多。那时丈夫虽然在波音公司上班，但工资并不高，五六百元一个月，两人除了吃用外，尚要还债、交学费和付每月房租。妻子担心伤势刚恢复的丈夫在公司太拼命，便在带儿子和上课的同时，利用晚上和周末到外面打工挣钱。

李琬若很自豪地告诉我，那时世界博览会在西雅图举行，会上需要很多票务小姐，她就去应聘。这时她怀女儿已经好几个月了，肚子也显大，她只得穿件特别肥大的嬷嬷衣上班，数十天里竟然连监工都没有发现她怀孕了。她的老二星期六出生，而星期五李琬若还在世博会上打工卖门票。后来家中有了两个孩子，加上华盛顿大学的学习进入了最后一年，李琬若不得不除保留“美国之音”那份工作以外，开始了全日制学习。当时两个孩子都在吃奶，学校的必修课又不能耽误，这下可苦了“妈妈硕士生”。她每天必须在凌晨天还黑蒙蒙时就起床，然后把孩子叫起，给他们喂奶穿好衣服。再用20分钟时间推到邻居家托人看管，自己便急忙搭上公共汽车到学校听7点至9点的教授主讲的必修课程。西雅图是个临海城市，时常下雨，这给每天赶路奔命的李琬若带来很多不便。每逢下雨天时，华盛顿大学社会系的同学们总发现他们的这位中国女同学，不是一身水就是一身汗地走进教室。而李琬若的“妈妈硕士生”的雅号也就这样在华盛顿大学叫开了。

1964年秋季的某一日，坐落在太平洋西海岸边的美国著名学府华盛顿大学举行盛大的新一届毕业典礼。李琬若作为该校成立以来唯一的一位东方女学生走上台前，接受校长颁发的硕士毕业证书，而与众不同的是，站在她身后的还有3个人——陈宝和以及他们刚刚会跑的儿子克光和牙牙学语的女儿克瑜。当时一般毕业生从上台到从校长手中接过毕业证书也就几秒钟。但轮到李琬若时，她站在台上的时间比别人长了两三倍。因为她感到特别自豪，她这张毕业证书是在拥有一个家和两个孩子的同时获得的。她为此特意搂住丈夫和孩子，站在台上给全校师生来了个“亮相”。

顿时，华盛顿大学全体师生对这位特殊的中国毕业生和她的全家，报以最热烈的掌声。

2. 星条旗下的誓言

李琬若在华盛顿大学学习的前后，美国政坛出现了两位重要人物，一位是美国历史上第一位在20世纪出生的年轻英俊的新总统约翰·F. 肯尼迪（John F. Kennedy）；另一位是接替他的约翰逊

(Lyndon B. Johnson)。出身富豪家庭的天主教徒肯尼迪因其年轻英俊、风度优雅及气质高贵而成为当时全国女性们所崇拜的偶像。李琬若虽然那时还不是一个入籍的美国人，但她对肯尼迪的崇拜并不亚于美国女性，这是因为肯尼迪除了有外表迷人的魅力外，更有一颗年轻的心。

当李琬若在电视上第一次看到肯尼迪时，心里就惊叹不已：这么个年轻人当总统候选人，太了不得了！他那带有英国口音的音色、高贵又谦和的气质，真是太有魅力、太能打动人心了。当时李琬若仍是外国学生，她心想如果我是美国人，我一定投票给他。后来大选结果证实了几乎大半美国人都与她有一样的想法，因此肯尼迪竞选总统非常顺利。

1961 年 1 月 20 日，首都华盛顿街道上飘着漫天大雪，所有行人都行色匆匆，但是一个洪亮的声音使所有美国人驻足倾听，这声音就是新上任的总统肯尼迪的就职演说。用肯尼迪自己的话说，他接替总统之职，“不仅是更替，而且是更新”。这位新总统的就职演说内容几乎全是对青年们讲的。即使在今天，李琬若还能整段整段地背诵出来。

1963 年 11 月 22 日，李琬若的丈夫陈宝和下班后照旧到华盛顿大学附属医院去接正在那儿实习的妻子。他等了半天还不见李琬若出来。正当他感到不知所措时，妻子从里边走了出来，坐进丈夫的车子，李琬若突然捂脸痛哭起来，而且两只眼睛早已像核桃似的，这显然已经不是哭了仅一会儿。

“Lily，你怎么啦？快告诉我！”丈夫急坏了。

李琬若过了一会儿抬起红肿的双眼，摇摇头。

“他死了。”她说。

“谁死了？”

“总统。我们的肯尼迪被人刺杀了……”

“啊——总统被害了？！”宝和听后也不由地目瞪口呆。

李琬若在今天回忆起当时的情景依然记忆犹新：“那天我正在医院实习，突然有人说电视上有重要新闻，于是我们便迅速打开电视，一眼就看到著名主持人沃尔特·克朗凯特（Walter Cronkite)的双眼在流泪，这是我们在电视里从未见到过的情形。沃尔特·克朗凯特是美国家喻户晓的著名男播音员。那天他一开口，便以无比沉重和悲伤的语气报告了肯尼迪总统遇刺的消息。这个消息对美国人来说真是晴天霹雳，因为当时所有美国人对肯尼迪都有一种着迷的状态。我们留学到外国的人，对所在国的感情需要慢慢建立，我对美国的感情就是这样一点点增加的。而肯尼迪总统的不幸被害，似乎一下把我和美国的感情拉近了。特别是肯尼迪倡导的理念，与我作为当时的新一代青年所追求的理想产生了强烈共鸣，我就是从那时起思想上开始倾向了美国民主党，直到后来当了民主党的亚裔领袖之一……”

1963 年 11 月 25 日，也就是肯尼迪遇刺三天后，这位受到全美国人民尊敬的年轻总统被安葬在阿灵顿国家公墓。

李琬若说到此处显得十分激动，她停顿了一下，继续说：“肯尼迪总统还有一个极其重要的贡献，也是对包括我们华人在内做出的贡献，就是在他执政的时候修改了移民法案，同意和允许在美国的移民把他们在非美国的家属和孩子接到美国团聚。这个贡献对移民们来说实在是太重要了，我们现在在美国的华侨中有相当一部分人受惠于肯尼迪的这一贡献。”肯尼迪遇刺后，接替他职务的是副总统约翰逊。中国人对这位人物非常熟悉，因为他在任时跟我们中国人在越南战场上打了十几年的仗。约翰逊一生的全部失败就在于他决策了这场使美国陷入泥淖的不义之战，他在国内的口碑也因此褒贬不一。其实约翰逊执政期间对美国社会的发展起到了历史性的作用，源于他推出的“大社会”概念。

“大社会”英文为“Great Society”，其主题意思是，我们共同在这个社会生活，穷人与富人都有享受公平的权利。约翰逊的“大社会”思想，就是后来举国上下参与的反贫穷、反饥饿运动。因为在美国人的理念中，既然都是上帝的子民，谁都应该有权利要求生活得好一些。

李琬若从华盛顿大学毕业后，丈夫恰巧因工作变动，需要回到洛杉矶。于是四年前离开加州的李琬若与全家人又从西雅图回到了后来成为他们永久居住地的加州地区洛杉矶境内。

那段生活对琬若来说是非常恬静的。此时夫妇二人的债务已全部还清，丈夫新工作的工资收入也比较丰厚，于是当他们在南加州杭廷顿海滩市购买了一套房子后，她真的做起了家庭主妇。

周围的邻居都是美国土生土长的白人，李琬若的孩子们在外说的也全是英语，但在家里，她同很多中国移民一样只允许孩子讲中文。李琬若做家庭主妇，内心还有一个还愿的念头，因为在她与陈宝和结婚时，曾有人告诫她丈夫，说你找李琬若这样的名人当老婆，怎么会有幸福呢？李琬若生性要强，她要用实际行动证明自己也是一个有情感有家庭观念的女人。于是，她用自己全身心的行动实践着，把料理家务和照顾孩子做得井井有条。

但治家归治家，从小有远大志向的李琬若注定不会永远待在家里当主妇。

有两件事曾深深地触动了李琬若的灵魂：一件事是邻居家有一位白人主妇，看起来生活得很舒适幸福，很少和李琬若聊天，这位白人主妇只知道面包怎么做，却对外面的世界一无所知。尤其让李琬若不舒服的是那位白人主妇根本不了解少数族裔的人是怎么回事，就非常概念化地认定：“那都是些靠吃美国社会福利生存的懒人。”但又说：“你很特殊，英语也讲得好，待人又热情真心。”虽然那位白人主妇讨好地对李琬若这么说，但这丝毫没有改变李琬若对那些没有抱负的美国家庭妇女的看法。李琬若知道，这一切都是她只知道在家带孩子做饭，不读书、不与社会接触的结果。她突然意识到如果自己也这样下去，不就和这位白人主妇一样了吗？不行！绝不能这样下去！

第二件事是关于她女儿的事。有一天克瑜跟她上街看到一个黑人，大叫："妈妈！妈妈！"她问女儿怎么啦？女儿指着黑人惊奇地问："为什么那人这么黑？"李琬若当时心头一震：她不知道自己也是黄皮肤的有色人种呀！

这两件事使李琬若反思起自己。原来她以为住在白人社区和生活在这种环境里，对自己融入美国主流社会和培养孩子做"美国人"都有百分之百的好处，现在看来未必如此。简单地把自己放在狭隘的所谓白人社区的家庭环境这样的小圈子里，既不利于自己的发展，也对自己下一代人的教育有害。

正当李琬若困惑不决之时，她在华盛顿大学的好友露丝·帕卡德(Ruth Packard)来到李琬若的家中，两人谈心时，露丝对她说："美国上上下下都在开展'反贫穷计划'，需要大量从事社会福利工作的人才。你是硕士，找个工作不成问题，这样才能使你学到的专业派上用场。"

老同学的话触动了李琬若的心。当日与丈夫商量后，李琬若便开始打电话寻求有关社会服务方面的工作。结果人家一听她是社会工作专业的硕士生，便立刻提供了三个机构的职位任她挑选。李琬若没想到自己手里的文凭竟然这么吃香，当下她挑了一个合意的县医院社会工作部的职位。

中国人对社区这个概念是近两年才渐渐熟悉起来的。社区这个概念其实来自西方，主要发源于美国。资本主义制度下的美国社会，除了联邦(Federal)、州(State)、县(County)和市(City)的行政区划与政府机构外，没有像我们中国式的公社、乡镇和村组或者街道等基层行政组织，可以说，社区建设被美国人民称之为20世纪美国社会里具有第二个《独立宣言》般意义的贡献。

李琬若进入县医院社会工作部，从事的就是具有社区性质的工作。这是专门关注那些受虐待、有疾病和得不到帮助与保护的老人、孩子和妇女的职业，而正是这个最直接和深入接触美国社会的职业，使得李琬若比别的普通移民更多地参与和了解了美国这个国家体系的运转过程。

有些记忆是刻骨铭心的。

头一天到县立医院上班，领班带着李琬若在医院各病房转了一圈，她惊诧地发现，这儿的医院病人都不属于那种面黄肌瘦的传统病人，也不是需要开刀打针的急诊者，而都是些体魄看上去非常健壮，精神却极其颓废或者严重失常，甚至歇斯底里的患者。一旦病人发作起来，整个医院就像热闹吵嚷的火车站候车室。

"我们的工作就是用自己的热情与友善而不是用药物为这些患者治疗。"领班对李琬若说。

这便是具有硕士学位的我们这位主人公走入美国社会后第一次从事的正式职业。而李琬若后来之所以能够全身心地投入美国政治，也恰恰是因为她从此开始认识到关爱便是社会工作与国家政治的全部含义——这位女政治家就这样为自己从政参政做了注脚。

让李琬若有这样深切感受的是一位很聪明、学识很高的印第安裔职业妇女，是她最初的工作对象。这位女士有过一段美满的婚姻，后来离了婚，虽然多数美国人把离婚当作儿戏，但其实离婚对人的伤害，特别是对妇女的伤害常常是毁灭性的。这位印第安裔妇女便是比较典型的一个。她在李琬若面前绝不像是一个哈佛大学毕业的博士，而是一个整天披头散发的酒鬼，甚至时常露宿街头。没有任何药物可以拯救这位患者，李琬若按照医院的规定，运用自己的知识，更多的是用自己同为女性的那份善良与温情，一天天地感化和帮助这位患者，直到这位印第安裔女博士带着灿烂的欢笑重新走上工作岗位。

“什么叫社会工作？我当时的切身感受是：我像一个消防员，每天不能有丝毫松懈的时候，时时刻刻得全身心地投入，当然不是像消防员一样用生命去扑救火灾，我们用的是个人的全部心血去‘救火’。因为你不倾注全部的心血，你的工作就结不出果，结不出果的工作就是没有尽职。”李琬若正是用这样的职业精神，赢得了医院和同事们的赞赏。两年后李琬若被提升为医院社会工作的总督导，又过了两年她被提升为社会服务部主任。

就在这个时候，她收到了一份使她由中国人变成美国人的政府文书。

上班时，她激动地告诉同事们：“我盼望已久的美利坚合众国的入籍通知书拿到了！”同事们一下都愣住了，随后说：“Lily，看你平时对工作那么投入，我们全都以为你早就是我们美国同胞了！”看来这位中国女性的人缘很不错。

“Lily，院长找你有急事。”几天后，一位同事很神秘地对李琬若说，而且顺便又告诉她院长在某某楼几号房间。

李琬若一想不对呀，院长怎么不是在办公室找我谈话呢？她带着这样的疑惑走进那间房间时，突然眼前灯光闪亮，随即一片掌声响起……

“Lily，今天我们大家在这里为你正式成为美国公民而举行一个庆贺仪式！”医院院长走过来在李琬若的脖子上挂上一个红蓝白色的美丽花环，然后将右手朝空中有力地一挥，于是满堂男男女女豪情满怀地昂起头颅，高声唱起了美国国歌……

那一刻，李琬若热泪盈眶，因为她是一个黄皮肤黑眼睛的美国人了，与所有白人和黑人兄弟姐妹一样，成为这面星条旗下的一名正式公民，并且拥有它所赋予的权利和义务。

"Lily，我们大家为你这样优秀的人能成为美国公民而感到自豪。你看这是什么？"几位与李琬若朝夕相处的女伴，这时拿过两幅裱好的中国画，真诚地说："我们知道你很爱自己祖国的文化，所以特意请了医院的一位木工给这幅中国画安了个框，从现在开始你可以将它们高高地悬挂在自己的办公室，让我们也一起享受东方文化的熏陶吧！"

这一幕是李琬若无论如何也不曾想到的。说句心里话，自从到美国的第一天起，李琬若就和所有准备定居美国的中国留学生一样，迫切地盼望拿到绿卡，早日成为一名正式美国公民，可当她真正拿到入籍通知书时，内心又极其复杂，因为这意味着她将成为"嫁出去"的女儿了，而离开母亲的女儿又怎能不感到一丝眷恋？而李琬若看到眼前的美国同胞竟然如此理解她的心思而专门将她一直收藏在抽屉里的两幅中国画装裱好，请她挂在办公室时，其中的用心良苦令她感激万分。

3. 全美第一位亚裔事务处长

也许是巧合，也许是必然。就在李琬若在洛杉矶县政府的县立医院有声有色地从事她那份社区服务工作时，洛杉矶市发生了一起震惊全美的黑人暴乱事件。

事情的起因是居住在洛杉矶市的广大黑人由于不断受到当地白人势力的排挤、歧视，特别是在政府给予的社会福利方面应有的权利被以种种理由忽视，黑人在久积的悲愤和恼怒之下，自发组织起来，走上街头，向白人社区和公共设施进行了一次"大扫除"，当时联邦政府也不得不从其他地方调来警力平息此次暴乱。

黑人们的愤怒情绪给美国当局又一次敲响了警钟。而洛杉矶的此次暴乱其实酝酿已久了。

洛杉矶黑人暴乱的导火索可追溯到在这之前爆发的一连串侮辱黑人事件产生的恶劣影响。

这中间人们不能不提及1963年6月11日在美国南方的亚拉巴马州发生的事件。

这一天，该州州立大学的校舍门口，突然出现了一位白人，他正气势汹汹地站在那儿把守着大门。他见两名黑人学生玛朗和赫德走过来，便立即张开双臂拦住他们去路，并把手一挥，告诉这两位黑人学生："这儿是州立大学，你们黑人不得在此就读。"玛朗和赫德惊呆了，他们不相信竟然会有这样的事。而当他们被告知把门的竟是该州州长乔治·华莱士（George Wallace）先生时，更弄不明白到底这个国家发生了什么事情！双方的争执持续了很久，仍然没有结果。最后还是州长成了赢家，黑人学生被拒于校门之外。事后，这位乔治·华莱士州长面对公众和新闻记者，竟然得意扬扬地叫嚷道："我要让全国公民都听着，只要我做一天州长，这儿就不允许任何黑人进入亚拉巴马州立大学念书！"就是这位公然实施种族歧视的州长，在美国引起轩然大波的情形下，竟然还在不久后的美国总统大选中被人推荐为中间党派的候选人而到处炫耀他的政治资本。

亚拉巴马州还发生过一件比上面所说的更为严重的事件。

一日，一位叫罗莎·帕克斯(Rosa Parks)的黑人妇女在一个白人社区打工回家乘坐公共汽车，她上车后见前排有空位，便顺势坐了下来。可她刚坐下，车上的白人司机就过来告诉她必须往后排坐。这个黑人妇女不明白是怎么回事，而那个白人司机很不客气地告诉她，前排的座位都是留给白人的，黑人乘车都只能坐在后排。

"我付的车票钱与你们白人是一样的，我为什么就不能乘坐同样的座位？"罗莎不服气地反问道。

谁知她的话音刚落，车内立即响起了一片白人的愤怒声音："你是黑鬼，知道吗？黑鬼就永远不能与我们白人平起平坐！"

"快滚开，要不我们叫警察来把你拖下去……"

面对车厢内白人的一片喝骂与训斥声，罗莎强压心头怒火，一动不动地坐在那儿，如同一位不可侵犯的女神。这下可把白人们气坏了，他们真的有人下车叫来了警察，而警察也真的蛮横地责令罗莎说："我限你两分钟之内到车尾去！否则就送你去监狱。"

如此公然的种族歧视激怒了这位黑人妇女，她坚决不换座位。

那警察气急败坏地上来就用手铐把罗莎铐了起来，并在众目睽睽之下将她拉下公共汽车后推上了警车，真的把罗莎投进了监狱。

罗莎的遭遇传出后，立即在全美引起了震动。五万多名黑人自发组织起一个营救团体，他们推荐一位年轻的牧师为首领，进行了20世纪美国历史上最壮观的一次对公共汽车的抵制运动，时间长达一年之久。这位黑人牧师就是马丁·路德·金(Mantin Luther King)。他因此创立了非暴力斗争哲学，也有了后来著名的演说《我有一个梦想》——

> 我梦想有一天，这个国家会站立起来，真正实现其信条的真谛："我们认为真理是不言而喻的，人人生而平等。"
>
> 我梦想有一天，在佐治亚的红山上，昔日奴隶的儿子将能够和昔日奴隶主的儿子坐在一起，共叙兄弟情谊。
>
> 我梦想有一天，甚至连密西西比州这个正义匿迹，压迫成风，如同沙漠般的地方，也将变成自由和正义的绿洲。
>
> 我梦想有一天，我的四个孩子将在一个不是以他们的肤色，而是以他们的品格优劣来评价他们的国度里生活。

就是这样一位令千千万万人包括白人一样渴望“有个梦想”的非暴力主义黑人领袖，于1968年4月4日被不愿听到黑人声音的白人极端分子枪杀于血泊之中……

马丁·路德·金的死和无数黑人兄弟的凄惨命运，终于使生活在水深火热之中的黑人们看穿了这个国家的社会本质，而洛杉矶的黑人暴乱，就是这种积愤的一次总爆发。它的起因是这儿的黑人们得不到像白人们一样的社会福利，一些明明本应有的政府福利，到实际运作中总是落实不到那些急需的黑人们头上，于是暴乱便成为一种泄愤的表达方式。黑人们说：“你们白人是人，你们是美国公民，你们可以活得好好的，可以获得福利恩惠，而我们为什么就该是美国二等公民？如果再没人把该属于我们的福利和保障归还给我们，暴动将是永远的。”

洛杉矶政府的官员们听到这样的话吓坏了，赶紧磋商后决定在政府社区福利部下面成立专门的非裔事务处，专司黑人社区的福利和社会保障方面的工作。

后事由于洛杉矶地区拉丁族裔的人数不断增多，洛杉矶政府又成立了拉丁裔事务处。

那时亚裔是“模范族裔”，因为亚裔从来都是以谦让和自己动手、丰衣足食为自豪的族裔呀！因为受东方传统文化和道德的影响太深远，所以即使他们到了美国，历经几代人，但他们身上那种只讲奉献而不依赖别人施舍、不依靠政府福利的意识仍然根深蒂固，而这恰巧被一些不把亚裔利益放在眼里的人钻了空子。

更可气的事还在后面。

李琬若的好友之一，日裔著名法医署长野口先生(Dr. Nuguchi)，是位在全美有绝对权威的专家，像肯尼迪弟弟被害、玛丽莲·梦露 (Marilyn Monroe)之死等这样的大案，都是由野口先生参与现场鉴定后才向公众宣布被害人的法医结论书。就是这样一位杰出人士，仅仅因为有当局者感觉他的英语口语不好，便一而再再而三地说野口先生不该成为公众人物，使用非常不公正的手段，以“他的发音不适合担任县政府高级官员”为借口而把野口革职降至某医院的研究部工作。

消息传出，整个洛杉矶一片哗然，尤其是以华人为代表的亚裔人士。那时，洛杉矶有个以宫野为首的“亚太工作协会”团体组织，带头向政府抗议，声援要求给野口复职。李琬若参加了整个抗议和声援活动。后来县政府慑于亚裔的力量，给野口恢复了原职。此事警醒了广大亚裔人士，他们想：政府既然有专司非裔和拉丁裔的事务处，为什么就独缺我们亚裔事务处呢？有了野口事件的斗争经验，以宫野为首的“亚太工作协会”乘胜追击，迫使县政府也同意在社会福利部设立“亚裔事务处”。

而此时由谁来担任这个“全美第一亚裔事务处处长”便成了亚裔社区中的一个焦点。所谓亚裔包括华人、日本人、菲律宾人、马来西亚人等所有亚洲族裔的美国移民。在美国等西方人看来，亚洲人，尤其是中国人、日本人、韩国人，总是分不出张三李四，因此在美国等西方人眼里，中国人、日本人、韩国人很容易成为天然同胞兄弟，也比较团结，相互配合，常常不分彼此。

“Lily，你应该去竞争这个职位，因为你有社会工作专业经验和高等学历，再说了亚裔中现在我们华人最多，得在政府里有一位属于我们自己族裔的人主事呀！”一个华人朋友的话点燃了一心想为广大华人和亚裔做事的李琬若的心火。

“史嘉伦格，你觉得我去争取县政府的社会福利部亚裔事务处处长之职可能吗？”李琬若把自己的重要决定首先告诉自己在医院的上司史嘉伦格女士，并希望得到她的支持。

史嘉伦格听完她心爱的得力下属的这番话，那双美丽的蓝眼睛闪闪发光："太好了 Lily，我完全支持你的选择。说实话，像你这样既有能力又年轻的人，不该一直在我这儿，因为只有等到我退休你才能在我这个岗位上施展才能，而且也太有限，你应该去勇敢地肩负更光荣的使命！"

能够得到上司的首肯，李琬若感到心里非常宽慰。但在美国想要担任官职，有太多我们意想不到的事。比如李琬若此次竞争的虽然只是一个政府官职，但她必须去拜会华人社区的领袖，否则她想出头露面担当华埠领袖人物，门儿都没有！

李琬若早就知道，时任华资银行副总裁的胡国栋先生是洛杉矶华人圈里的领袖。这位胡先生在唐人街最大的华人团体——中华会馆和同源会里面都扮演着重要角色，历届洛杉矶政府官员都得另眼看待这位华人领袖。这不，时下的洛杉矶县长德柏斯先生就与他关系非同一般。

胡国栋是非见不可的人物。

李琬若此次竞争的决心定下来后，第一件事就是细细琢磨如何拜会这位华裔头面人物。那天，李琬若特意上美发店修饰了一下自己的头发，又买了一套新衣服穿上——一套庄重的蓝色套装。李琬若此次的目的非常清楚，且成败在此一举。

在进入唐人街的那一刻，她心里确实忐忑不安。因为李琬若心里明白，她今天如果在这位洛杉矶的华人"帮主"面前通不过，以后再想在当地社会工作方面有大的作为几乎是不可能的了。

关于胡国栋其人，李琬若并非一无所知，她和他都算是当地的名人了，应该说在媒体上相互认识，不过李琬若想，人家是华人的"掌门人"，背景很深，自己仅仅是崭露头角的晚辈而已。她边走边想，转眼间李琬若便走进了胡国栋的办公室。

"长辈在上，晚辈李琬若向胡大人问候了。"见了面，李琬若说的是中国话，行的是中国式礼仪。

“听说你到美国至今有十多年了，看来你一点也没有忘记中国的传统和规矩呀！”坐在一把红木太师椅上的胡国栋对造访者的第一感觉良好。

李琬若谦和地接过话头：“父亲与胡长辈年龄相仿，从小教琬若我熟记四书五经、孔孟和道家学说，所以琬若现今虽入了美国籍，但心底一直牢记自己的根在中国。”

胡国栋听后大喜：“难得难得。现在一些华人才到美国几天，就不知自己的祖宗是谁了，真让人痛心不已啊！”

“是啊，琬若正是看到这一点，才冒昧前来造访长辈。以晚辈之见，现在整个加州特别是我们洛杉矶地区的华人移民越来越多，但大家只管各做各的事，很少有人想到应该在政府里谋个职，并通过政府机构，吃透美国相关政策，为广大华人服务。所以前阵子洛杉矶政府决定增设一个亚裔事务处，琬若想，这么个重要职务，总不能让白人来担当吧！日裔韩裔也不是理想人选，因为亚裔中我们华人是最多的，理当由我们华人来担当，这也最为合情合理。晚辈这么认为不知对否？”

“说下去，说下去！”胡国栋显然来了兴趣。

李琬若一看有戏，赶忙又把由华人掌握这个职位的好处和作用深入浅出地叙述了一遍。之后她郑重其事地说：“晚辈琬若是学社会学专业的，比较了解美国社区工作的性质与任务，又有几年实践经验，加上懂得汉语和移民疾苦，所以想听听长辈的意见，假如琬若有意想竞争这个职位……”

“哈哈哈，你多虑了，多虑了。这是件好事嘛！既然是我们亚裔自己的事，能够由我们华人来担当是最好不过了。难得有你这样有远见的同胞出来担当重任，我胡某双手赞成。”

“谢谢长辈。不过这事要做成还非您出面不可呀！可以这么说，离开了您，我就是再想进这道门还是没戏。”李琬若一看火候已到，马上接过话头，切到问题要害处。

“为什么？”胡国栋非常认真地倾听起来。

“您想，凭资格，日裔的宫野先生远在我之上，没有您和非常关心我们亚裔社区工作的洛杉矶县长德柏斯先生的支持，我再有心想为华人做事也恐怕只能想想而已。”

“德柏斯县长与我关系可是非同一般啊！”胡国栋有些得意地说。

“是啊，晚辈也同长辈想的一样，这个职位能让华人担当，非得您出面向德柏斯县长推荐人选才行……”

“言之有理。”胡国栋点点头，随即招呼秘书：“你马上给我起草一份向德柏斯县长的推荐信。马上就写。”

“你稍等。”胡国栋又示意李琬若再喝点茶水，等他另一个安排。只见他操起桌上的电话，“喂，是德柏斯先生吗？怎么样，听说阁下又为我们亚裔做了一件大好事，在社会福利部要设立一个亚裔事务处？太好了，阁下永远是我们最真诚的朋友！不过我有个建议，这个亚裔事务处处长，应该由亚裔人担当才比较合适呀！你问我有没有理想人选？有啊，太有了，我可以向阁下郑重推荐一位，她叫 Lily Lee Chen，她非常杰出，一定能胜任。你想见见她？好的好的，我转告她尽快去拜见阁下……”

“太谢谢长辈的提携了！琬若我一定不辜负您和全体华人及亚裔们的重托。”李琬若走出唐人街时，有一种特别的感觉，那就是，在海外华人社区工作，千万不可忽视某种人为的力量。

胡国栋果真有着特殊的影响力，他的那个电话打出没几天，洛杉矶县县长德柏斯先生马上命令他的属下社会福利部部长莫斐先生，让其在挑选亚裔事务处处长时务必考虑李琬若女士。既然县长发话，莫斐部长便亲自出面约李琬若进行了一次面谈。结果这位部长非常满意。出于程序需要，莫斐部长又给李琬若工作的县立医院的史嘉伦格女士打电话询问李琬若的情况。因为李琬若在决定竞争亚裔事务处处长一职时头一个就征求过这位上司的意见，所以史嘉伦格女士听到县政府来电话调查李琬若的表现情况，用故意为难的口气告诉对方："Lily 可真是你们社会福利部的最佳人选，但我们医院也少不了她呀！"史嘉伦格后面半句话，说得莫斐部长更是非要李琬若不可了。

事情就这么痛快地确定了下来。

1970 年 4 月，李琬若正式出任洛杉矶县政府社会福利部亚裔事务处处长。这是当时美国第一个专门从事亚裔移民事务的官员，故而李琬若上任后也有了"全美第一处长"之称。

可别小看洛杉矶县（Los Angeles County），它在美国第二大州加州占有重要地位，人口占整个加州的三分之一，也是全美第二大县。洛杉矶县包括 88 个城市，主要有洛杉矶、长堤、好莱坞、比佛利山、帕萨迪纳、蒙特利公园等市。洛杉矶县政府组织庞大，除了社会福利部等几个部外，还有 7 所公立医院，长堤医院即是其中之一，每年预算超过 30 亿美元。从一名普通中国留学生到美国政府专门处理亚裔事务的"全美第一处长"，李琬若完成了迈向美国主流社会的关键一步。而这对她个人来说无疑是一个重大转折，对整个在美的亚裔人来说，也是一件非常鼓舞人心的事。

"李处长"第一天到洛杉矶县政府上任，一到门口，就被把门的警卫挡住了："对不起，你找谁？如果找人，请问事先有约吗？"

"对不起，我不是来找人的。我是这儿新上任的处长——Lily Lee Chen。"李琬若不卑不亢地微笑着告诉那位警卫。

"噢，对不起，对不起。"警卫十分尴尬。

门是进了，但上班的第一个小插曲似乎就让李琬若心里有一种必须提前准备的意识。她要时刻记住一件事：我是一个中国出生的美国人。

大家都知道，美国的国家概念对一般公民而言，其最突出的体现在两大方面，一是需要向国家纳税，二是国家和社会应该给予自己的各种福利。所以联邦政府和下属州、县、市政府的主要工作之一便是社会福利工作。美国的福利包括为公民服务的全部内容，比如城市建设、道路建设、文化与教育建设、医疗卫生、儿童与妇女问题、老年与失业保障等，所以政府的福利部门是一个权力特别大、工作人员众多的机构，而且也是最繁忙的工作部门。比如在李琬若上任后所看到的与自己职能部门属于同类的非裔、拉丁裔事务处的工作人员，整天像扑火的消防员，天天忙得不得闲。而让李琬若奇怪万分的是她的工作对象及其目标却正好相反。

社会福利部给李琬若配了个助理，那位白人助理 Ginger 小姐年轻漂亮又活跃，她半开玩笑地对李琬若说："Lily 处座，现在我才真正体会到亚裔为什么是'模范族裔'了。他们那么安分守己，连政府给予他们的基本福利都分文不取，即使送到手里他们也会千方百计退还给政府。可据我所知他们中间很多人却有病得不到治疗，生活也十分艰难。这太叫人感到不可思议。Lily，这是怎么回事，我一直弄不清楚……"

李琬若听完 Ginger 小姐的话，笑了笑，她完全明白这位白人助手的话外之音。于是一针见血地指出："中国有句谚语，叫作'险恶的暗礁，常常在最平和的流段'，亚裔社区对政府福利的漠不关心，并不说明他们没有问题可求政府，而是东方人特有的文化背景和意识使他们与政府的福利政策产生了隔阂，假如一旦这个隔阂消除，Ginger 小姐，你会看到我们两人会忙得整天像跑龙套似的。"

Ginger 眼睛眨巴眨巴看着李琬若："跑龙套？跑龙套是什么？"

李琬若大笑："跑龙套是我们中国舞台工作中那些专门为台上

主角帮忙的人。”

与同事和属下的和谐是干好工作的重要前提。在这个基础上，李琬若向上司提出了两个重要建议：既然是亚裔事务处，其对象主要是亚裔，那么县政府下面分布在各个社区的工作人员应当录取那些了解或者懂得自己服务对象的族裔的文化背景与道德行为的人，所以最好招聘那些本人就是同一族裔的人担当政府的公职人员。李琬若的这个建议得到了县政府的同意，他们认为用同族裔人管理同族裔人会收到出人意料的效果。而李琬若在得到政府的支持后，便根据亚裔社区中、日、韩三大族裔的情况，公开在洛杉矶地区进行了公务员双语人才的招聘活动。这在当时又一次引起轰动，因为在美国历史上也可能是第一次，即政府招聘公务员除考查英语能力外，还要考查中、日、韩语能力。广播电视和报纸的招聘广告整版整版地登了出来，那些有亚裔背景和懂中、日、韩语的公民纷纷踊跃报名，成为当时洛杉矶一景。李琬若这一招后来被美国联邦政府的录用人才专家称为“用亚裔解决亚裔问题”，这一做法在其他各州市推广，同样收到了良好效果，因而被称为“李琬若用人法”而载入美国联邦人事经典著作之中。

而李琬若的第二个建议并没有一下获得上司的批准，因为这个建议是她提出要为招聘录用后进入政府机关的那些会双语的公务员加 15% 的奖金。

“不行，联邦政府和加州历史上都没有这样的先例。”上司回答得非常坚决，并且说出了依据。

可是李琬若并没有放弃，她拿出在华盛顿大学学习美国社会学专业时所掌握的美国社会劳动人事制度中有关“同一项工作承担着额外工作负担而所付出的劳动及其时间可以获得相应报酬”的条款，到县政府和县议会的决策人物处及部门一个一个地登门拜访和做说服工作。就是在她这样不懈努力之下，加州洛杉矶县的人事制度又做出了一个历史性的改革：因岗位需要而招聘进入政府机构的双语公务员，每月可以获得额外的15%奖金。

这项被人称道的“双语奖金”一直沿至今日。

李琬若第一步把管理亚裔事务的一线公务员整顿好后，整个亚裔社区的工作出现了完全不同的情形。过去由那些不懂东方文化背景也不懂亚裔语言的白人公务员管理来自东南亚各国侨民的亚裔福利工作，往往不是双方达不成共识，就是由于理念上统一不了而最终导致亚裔不愿与政府福利部门的官员打交道的局面。现在有着同族形象和说同族语言的公务员出现在侨民们面前时，亚裔公民顿时有种亲近感。当公务员们前去洽谈相关福利情况和申请手续时，他们也因此变得顺利和主动得多。特别是日裔、韩裔和越裔非常配合福利部门的工作。

为了向亚裔社区宣传并推广政府在福利方面的服务，协助更多需要政府援助的亚裔居民，李琬若必须深入亚裔社区进行调查，做亲身的体验。她要走出去，不能坐在衙门里等人上门。于是她请了两位在唐人街居住的大学学长张玉池和张成勋一起去了洛杉矶市的唐人街（China Town）。

一天，张成勋对李琬若说：“我先带你去我邻居家看看。”

他们把车停在一个小院前，进了院门，听到楼上有人咳嗽。通过一个非常窄的楼道，然后进到一个阁楼的小门里。

“刘伯伯，政府官员来看你了。”张成勋亲切地打着招呼。

“我没有犯错。我没有。”这位被称为刘伯伯的人，黑黑的，瘦得皮包骨头了，一听说政府官员来了，马上显出紧张。

李琬若上前安慰他道：“刘伯伯，别怕，我是政府福利部的工作人员。看你咳得这么厉害，你吃药了吗？”

老人摇摇头说：“看病太贵了，咳几天就会好的，不要紧。”

“你为什么不参加医疗保险呢？”李琬若问。

“说实话，我辛辛苦苦在美国干了二十几年，也没有多少积蓄。现在老了，连交医疗保险的钱也没有了。”

“你过去做什么工作？”李琬若问。

“餐馆工。我来美国后就在餐馆干，一干就是二十多年。”

“你为什么不申请社会福利呢？”李琬若开始进入申请社会福利的话题。

“我怎么可以申请？”他不解地问。

“你想想，你工作要缴税，你去商店买东西也要缴税。缴税是每一个公民的义务，不过，有上税的义务，就有享受福利的权利，这是你的权利，政府有责任照顾你。”李琬若向他解释道。

老人家无奈地摇了摇头说：“到哪里去申请呢？我可没钱找律师。”

“你放心，刘伯伯，我们是政府福利部门的，是专门解决像你这样的老人的福利问题的。这是一张表格，我现在就帮你填。你就可以拿到政府给你补助的粮食券和医疗保险。”李琬若边拿出表格边说。

“呵，我不填！”刘伯伯像害怕似的缩了缩身子说。“我刚到美国时，就有老移民告诉我，你不懂英文，一些表格千万不能乱填。你不知道里边写了些什么，引起法律问题就不得了啦。”

李琬若一听老人家这么说，真不知该如何向他说明白了。老人说的并非没有道理，像刘伯伯那样的人，凭借自己狭隘的生活经验，是很难相信真会有政府工作人员主动将好处送上门这种事的。他们不懂英文，长期与外界隔绝，不知道政府的福利措施。所以，他们连自己应得的权利也不敢要，只是默默忍受着自己的苦难。那是多么可悲啊！

李琬若又问：“刘伯伯，你有儿女吗？”

“别提了，我有一个儿子。我带他来美国，是想让他成就一点事业。谁知道，我来美国后，天天在餐馆打工，没有时间去参加学校的家长会，就是去了也听不懂英文。孩子在学校不好好上学，我也不知道。后来我才晓得，他几乎没去过学校。高中没毕业就参加帮会到处打架，现在他们一家跑得连人影子也不见了。”老人说着，难过而又无奈地摇着头。

这个小阁楼闷热闷热的，只能放下一张小床和一张桌子。李琬若看到这种情景，不由得心酸起来，泪水忍不住流了下来。李琬若拿着表格，用中文一条一条地向他解释，然后再三对他说，社会之所以给穷人一些福利，是因为这些穷人需要帮助，同时他们也是纳税人，应该享有获得福利的权利。最后，老人终于回答了问题，在表格上签了字。

经过一段时期的深入了解，李琬若查实了，唐人街有不少像刘伯伯那样一辈子守着唐人街，与外界隔绝，无依无靠的老人；还有一些华裔新移民，通常也是语言不通，不会开车，没法在唐人街以外的地方找到工作。这些新移民大多在车衣厂打工，这种车衣厂被外界称作“血汗工厂”，整天像奴隶般地工作着，根本没有时间学习英语或其他谋生技能，也无暇教育子女。许多孩子的教育被忽略了，有的青少年流落街头，或者加入帮派组织，结果导致问题丛生。那些华裔家长因为忙于生计，很少出席家长会，所以对孩子在学校的情况一无所知。这样的恶性循环，使得问题更加严重，因此，“血汗工厂”既是新移民的“生计”，也是新移民的“陷阱”。因为整天不见天日地工作，没有学习英文的机会，就很难跳出这个圈子。

目睹了“模范族裔”背后的这一切，李琬若愈发觉得自己肩上的担子沉重。显然，这些人没有申请社会福利的原因有两种，一是由于语言不通，根本不了解现行的美国社会福利制度；二是由于老观念，对政府怀有恐惧感，压根没想到政府会有种种扶贫济困的计划，他们之中像刘伯伯那样的人很多，不相信会有天上掉下馅饼来那样的好事。因为他们没有意识到自己其实每天都在为社会做着贡献！

一天，Ginger 发现自己的上司在上班的休息时间里总拿着一个录音机，并且跟着重复一句又一句她根本听不懂的中国话。

"Lily，你不是中国话说得很棒很棒的吗？为什么还要这么认真地学中国话发音呢？"Ginger 越来越弄不懂中国人到底在想什么。

李琬若只得告诉她："我这是在学一种特别的中国话，它是中国的方言之一，叫广东话。因为在美国的唐人街华人社区里，多数人只会讲广东话，尤其是具有很大优势的几个华人组织，像影响最大的中华会馆你一定听说过吧，他们可都是讲的中国广东话，要想跟他们打交道，你就得会他们的语言才行，否则就像对牛弹琴……"

"对牛弹琴——就是我在牛面前弹吉他，它什么也听不懂？"Ginger 顽皮地做了个弹吉他的动作。

李琬若笑了："对。看来你已经对东方文化开始有点了解了。"

"哇，Lily 终于表扬我啦！"Ginger 情不自禁地欢呼起来。

一日，李琬若对 Ginger 说："今天我们一起去唐人街。"

"OK，就是那个专门说广东话的中华会馆？"

"是的，走。"

说起中华会馆不能不多讲几句。

这个华人民间团体组织，起源于孙中山先生在 19 世纪倡导革命的时代，它是近代中国在海外最早的革命团体，通常是以同乡会、同学会的名义设立或者是同族同姓的宗族组织。

中华会馆对推动 20 世纪初的中国资产阶级民主革命起到过重要作用。后来中华会馆的组织形式从日本流传到其他国家的华人社区，特别是唐人街，其组织的影响力也非常大，几乎每一个唐人街上都有中华会馆的分会。美国的中华会馆总部就设在旧金山，后来搬到了洛杉矶，也就是后来李琬若执政市长的蒙特利公园市。

中华会馆内部组织非常严密，“老大”的权力比美国法律还“厉害”。其会员以老华侨为主，他们思想保守，以捍卫“中国传统文化”为已任，行为方式远离美国主流社会，虽说成员多是美国的永久居民或早已入了美国籍，但实际上与美国几乎脱离关系，他们是一群生长在美国土地上的纯粹的中国人。

李琬若带着助手一走进中华会馆，就用刚刚学会的几句广东话与会馆人员打招呼，并说明来意。于是，会馆人员很客气地给Ginger倒茶让座。

Ginger受惊了，忙告诉主人：“你们的Lily才是我们社会福利部的处长大人！”原来大家都不习惯华人当美国官员领导美国人。

“我们是模范族裔嘛！这有什么不好？向政府要救济，那是很没有面子的呀！”会馆人员打断李琬若的话，对被人称为“模范族裔”而感到自豪。

李琬若无奈地一边点头一边陈述自己的观点：“模范族裔本身并没有什么不好，再说我们华人确实有很多做人的美德。可是在我们华人内部，也有不少人有病得不到治疗，做苦力得不到生活保障，本来我们是同别人一样交了税的，就该向国家要回属于我们的那些福利，但大家不了解这些政策，所以使得很多人的生活仍然非常困难。政府现在在社会福利部设立亚裔事务工作处，就是专门让我们把美国县政府的福利带给华人社区。我是这个事务处的主管，为了便于华人同胞能够了解政府的福利制度，或者便于大家直接向政府申请福利，我有个想法，是否能在你们会馆设一张桌子，派一个我们的公务员在这儿办公，哪位同胞一旦有需要，就可以很方便地向政府要回该得的那份福利。你们看看这个做法行吗？”

在一旁的Ginger听完上司这番话，佩服得直竖大拇指。可马上又感到迷惑不解：这么好的一个建议，竟然被李琬若的同胞一口拒绝了。

“不可理解，太不可思议了！你使政府的工作职能直接面向最需要的公民，这种便民做法应该得到国会和白宫的嘉奖。但你自己的同胞为什么要拒绝它呢？我弄不明白，Lily，你说这到底是怎么回事？”

这次李琬若没有回答下属的问题。她只能沉默无语，因为心头有种说不出来的苦涩。

“走，我们到同源会（CACA）去！”李琬若对Ginger说。

华人社区的同源会也是有百年历史的海外华人组织，主要由华裔公民中的律师、工程师和医师等有知识的人士参加，所以同源会与中华会馆很不一样，开会时都讲英语，唱美国国歌，是一个标准的有东方文化背景的美国华人组织。这儿的人听李琬若介绍了自己来意后，连声说这是大好事，能把政府的福利职能部门从衙门搬到华人社区来，简直是太好的便民做法了。

“李处长什么时候派人来，我们就什么时候欢迎！”同源会的人痛快地说。

李琬若听后喜出望外，她总算找到了知音。

不多日，洛杉矶政府的第一个政府社会福利工作站正式在“美以美”教会设立，华裔领袖人物大力支持。

而同源会的这一行动，促使一些从不到政府申请福利的华人和亚裔公民一改陈旧观念，纷纷关心起政府的福利政策来了，并将自己在美国生存的命运与政府的社会福利政策紧密联系在一起。

渐渐地，中华会馆的老华侨们也开始像大家一样，努力争取政府的社会福利了，并终于同意在中华会馆设立工作站。有人说，这种现象与变化，对亚裔特别是华人来说，是一场改变自身命运的革命。这话一点不过分。在美国，你要想获得生存权，要想争取实现心目中的“美国梦”，如果离开了社会福利制度，恐怕会晚很多年。

李琬若给我讲了现在的情形。她说她那时推行福利政策难度之大，无法想象。而现在的中国新移民，有的人还没有到美国呢，就已经对美国政府的福利制度与政策了解的很透彻了。那些已经拿到绿卡的人，要做的第一件事不是想着自己的工作如何，而是想着能不能申请到政府的某种福利。

“变化之大，真可谓今非昔比。”这位美国华人福利制度的开拓者感慨万千。

“Lily，整天与你一起不分日夜地在华人区工作，我都分不清自己是美国人还是中国人了！”有一天，Ginger 从华人区刚刚办完一宗福利手续，回到办公室这么说道，“不过，这些日子是我成就感最大的时光，我因此感到十分自豪。”

李琬若深情地紧紧拥抱自己的助手。其实李琬若自己才真正体会到了什么叫成就感，这种成就感便是她在担任亚裔事务处处长这一重要岗位之后，像 Ginger 小姐这样原本就很出色的政府公务员不仅接纳了她，而且已经充分肯定了她是个称职的处长。

这一点对初涉政坛的李琬若来说绝对太重要了，从某种意义上讲，它甚至比当初争取到这个职位的意义更加重要。

李琬若来自草根阶层，同时又深知自己作为全美第一位专门处理亚裔事务的官员的分量，因此在平时除了敬岗敬业外，更加重视对自己和属下工作的高标准严要求。她时常在办公室要求每个人员都要有危机意识。

在 30 年前的美国社会里，一位华裔女公务员如此要求自己和教育手下，实属不易。在李琬若上任一周年时，她的办公室同事执意要为她做件有纪念意义的事，此事让李琬若一直铭记在心。

“Lily，你打开门看看。”那天，全处同事非常严肃整齐地站在李琬若面前，表示出一种下级对上司的特别尊敬的神情。李琬若笑着想了想，却怎么也想不出大家有什么“秘密”让她揭晓，只好摇摇头。

“Lily，快开门呀！”有人已经等不及了。

门被拉开了。李琬若一眼就看到贴在门中央的一块牌子及上面的两个字，又惊又喜地连声说了三个“好”。原来同事们平时经常听李琬若口中不离“危机”二字，于是便商量着在她任职一周年时，送她这两个字。决定后，她们特意找了位会写中文字的人用美术体将“危机”两字写在牌子上，最后又把牌子方方正正地贴在了她的办公室大门上。

“有危机才能有机会。真的太好了！它可以让我时刻严于律己，经常想到不足之处。在为亚裔公民和政府福利事业服务中，虽然我们经常要处理一些紧急事情，但我们从中也获得了学习和提高自己的机会。”李琬若站在那块牌子旁边，心潮起伏，她特意照了张相留做纪念。

亚裔事务处本来只是社会福利部新设的一个小部门，李琬若入驻这儿后，这个部门便成了最出彩的明星机构，笑声时常从那几间办公室里飞出来。

相比之下，几乎同时成立的非裔和拉丁裔两个事务处则整天有扯不尽的麻烦事。负责非裔事务的贝克（Baken）是个很有长者风范的黑人退伍军人，为人正直，性格刚强，但有时在处理问题时却不能达到很好的效果，其实他是非常有责任心和正义感的人，由于处事不能圆滑，常夹在主管上司与黑人兄弟之间受冤枉气。

李琬若看在眼中，急在心里。本来这是别人的事，但她觉得自己与贝克干的同是为少数族裔公民服务的职业，人家非裔有了难题，我们亚裔就该帮助和支持人家才对。

跟贝克接触久了后，李琬若才明白了贝克平时为什么在上司面前总显得通融不够，生硬有余。原来贝克是参加过朝鲜战争的老兵，在战斗中为了美国利益而出生入死过。可是当他穿着军装回到亚拉巴马州时，一次在乘一辆公共汽车时，白人司机命令他往后坐，那一刻贝克才恍然大悟，只有在生死由天的战场上自己才能同白人并肩作战，而回到美国后他便不再享受同等的权利了。

“有人总是想方设法剥夺我们黑人的基本权利，即使在明文规定的福利政策下，他们也会大做手脚。”贝克总是在办公室里不满地发牢骚，而这更加剧了他与上司之间的紧张关系。他管辖的黑人兄弟又认为贝克不会很好地为族裔同胞说话办事，所以时不时为一些福利的发放不到位而找贝克的麻烦。

贝克因此里外不是人。那天，他的一帮黑人兄弟又成群结伙聚集到市政大楼来闹事。非裔事务处的工作人员吓得全都跑了。本来就很气愤黑人们更加愤愤不平，发誓要“端掉”社会福利部。

“这可怎么办？Lily，你说贝克他们是怎么搞的嘛？出了大事谁负责得起呀？赶紧叫警察来救援吧！”李琬若的上司在办公大楼的走廊里惊惶失措地对李琬若说。

“不要着急，现在最主要的是要平息黑人兄弟们的情绪，千万不能在这个时候让警察出现。那样事情真的就被激化了。”李琬若一边把上司请到自己的办公室，让其稳定情绪，一边出谋划策道。

“那你说怎么办？黑人们闹起事来整个美国都会受不了的呀！”上司的精神都快崩溃了。

李琬若冷静地朝窗外望去，只见外面黑压压的一大片人，便说：“到今天这个地步，肯定是有原因的。既然他们来了，我们就不能不理人家，否则事情会激化。”

“这事得让贝克处理！他人呢？到哪儿去了？可气！可气至极！”上司简直暴跳如雷又束手无策。

“既然贝克有难处，那我就代他去处理一下吧。”李琬若说完，很平静地走出办公室。她的身后是上司紧张而急促的叮嘱：“Lily，你千万要小心啊！”

面对群情激愤的黑人朋友，李琬若表现出异乎寻常的冷静。她首先示意大家静下来慢慢说，随后开口道：“你们今天既然来了，心里肯定有事要说。我是这儿的工作人员，但由于我是新来的，对大家的情况不是特别了解，所以说今天能见到大家，是件好事，能直接听到大家对我们政府的社会福利工作有什么意见。这样吧，为了能很好地表达清楚你们的意见，是不是你们派几个代表，或者十几个人也行，只是我们的会议室只有那么大，我向大家抱歉只能请你们的代表到里面去谈。大家看如何？”

黑人们没有想到眼前这位彬彬有礼的东方女士，态度特别温顺和蔼，你再大的脾气也无法发泄了，于是整个闹事的场面一下恢复了平静。随后黑人们自己选出代表跟着李琬若上了会议室，其余的人便三三两两地随后散去。到后来，十几名代表跟李琬若越谈越投机，完全把她当作可以依赖的朋友向其倾诉一些他们对政府福利的不满，而且提出了不少建议和意见。

“今天的收获不小，我真想再请大家谈上那么几天。但我想大家都很忙，我不能耽误了你们的工作和生活呀。所以我想，哪一天你们召开社区福利会议，我到你们那儿去听意见如何？”李琬若看了看表，便提出建议。

“太好了，我们热烈欢迎你。”黑人代表高兴地表示。

一场风波就这么在李琬若的和风细雨中化解了。事后，社会福利部的上司和贝克先生对李琬若感激万分，说她避免了洛杉矶一劫，同时也帮他们保住了饭碗。但李琬若感到事情还没有完，尤其是她答应黑人朋友的事一定要做到。

事隔不久，黑人社区真的召开了有关福利问题的集会。那天李琬若特意穿了条牛仔裤，脚上穿着运动鞋，也丝毫没有做任何的化妆打扮，到了开会的地方她也非常随意地跟黑人们一样，往草地上这么一坐，像谈家常似的跟大家聊了起来。那亲近随和的气氛，博得非裔居民的极大好感。他们跟这位东方面孔的政府官员无拘无束地谈着对政府福利事业与政策的看法和意见，使李琬若收获不少。之后，她又连续参加了非裔居民们召开的各类集会。

回到办公室，她把黑人居民们的意见整理汇总后，又根据自己的看法提出了建议，分别交给了上司和主管非裔事务的贝克先生。而社会福利部负责人和贝克先生又根据李琬若的建议及意见，对非裔居民的福利工作做了相应调整，从而使很激化的非裔居民的福利纠纷得到了缓和，出现了从未有过的良好局面。李琬若所领导的亚裔事务处，也变成了事实上由她统管的亚、非、拉等“少数族裔事务部门”。

在美国，社会福利工作的工作量是最大的。仅以加州为例，全加州从事社会福利工作的公务员就有 1 万多人，获得联邦年度经费达 10 亿美元，受益人数在百万之上。据此有人说过这样的话：男人要在美国迅速升迁，最好到军队里去；而女人要想显示能力，最好的锻炼岗位是在社会福利部。如鱼得水的李琬若在少数族裔事务处的岗位上充分发挥着她的潜能，赢得上下的广泛赞誉。

1975 年，李琬若应邀参加在华盛顿召开的第一次全美华人福利会议。在此次会议上，李琬若第一次作为华裔界妇女杰出代表，见到了几位华人妇女领袖人物，其中就有在美国政坛影响很大的祖炳民、陈香梅、张之香等人。

一日，张之香对李琬若说：“白宫联邦社会福利部正缺一位熟悉业务的顾问，我看你最合适，我向总统推荐你如何？你是最合适的人选：一来你有县政府社会工作的经验，二来你专业学的也是这一行，更主要的是你还是我们华裔妇女。”联邦顾问的荣誉可不是什么人都可以获得的，尤其作为华裔妇女，能够有幸参加联邦政治与管理工作，这对在社会工作上一向充满激情的李琬若来说，是求之不得的好事。她点头表示愿意。

果不其然，在张之香等著名华裔人士和加州、首都华盛顿的多名国会议员联名推荐下，当时的福特总统正式向李琬若发出了美国联邦社会福利部顾问的任命。

那是 1975 年的事。而这一年的 2 月 3 日正是中国人的传统节日春节，美国建国之后的几十任总统中，福特是第一个以美国总统身份发表向在美华人贺年致辞的，他借此表彰了华人对美国社会做出的特殊贡献。他是这样说的："在这欢庆中国新年的时刻，我和我夫人向居住在我国的华裔公民同胞们致以最美好的祝愿。我们愿意用这个机会来表彰美国华裔同胞们，他们在很多方面丰富了我们的生活……"

这是有史以来，美国总统第一次在电视上向全美公民公开表彰华人，李琬若联想到自己刚刚得到的任命，内心感慨万千。因为美国总统对华人的赞誉，是几代华人用汗水、泪水和血水换来的，这拼搏奋斗的过程中自然有她李琬若作为第一代移民和留学生所做出的一份贡献。

4. 社区女神

李琬若这位“全美第一处长”的位置真的是越做越大了。在这之后的几个月里，她应白宫联邦政府的邀请到美国各州市调查讲演，大张旗鼓地宣传少数族裔社会福利工作的重要意义。

而在这之后不久，她又由亚裔事务处处长升任为社会福利部计划局局长。因为工作出色，她又被升任为掌管洛杉矶88个市的全部社会福利与开发建设投入的计划资源局局长一职。用李琬若自己的话说："那是我真正进入美国主流社会和政坛的重要转折阶段。"一个少数族裔，一张有色面孔的亚裔要领导这个国家的公民和政府事务，这在当时的洛杉矶县还是非常罕见的。李琬若的职责范围已经扩展到了整个洛杉矶县，服务对象不再限于少数族裔。当然对她来说，也是个重大的自我突破与挑战。

在角逐局长职位时，副局长帕特里夏·琼森（Patricia Jonson）是李琬若的竞争对手。从两人的学历、学识和社会工作经验来评价，她都不比李琬若差，也许是在回答考官问题时她的那种参政意识和表达能力稍逊李琬若一筹，最终成了李琬若的下属。

从处长到局长的升迁过程中，身为副局长的琼森女士对正局长李琬若总是心中有种不服气的情绪，起初一段时间里，李琬若的这种感觉非常明显，她想开展什么工作总是得不到下属的有力支持，琼森模棱两可的表现在其中起着关键性的作用。

这样的考验在李琬若当处长时也曾有过，但局长位置上的这种同事之间的彼此"较劲"就显得更为突出。李琬若为此有过苦恼，不过很快地她找到了解决问题的方法。她觉得这是做好这项社会工作的一个重要环节，于是像对待所有难题一样，她首先采取的措施是态度一定要虚心，要靠自己刻苦努力；其次是注意为人处事的方式方法。她在全局职员面前，经常与琼森探讨本部门的重要决策，把能发挥琼森特长的内部工作大胆放手让其承担。

而一旦取得成效时，她总是在上司面前重点突出表彰琼森的工作能力与所做的贡献。当出现问题时，李琬若便以自己是部门主管的身份主动承担责任，并千方百计弥补缺陷与漏洞。

几个来回后，琼森感受到了这位具有东方文化背景的亚裔领导的可亲可近之处，觉得李琬若真诚坦荡，值得信赖。尤其是看到李琬若为分配好联邦政府的几千万美元经费和处理好族裔之间的平衡，不辞辛劳地亲自一次次深入到各社区调查了解，掌握第一手资料，使得社会福利部以往分配经费预算的老大难问题得到很好的解决，这令自以为很“有经验”的琼森本人内心非常佩服。琼森因此很快成了李琬若最得力的助手和亲密的同事，两人经常交心共勉，使得部门工作越来越有起色。

1978 年，她们所领导的部门获得了“全美县政府联合会”年度奖。在华盛顿领奖时，李琬若听说洛杉矶县在首都华盛顿的代表主管位置空缺，她当即就想到了琼森，便积极地为琼森争取到了这份重要的差事。果然，琼森到华盛顿后工作非常出色，很快升迁，后来的职位越做越高，跻身社会名流，而她与李琬若也成了至今仍情谊笃厚的莫逆之交。这是后话。

再说李琬若上任洛杉矶县政府局长之职时，正面临洛杉矶社会福利问题从过去无序向有序转型的重要阶段。而对李琬若这位走向美国主流社会的华裔公职人员来说，几乎每升迁一次，就开始一次艰难开拓性工作。

比如洛杉矶的青少年犯罪问题在全美最为突出，如何防止或者抑制青少年犯罪的低龄化和日益增长的趋势，过去一直是警察、学校和政府管理部门与机构特别头痛的事。

李琬若在走访调查中发现，美国青少年犯罪的根源很大程度上是由社会福利工作得不到落实而引发的，因此要抑制和减少青少年犯罪，就必须重视青少年社会福利工作并有所改进。

她的这一观点既新颖又抓住了问题的根源，并且她从联邦政府的社会福利政策中找到了解决问题的途径，还合理调整和安排了一笔预防青少年犯罪的特别经费。该经费专款专用，直接由社会福利部联合各学区内的行政主管、教师、校工代表、人事公务员、医院和警方，开展适合青少年的各种课外活动，以及建立各种设施，使青少年们在学校和家庭之外的大量时间内，能够投身到有意义的社区教育和娱乐活动之中。

李琬若的这项计划实施后，不仅得到了社区家长的普遍好评，而且确实使洛杉矶地区长期以来的青少年犯罪现象得到了有效扼制。

在此基础上，她又倡导改进各机构在社会服务工作中的交叉重叠和出现的真空管理等诸多矛盾与缺陷，提出建立由计算机统一采样和控制的系统工程管理模式，即后来在全美被广泛推广的“社区管理资料库”（Community Information Bank）。二三十年后的今天再看这些工作并不算多么先进，可是在20世纪70年代，李琬若的这些举措对于美国社区管理建设，不仅具有开拓性意义，而且在实践工作中十分有效，产生的影响十分深远。

洛杉矶是个多事之地，而偏偏这块土地又是以华人为主的亚裔各族向往与落脚的地方。从20世纪70年代开始，在特殊的国际背景下，东南亚各国移民美国的潮流汹涌而至。美国总统尼克松访问中国打开了东西方两个大国之门，给海峡对岸的台湾人造成了极大的心理影响，于是台湾同胞移居美国的人数急剧增加；随后大陆开放，又形成了华人新移民潮。

在中国移民大举进入洛杉矶之时，开始富起来的日本人和韩国人带着巨资也加入了投资移民大潮之中。中英两国就香港问题签约后，香港人又怕1997年后风云变幻，纷纷移民美国；越战结束，当年跟随美国的大批越南南方居民害怕北方领导者“革新”到他们头上，也举家赴美；这时候柬埔寨形势又发生混乱，成千上万的难民随后也加入到亚裔移美大潮之中。加州尤其是洛杉矶呈现了历史上前未有过的亚裔“大落户”时代。

在这种背景下，亚裔的社区服务成了李琬若所在社会福利部的重点任务。本来移民的安置与创业并不是联邦政府的社会福利部门管辖的事，但问题并不那么简单，当大批新移民进入社区后，他们的盲目性多于预见性，这是不熟悉和不了解美国政府的许多政策与国情所致。这种结果直接导致相当一部分新移民由于这样或那样问题很快给当地带来种种不良社会问题。

鉴于此，李琬若在县政府联席会议上倡导要从稳定和繁荣当地建设为出发点，建议将关心新移民的社区生计问题列为政府社会福利工作的主要内容，并且通过她的多方协调，获得了政府高层领导的大力支持。也许是同为东方文化背景的优势，李琬若非常了解亚裔新移民的心态，那就是多数亚裔新移民希望在落户美国后能够打开创业的局面，直截了当地说就是赚钱。20 世纪六七十年代的亚裔移民同八九十年代的移民不同，他们基本上是以开店做小本经营起家立业的模式。而这也正是亚裔有别于其他族裔，表现出不怕艰苦和辛勤努力的一面。

日本人早期以园艺出名，以此为业的人很多。所以，日裔社区管理得井然有序，环境整齐、园艺别致、气派高雅。一栋栋蓝色琉璃瓦做顶的漂亮日式小商店，配上同样风格的小亭子，使“小东京”显得典雅而富于文化气息。日商很少住在“小东京”，他们只是把它建成日裔的商业及文化中心。他们很早就向政府要经费来建设自己的“小东京”及“老人中心”。

初到“小东京”，日裔社区代表对李琬若表现得非常冷淡，其中原因，可能是在竞争亚裔事务处处长时，她战胜了在日裔社区呼声很高的宫野先生。对此事，他们心里一直很难平衡。在这种情况下，她特别邀请了一位朋友，身为“日裔美国公民联盟”(Japanese American Citizens League)领导人的熊本（Alan Kumamoto)，陪同李琬若先去拜访了“老人中心”。日裔社区的“老人中心”组织得很好，他们在那里下棋、听日本歌、阅读报刊书籍等，怡然自得。在拜访“老人中心”前，李琬若还得到过小妹李琬君的提示。李琬君曾在东京御茶水女子大学就读，她告诉李琬若，日本人特别讲究礼貌，见到老年人，必须先深深鞠躬。李琬若还向小妹学了几句用简单的日语。当李琬若来到“老人中心”被介绍给老人们时，她就先向他们深深鞠一躬。虽然他们绝大多数人都懂得英文，但李琬若还是用小妹教给她的那几句日语同他们寒暄。顿时，她得到了老人们初步的认同和亲切感。接着，李琬若又去拜访日本商会，也受到了相当的礼遇。访问了“老人中心”和商会后，她还到他们的“青年服务中心”去拜访，发现那里的年轻人的态度相当不友好。幸好有熊本先生陪同，熊本对年轻人说：“Lily 可跟一般的政府官员不同，她一直同情和支持着我们日裔，而且她也是‘平反运动’的成员之一，我有和她一起工作的经验。”经他这么一说，年轻人的态度才缓和下来。

在这些拜访中，李琬若了解了日裔年轻人为什么会对政府人员的态度如此强硬。他们认为，要让自己的问题尽快得到解决，就必须像拉丁裔、非裔一样，采取强硬的态度。这也是日裔在多年斗争中所获得的经验。特别是在第二次世界大战期间，他们在美国曾有过非常痛苦的经历。

日本人是从 19 世纪末开始移民美国的，移民多半在加州务农。美国在 1941 年珍珠港事件后对日宣战，国会随即通过了“第二次世界大战拘留日裔法案”，授权有关当局，可不加审讯地拘留那些可能破坏美国安全的活动分子。

当时，联邦调查局局长胡佛下令，把居住在太平洋沿岸的加州等地的 12 万多日裔，全部遣送进设在科罗拉多州等地的集中营，仅洛杉矶的“小东京”就有 35000 人被关押。而被关押者绝大多数都是在美国土生土长的日裔，他们不仅要离开自己的家园，而且还不得不抛弃自己经营已久的家业，只带了些随身的东西去集中营。直到 1945 年 8 月，第二次世界大战结束，这些日裔才被放了出来，但已被关押长达 3 年之久。

可以想象，这个事件是他们多么痛苦的一次经历。这使他们认识到，如果当时他们具有很强的政治力量，美国政府就不会这么欺侮他们。他们由此增长了经验，懂得了加强族裔政治团结的重要性。第二次世界大战中，德国和意大利也是美国的敌国，但在美国的德裔和意大利裔就没有被关到集中营里去。这个痛苦的经验促使日裔成了在亚裔之中政治觉醒最早的族裔，成了亚裔参政的先驱。1970～1980年，日裔政治力量日渐强大。在夏威夷和加州，被选出的日裔国会议员有2位参议员和3位众议员。日裔国会议员们要求国会成立专门委员会，对集中营一事展开调查，在“日裔公民联盟”等组织领导下，于国会听证会期间，日裔社区展开草根（基层组织）运动，使许多不愿回首往事的日裔终于打破沉默，在听证会上陈述了当年的痛苦经历。当时许多华裔有识之士看到日裔在美受辱的经历，深感利害相关。华裔与日裔同样是东方面孔，一旦发生战争，悲剧又会重演，万一中美交恶，华裔很可能会成为下一个目标，所以华裔也给予日裔很大的支持。

当时，李琬若是平反委员会（Redress Committee）的成员之一，也参加了南加州的声援运动。李琬若记得有一次是在“小东京”有名的中国饭馆远东楼（Far East Cafe）开会，这座远东楼深受日裔移民的感念，因为二战结束后，被关押的日裔纷纷回到原居住地，当时很多人身无分文，境况十分可怜，远东楼的老板让这些衣食无着的日裔免费到自己的饭馆吃饭，他对他们说：“到你们有钱的时候再付给我好了。”后来，远东楼因房屋陈旧拟予拆建，但“小东京”的日裔坚持要将远东楼的原建筑保留下来作为历史遗迹来纪念。

1973年6月9日，定名为“美华协会”（Organization of Chinese Americans）的华裔全国性组织终于在华盛顿正式成立。全美七百多位华裔有幸参加了这次声势浩大的成立大会。“美华协会”

的成立宣言，及王恭立、陈香梅、张之香、林敬忠和李琬若等发起人名单都列入了国会记录，成为美国历史文献。

“美华协会”成立后的第一个活动就是与“日裔联盟”及“同源会”合作，共同支持日裔国会议员松永正幸（Spark Matsunaga）提出的正视第二次世界大战拘留日裔历史问题的提案。后来，迫于亚裔社区各方面的压力，1988年，国会终于通过了平反法案，获得赔偿的日裔约有6万人，每人获得2万美元的赔偿金，并正式向他们道歉。

1992年，日裔在美建立了“美籍日裔国家博物馆”（Japanese American National Museum），馆内展览的内容就是在第二次世界大战期间，日本人在美国被监禁受迫害的史实。该馆不但广发传单，并且四处寄信争取捐款，尤其是美籍日裔国会议员井上（Daniel Inoue）曾写了一封充满情感的信函，向各界呼吁，大力支持这项募捐行动。

日本人设立这个博物馆，是为了指出美国政府当年的错误，提醒后人这段历史绝对不可重演。井上在信中提及，第二次世界大战时，他曾入伍为美国作战，当他接到来自集中营的家人的信件时，禁不住自问：“我和我的日本同胞上前线为的是什么？”战争结束，井上获光荣服务十字勋章、铜星勋章和紫星勋章，而在返美后去旧金山的一家理发店时，却被拒绝服务，理由很简单，因为他是黄皮肤。井上因此大声疾呼，这个集中营的悲剧如果还有任何正面的影响，那就是所有的美国人都得到了一个重要的教训，最终了解了自由平等的可贵。

近半个世纪以来，日裔人口始终保持在10万左右，但日裔参政意识最强，实力最大。从20世纪70年代到2000年，在加州及联邦政府的日裔民意代表（3位联邦参议员、6位联邦众议员），以及从白宫到联邦各部，占有决策性地位的日裔官员，数量远远超过亚洲其他族裔。

2001 年，布什总统任命峰田 (Norman Mineta) 为联邦交通部长，当时加州州政府的 3 位部长都是日裔。

李琬若说到此处，极其感慨地说："华人其实在美国受的冤屈一点不比日本人少。"

与世界各地的情况相似，在整个加州和洛杉矶地区，来自各个国家的不同移民和不同族裔聚集在一起，相互之间经常有矛盾与冲突。身为洛杉矶县政府的少数族裔事务处处长和管理这些族裔社会福利的局长，在那段岁月里，李琬若被称为"洛杉矶小联合国秘书长"。大事小事别人不管和管不了的事都属于她的管辖范围，你能举出还有比社会福利局业务更宽泛的工作吗？没有。

那一天的事，李琬若永远记在脑海之中，并且多少年来时不时地在她眼前闪动……

一天，坐在办公室里的她，不经意间抬头朝窗外望了一眼，突然看见前面一条蹿天的火龙在洛杉矶城的韩裔社区腾空而起，并迅速蔓延到其他街区。不得了啦！黑人又暴乱啦！骇人的消息在同一时间传遍了政府大楼，传遍了每间办公室，同时也传遍了全美和全球……洛杉矶自建立城市以来，最出名的只有一件事——黑人暴动。

不必埋怨黑人兄弟，他们的每一次暴动都是被逼迫的。此次暴动同样如此，只是情况有些特殊而已。

事情还得从那起轰动一时的罗德尼·金 (Rodney King) 案说起。黑人罗德尼·金是位失业黑人，一天他因酒醉开车与警察发生争执，被一群白人警察痛殴了一顿。在场的警察约有 20 名之多，恰巧黑人被打的情景被一名居民拍摄到了，结果全世界的报纸和电视台都报道了这一殴打场面，于是由此引发了一场法律纠纷。案子在加州法院审理，可最后 4 名被告全部被释放，参加这

坚合众国的明天。

1980年，李琬若在加州洛杉矶县政府社会福利部任局长，这年正好到了又该召开“白宫家庭会议”的时候。白宫把这件事交付给了加利福尼亚，而洛杉矶是加州的最大县，这样的会议当然应该由业务直接关联的社会福利部来做，社会福利部让谁来挑此重任呢？

“Lily，此事非Lily莫属。她的领导与组织能力以及对家庭问题的关切与了解无人能及，加上她又是福特总统任命的联邦社会福利部顾问，最合适的人选就是她！”洛杉矶县政府这样认为，加州政府满意点头，白宫完全同意。

李琬若因此被推到了美国政坛的高峰。而此时的她，正年富力强，光彩照人。

关于美国的家庭问题有必要多说几句，这与李琬若后来参政有直接关系。天下的女人爱家庭爱孩子是共性，东方文化背景下的女人更是如此。早在县立医院从事社会工作时，李琬若就没有停止过与美国的各式各样家庭打交道。她印象中最深刻的，要数那些由于受整个社会的所谓自由开放、追求极乐享受生活而引发的“少年妈妈”现象。在美国，法律规定18岁就能结婚，但并没有任何法规约束自由同居，于是18岁以下的少男少女同居现象十分严重，一些尚未涉世的女孩子先尝禁果的结果便是有越来越多的非婚孩子出生，而这些非婚婴儿的出生带来的问题很多。有一年圣诞节前，在纽约黑人区就发生过一起在一幢十几层的大楼顶上一个还带着脐带的小生命被其同样是孩子的妈妈顺手扔出窗外，后来发现这个婴儿的嘴上还被系着一块红白格子的洗碗布——是“孩子妈妈”怕婴儿发出哭叫声所为，其情景惨不忍睹。美国的一家医疗机构曾做过一次调查，每年全美医院发现的弃婴就有2200多个，而这个数字还没有包括那些在“汽车旅馆”等场所发现的私生婴儿。

李琬若踏上美国社会后做的第一份工作就是与这样的弃婴有关。美国人讲究人权，宪法规定每一个出生的公民无论他是什么背景，其权利都是不可侵犯的，然而众多被生父生母抛弃的婴儿或者受虐待的孩子需要有人管理与关照。那时李琬若整天忙于搭救那些无人照管的婴儿和受虐待的孩子。由于许多已经备受折磨的幼弱生命再经不起任何的折腾，拯救和抚养他们便成了李琬若这样的从事福利工作的公务员最忙碌和最首要的事。

一次，李琬若他们得知某社区的一个家庭的孩子受到虐待，警察已经出面将孩子从残暴的生父手中抢救出来后，必须尽快寻找到抚养他的家庭，而当他们好不容易找到一个愿意抚养的妇女，谁知这个婴儿新家庭的养父又是个极不负责的人，孩子不仅被烫伤多处，且重病缠身得不到医治，最后不得不由李琬若他们几位社会福利部的工作人员轮流看管。可这能解决什么问题呢？作为政府机构，他们无法这样继续下去，因为总是这样代人看管弃婴，其他的事就再也没有人顾及了，于是他们不得不重新寻找新的寄养家庭。

但不出几天，新家庭突然打电话给李琬若他们，说孩子已经死了。这还了得！社会福利部负责管理的婴儿竟然死了，一旦事情被媒体炒作，将对整个地区的政府社会福利工作形象造成负面的影响，同时对由选民选举上台的政府官员们的工作也将造成极其严重的影响。

怎么办？孩子死了是不能复生的。李琬若当晚得知此事后，她的第一个反应是：绝不能被事件本身搞得被动，否则受影响的不仅是自己的饭碗，连县长、州长的面子都将受到损害。都说洛杉矶的夜幕总是充满恐惧，这一夜对李琬若来说更是如此。按照惯例，这样爆炸性的事件会在第二天天亮时引起所有媒体关注，整个加州甚至美国都会大肆渲染。李琬若首先想到的是，绝不能让媒体帮倒忙。在征得主管的同意后，李琬若立即将电话接通了当地最有影响的《洛杉矶时报》的总编，并把死婴事件的全部经过向他做了通报，且有针对性地将政府社会福利部门已采取的相关措施进行了陈述。第二天《洛杉矶时报》便首家刊登了死婴事件，并论述了政府采取的一些措施，有效地防止了某些别有用心的记者们捕风捉影而可能产生的后果。后来县政府和加州州长知道事实真相后，大大夸奖了李琬若一番。

受表扬体现了李琬若遇事的应变能力，但她心情并不轻松，那位可怜的婴儿的形象久久在她脑海里回闪，尤其是当她走上当地政府的社会福利工作主管位置后，她的忧虑越来越多。西方式的现代生活，从家庭这个缺口流露出种种问题，全体国民和政府应该认识到这样一个事实：如果处理不好家庭关系，社会将面临失衡，国家的发展会因此受阻。

几乎每一任总统候选人，都会把改善美国社会的家庭问题当作自己竞选纲领的一个重要内容，这也是自第二次世界大战以来敦促白宫每十年召开一次家庭会议的初衷。一对夫妇的婚姻全过程，十年也许仅仅是开始，但十年对一个社会而言，其产生的家庭问题则可能是非常严重了。

1980 年恰逢又一个十年的“白宫家庭会议”召开，李琬若以其卓越的社会工作成就，而相当难得地担负起了这一届的组织者与主持人，其议题和结论对白宫和总统负责。

会议的重任是显而易见的。李琬若接受筹备任务后既感光荣，又深感压力。从小就有政治细胞的她，敏锐地意识到这是她在美国政坛真正露面的极好机会，一定得抓住不放。但仅靠自己一个东方面孔的弱女子是不够的。她因此开动了全部智慧与脑筋，约请洛杉矶县政府和加州头面人物，以及全美有影响的家庭问题专家，与自己共同组成了会议主席团，李琬若亲自出任会议执行长。

草根出身的她明白，要真正把“白宫家庭会议”开出成效，仅仅有官员和专家是不够的。既然是家庭问题，就必须有普通的家庭成员参加。因此李琬若一改以往“白宫家庭会议”的陈规，在会议中专门邀请了各个族裔和各个阶层的家庭成员进入会场，并把他们的意见归纳为美国家庭问题的核心内容展开讨论与研究。因为与会者有大到当了几十年国会参议员，小到还在上学的“少年妈妈”参加，会议开得特别热烈和有特色。开放和自由式的争论，几乎使整个会议常常变成各种观点相互辩驳的论坛。而作为会议的组织者和主持人，李琬若则经常要充当各种观点的调停人与“先知先觉”的导师。当参加会议的各路的伶牙俐齿者看到他们的会议执行长是位楚楚动人、风姿婀娜的东方小女子时，不免经常出些难题给李琬若。这时你不可逃避，也不可无视，更不可沉默，你必须面对、必须制服对方，用上你所有的智慧和才能。

“执行长，你在论题中不断告诫我们应该十分注意结婚和离婚的随意性，这个议题不符合美国精神。你也许是位本质上的东方人，所以你无法真正理解我们美国人对自由精神的追求方式。”有人想让李琬若下不了台。

“尊敬的女士你错了，我不仅懂得什么是真正的美国自由精神，而且还明白应该如何理解它。”

李琬若友善和气地告诉她的那些自以为是的年轻美国同胞：“什么叫我们美国的自由精神？它应该是对事物是否正确把握的精神，是尽力地理解别人见解的精神，是将对别人的利益与自己的利益不带偏见和一并考虑的精神。同时我还知道，对自由的精神的铭记，即使一只麻雀落地我们也该引起足够注意，否则可能就是一场灾难。自由的精神也就是基督的精神，它在两千年之前就教给人类从未学过、从此难忘的一课。在那个自由的王国里，人们对最伟大者和最渺小者不分贵贱，一视同仁……”

“Lily，看来你不仅是一个了不起的组织者，而且还是个哲学家呀！”提问题的人感到惊讶。

李琬若淡淡一笑，说：“这是我在十几年前攻读华盛顿大学的社会工作专业硕士学位时记住的一段先人的话，难道你们没有听说我们美国本世纪最杰出的大法官勒尼德·汉德这个名字吗？”

不少与会者在摇头。

“那么我可以再告诉你们：上面我说的有关‘自由的精神’的解释，正是勒尼德·汉德先生这位美国历史上最伟大的法官于1944年5月21日纽约市中央公园里举行的集会上的演说，那次讲演的主题是《自由的精神》以纪念‘我是一个美国人日’，恰巧与我们现在共同关心的问题很有共性。我还记得汉德大法官对我们美国人追求的自由有过这样的忠告：追求自由不是意味着冷酷无情，不受约束的意志，更不是随心所欲的自由。那是对自由的否定，直接导致自由的毁灭。倘若在一个社会中人们不承认对他们的自由应有的控制，那么它很快会变成一个只让一小撮凶狠残暴的人拥有自由的社会。对这一点我们已有痛苦的教训！”

“Lily，讲得太精彩了！”会场上响起热烈掌声。

李琬若谦和地笑笑，说：“这不是我的话，我仅仅是重新背诵了以前课堂上的一门作业而已。”

“也许汉德和你都是对的。”不和谐的与会者这时也过来握住李琬若的手。不过他们表示保留自己的看法。“你不会反对吧？”

“当然。”李琬若耸耸肩，坦诚道：“那才不是美国的自由精神，而且对本次会议毫无益处。”

“同意！”双方的手掌在空中击出响亮的声音。

李琬若对这样的一个个不同观点的出现甚至是激烈的争执特别欣慰，因为这正是她和会议主席们最想达到的目的，不通过了解和汇集来自不同阶层、不同意识对家庭问题的不同观点，就不可能准确地解决美国社会的家庭症结。在会上，她倡议并着重提出了家庭问题必须以预防为主的思路，即套用美国人习惯的“一两的预防，胜过一斤的治疗”观念，以加深国民注重以预防为主的意识作为此次“白宫家庭会议”的主基调，重点提出美国社会四大家庭突出问题并交大会讨论研究。一是少男少女同居造成的“娃娃父母”现象；二是中年妇女就业问题；三是虐待儿童与老人问题；四是同性恋家庭合法性问题。

会议主题一经抛出，轰动各界，大有大洋彼岸的社会主义东方大国正在开展的那场关于“实践是检验真理的唯一标准”大讨论的阵势。身处这一激烈讨论中心的李琬若，每时每刻都感受到了美国社会那种从未有过的也不是一般人能体味得到的强烈冲击和澎湃激情。这无疑为日后她成功走向美国政坛储备了力量和勇气、经验与灼见。

紧紧张张、声势浩大的此次“白宫家庭会议”，在对遏制家庭暴力、防止青少年犯罪和对低龄“少年妈妈”培训教育以及社会更多地给中年妇女提供就业条件等议题获得了共识，给国会制定方案提供了诸多依据与建议，还取得了两项具有历史性的成果，即一是同性恋者组成的家庭被确认为合法化，二是产妇的产假不仅得到延长，而且做孩子爸爸的丈夫也从此有了“男人产假”。这些成果后来均被国会通过，形成法律。

这两条具有历史性意义的法案的建立，李琬若能不感到自豪吗？显然，她通过此次会议的组织过程使全社会自下而上地关注日益严重的家庭问题，也以其活跃的社交能力和对美国家庭存在问题的准确判断受到白宫新主人、民主党出身的卡特总统的赏识。她的家庭会议报告送到白宫后，卡特看后非常满意，专门提出接见会议组织者。后来美联社记者摄下的那幅卡特总统与她握手的大幅照片刊登在全美所有重要报纸上。

白宫家庭会议后，李琬若又获卡特总统的任命，成为“全国成人教育委员会”的15名委员之一。这是自1970年以来，加州进入该会的唯一代表。这个委员会主要是为全国成人教育法案、政府政策以及经费分派等提供建议。所有建议直接交给国会及总统，通过后由教育部执行。

美国各社区大学都在晚上开设成人教育课程，在那里可以学习文化、打字、烹调、绘画等。课程经费来自学生的学费。政府为新移民开设的英语进修课程，是由联邦政府提供经费，所以社区大学也很乐意配合。美国虽然教育普及，但仍有很多文盲，其中包括许多新来的移民，他们的英文表达能力无法应付日常生活及工作所需。因此，李琬若要求政府增加成人教育方面的经费，以协助更多新移民失业者学好英语，进而学习一技之长。

李琬若本人是第一代移民，亲身体会到一个新移民成为公民的艰辛历程。她觉得政府有必要提供经费来设立英语教育课程，让更多有意成为公民的人士有机会学习英语。这个建议得到了政府的采纳。目前在美国成人学校及社区学院里，公民入籍的英语课程使不少新移民受益匪浅。成人英语班到处呈现出蓬勃气象，李琬若为此感到特别欣慰。

接受总统任命，开阔了她的政治眼界，同时也激起了她参与政治决策的热情。这种工作与社会福利部的行政管理工作虽然都是为大众服务，但它们的性质和范围是大不相同的。李琬若从内心深处感觉到，参与全国性的政策制订工作，它的挑战性具有强大的吸引力。一项正确的政策能使千千万万人在日后长久获益，总统的任命，进一步实现了她造福大众的理想。

有人曾预言：加州有位东方面孔的华裔女人将在不久成为美国政坛迅速崛起的新星。这个预言后来成了现实。

第三章　竞选议员之战

美国西部华人占总人口比例最高的新兴城市——蒙特利公园市真的出现了一匹政坛“黑马”，蒙市明天的希望之星——李琬若。

1. 壮着胆子自我去推销

“Lily，你应该去从政，当市长，当县长，当美国总统！”

同事和好友的一番话，真的触动了李琬若那颗参政的心。其实她何尝不想挺身而出站在更高的位置上为广大市民、为在美生根的华人、为从来就缺少平等的少数族裔服务，但她确实没有真正想过在政治舞台上扮演一个角色，她总是想着自己毕竟是个东方面孔。

美国的权力结构与东方不同，国家的真正权力在国会，而国会是那些来自各界市民选出来的参、众两院议员们，不断做出一项又一项关于国家的法律、决定或批准一个个重大决策。各地的州、县和市，也同样是由当地的议会掌握着权力。比如蒙特利公园市政府的权力是这样布局的：市议会领导政府，市议会由 5 名议员组成，每个决策和每项法律都由议会决定，少数服从多数，只要有 3 名议员举手同意，就可以通过某一项法案或者批准市政府的重要决定。美国的国会议员与总统任期均是 4 年，总统任期一般最多连任两届，这是开国元勋、第一任总统华盛顿先生以自己的行动给后人留下的一笔重要遗产。但国会议员可以连选连任，直到你不被选民看好为止。下面的州、县、市的小议员一般是两年一个任期，也可以连选连任，直到无人喝彩。

一般认为，参政必先当议员，这是想在美国政坛上有所作为的主要途径之一。大小议员都是美国政坛的主要角色，参政首先得当议员。李琬若对此是明白的，她在县立医院从事社会福利工作时，常常有事得求见议员。议员虽为选民投票上台的，但相当一部分是靠家族的历史与地方的实力为背景成为政坛风云人物的。在李琬若的心目中，议员是为选民办事、为国家效忠的，可事实并不是那么回事，多数议员常常倚仗自己显赫的势力和威望，根本不把民众的事放在眼里，更不用说把“外人”——留学或生根的少数族裔放在眼里。而在美国历史上反华的那一段时间里，这些议员则握着至关重要的决策大权。

李琬若明白美国有史以来，无论在国会还是在各地的议会中，绝大多数的议员们总是对华人在内的少数族裔存有偏见。而要改变这种偏见，就得有人在议会的讲台上发出不同的声音。两三百年的华人屈辱史和日新月异的蒙市发展需要在议会上听到这样的声音。李琬若那天回到家，有些坐立不安起来。她看了几次表，嘴里还不停地叫着：“丈夫、丈夫”。

“有什么事，Lily？”丈夫陈宝和匆匆推门而入，神情慌张地走过来问妻子。

李琬若一愣，道：“没出什么事呀！你怎么这么着急？是孩子有什么事？”

丈夫一屁股坐下，端起一杯咖啡，一边喝着一边直摇头，说：“我和孩子都没事，我是问你到底出了什么事？因为我还在门外就听到你在‘丈夫、丈夫’地叫个不停……”

妻子明白了，抿嘴笑了起来，然后带着几分亲昵和娇柔轻轻将丈夫按在沙发上，自己也随后坐在旁边，面对面地瞅着丈夫笑而不答。

陈宝和感到有些莫名其妙。妻子是个性情中人，喜怒哀乐常挂在脸上，今天有点怪。是好事？可今天她却不像平时那样嚷嚷着通报了。是坏事？更不像，真要哪儿出了毛病，她早已就怒发冲冠或者迫不及待了。“Lily，你今天很反常啊。说说，好事坏事我都洗耳恭听……”

丈夫有点等不及了，这使妻子更加感到有必要再神秘一下。她朝丈夫的脸颊上热烈地亲了一口后，再也捺不住心头的话了。

“你先说支持不支持我吧！”妻子的脸都憋红了。

老实巴交的丈夫无奈地笑着摇头说：“什么事我没有支持过你？”

“但这事跟以往的事不一样。”

妻子半嗔半怒道：“今天我就要试试你真的像平时说的那样爱我吗？你说，必须大声地说：我是你的最爱！”

丈夫真开始有些奇怪了：“Lily，你今天是怎么啦？”

“一切正常。”妻子还是不放过丈夫，“你还没有回答我的话呢。我到底是不是你的最爱？说说！”

“是，你——永远——是——我的——最——爱——！”丈夫有意双手对着妻子的耳朵大声喊道。

妻子兴高采烈。她把丈夫的双手握在自己的小手中，然后郑重其事地告诉他：“我准备竞选市议员。你看行不行？我想听听你的意见……”

丈夫陈宝和一生只一味地追求科学和技术，而对政治不感兴趣。在外面，陈宝和从不与人谈论那些自己业务之外的国事，就是与朋友和同事在一起的时候，别人高谈阔论，他也只是静静听着，很少发表自己的意见。在家里，妻子对报纸、广播和电视里的某一则新闻或消息会大呼小叫，而他则在妻子这样的大呼小叫中只管低头修理那些永远完不了活的私车，要不就倒在一旁鼾声大作。

“你，竞选市议员？”丈夫突然像不认识自己妻子似的将她上下打量了一番。

“看你，快说，行还是不行嘛！”李琬若是个急性子，她最受不了丈夫的一点就是他的慢条斯理。

“怎么不行？只要你有兴趣从政，我一定愿意成全你，亲爱的。”

李琬若激动地张开双臂，紧紧拥抱住丈夫，将头深深地埋在他高大魁梧的怀里：“……没有你的支持，我什么都不会成功的。丈夫，我要告诉你：你才是我一生中的最爱！”

丈夫的支持已经使李琬若拿定了大半个主意，但她还想征得正在上大学的儿子和女儿的同意。

喜欢运动的儿子克光听了妈妈的决定，高兴地说：“这太伟大了！我可以找网球队的朋友帮你竞选！”

女儿克瑜是学医的，干什么事都非常细腻到位。她的第一个反应是：“妈妈，我建议下一步你的重点是要让社区和整个蒙市了解你是谁，这是取胜的关键。”

李琬若听完儿女的这番话，真是喜出望外。“有你们和你们爸爸的支持，我一定努力争取竞选成功。”

这一夜，全家人在非常兴奋和激动的气氛中决定了李琬若一生中最重要的事，也是她正式走向美国政治舞台的一个历史性决策。

政治对有些人来说是身不由已的事，比如说你的家族背景、你的信仰等。有人生来就会被放到政治舞台，但对留学生背景的李琬若来说，她根本就没有想到过自己会在美国从政参政，最初的愿望她是希望自己和全家人能融入美国社会，但到了美国如果不同美国主流社会融为一体，你就永远是“外人”，谁愿意？后来她从事社会工作，那是因为她对社会工作有特殊的兴趣，加上所学专业又是社会工作——而社会工作的核心思想就是提倡为大众服务。怎么更好地为大众服务？靠腿勤嘴勤工作细致努力是不用说的，但能发动全体人的力量，通过特殊渠道开辟捷径，是更加有效的工作目标。而如何实现上述意图，政治在此时便悄悄地进入了李琬若这位普通女公务员的意识之中。可以说，是专业的关系，是个人对社会和人类的那份仁爱之心，催发了李琬若最终投身于政治事业中去。

参与，这个词在西方社会特别是美国社会被普遍运用。小到你是一个孩子的时候，你父母出外周游世界时，会将你一起带上，哪怕是坐在小推椅里；大到你想当总统，你就必须在党内、在家庭里、在社区和所在的州市里先得把自己的想法和意愿公布出去。没有听说哪个美国的总统是在别人的任命下当选的。林肯够伟大的吧？但林肯在竞选总统时也是经历了重重曲折，他的竞选对手道格拉斯就差一点点在竞选中击败他。林肯最后还是胜利了，他靠的什么？靠的依然是他良好的自我推销。而总统在没有成为总统之前，伟人在自己没有成为伟人之前，美国社会要求他们的就是你得让大家了解你，你得把自己的才能充分地展示出来，百分之百地展示出来，甚至应当是超水平发挥才行。但中国人从祖先那儿继承下来的谦和美德，恰恰对想积极参政的人而言，实在是个致命的缺陷。李琬若何尝不是？

1981 年底，李琬若正在洛杉矶县政府的社会福利部任资源计划局局长并有望更上一层楼时，蒙市有一位议员因为当上了加州的州议员，使原来的蒙市议会缺了一个议员席位。按照地方法律规定，缺额的议员必须马上补选。李琬若看到机会来了，便决定参加这次的议员竞选。用她自己的话说是：“在社会福利部工作不管当处长还是局长，都是联邦政府政策的具体执行者。议员则大不一样，那是政策的决定者、制定者。”作为一名政策的执行者，李琬若认为自己完全可以做好，但毕竟执行者与决策者之间差异极大。如果能参加政策的制定，那么你参与为大众服务的机会和所产生的作用自然会大不一样。李琬若说，她心中还有一个崇高的愿望以前从来没有敢对人说过，她有当州议员和国会议员的理想。为什么？就是想让我们华人在美国政坛上也能有声音出现，也能被看作是真正的“美国人”呗！

李琬若从不隐瞒自己的观点：“我是华人，我热爱自己的祖国。但现在既然我入了美国籍，那么我应当做一个好的美国公民。只有成为一个好的美国公民，我才能对得起我的黄皮肤黑眼睛。”

那次蒙市议员补缺的竞选，共有 7 名候选人参选，李琬若是唯一的亚裔，也是华人在蒙市政坛的第一次亮相。当竞选人并不复杂，你有 50 名拥有美国正式公民权并住在当地的人联名推荐，再带上几十美金到政府竞选机构申请，经审核合格就可以成为竞选人了。但美国就是这样一个社会，什么事你都可以参与，然后都得靠竞争。政治也是这样，政治本来就是一种对手之间的较量。因此像蒙市议员补缺这样虽然并不大的政治竞选，也引起了蒙市的一阵喧闹。

美国的竞选是一台戏，是一台热闹而惊心动魄的大戏。当候选人，你先得拿着有效的身份证明到当地的竞选机构登记，并取得相应的候选人资格证书，你才能对外正式宣布你是某某，是哪个职位的竞选人。这一切没有人帮你，你得亲自做。当然像总统和国会议员竞选时，那些老资格的政治家、参议员自然不用自己跑腿去填一个又一个表，但李琬若必须自己亲力亲为，她在这之前没有任何从政记录，除了工作单位的同事和邻居及那么有限的一些亲朋好友认识她外，没有其他的人知道她这是远远不够的。

因为在美国竞选任何政府职务，简单地说，就是两大要素，即一是钞票，二是选票。两者缺一不可。

先说钞票。包括中国在内的世界很多国家嘲笑美国的政治是腐朽的政治，因为它是靠金钱堆积起来或者说是靠建立在金钱之上的。这话不是没有道理，连美国人自己也越来越意识到金钱在美国政坛的坏作用太多了。首先一个问题是竞选为什么需要钱？李琬若告诉我，像她从一个普通美国公民要走向政治舞台，需要别人的选票，这是美国法律决定的，像总统、议员、州长、县长等官职都是属于民选官员，这得靠选票竞争上任，你要获得选民支持，你就得让别人了解你。让别人了解你，你就需要大量的宣传和介绍自我，政府不会拿钱来为你做义务宣传，媒体的宣传那就看你跟他们的关系如何了。美国是商业社会，做事就得花钱，竞选就因此得花大笔的钱，像总统竞选花的钱为什么多得吓人，你当然不知道在竞选最激烈时每天各位候选人的广告版面、电视专题和各式各样的讲演会有多少！而一则广告一个专题你还不花上几万几十万几百万元！总统竞选的钱就是这么花的。

李琬若是竞选蒙市议员，用不着摆出总统的竞选阵势，但做法和道理一模一样。

先得筹钱。而自己掏钱当官几乎令她倾家荡产——这是后话。先不说你自己的钱再多也不能随便放进竞选活动中，你即使想掏口袋把钱一笔一笔地放进竞选经费中，也得报给政府专门的竞选机构，不能因为自己钱多，竞选时想花多少就花多少，不是的，你得“来路清楚”，即使是自己名下的存单和信用卡上刚刚刷下来的钱，你也要到专门机构说明白并登记在册。当然有些钱你不必全部纳人机构管理账目，比如你为了拉票，在家里设宴招待朋友和选民什么的。这里你不要误解似乎有钱人就可以不用愁筹钱的事。因为美国的法律很奇怪，它规定你是什么人，你参加什么样的竞选，你的钱能怎么做，又不能怎么做，清清楚楚。不是你有钱可以不要别人的钱就能成事的。没有别人的钱放进去支持你，证明你竞选没有选民的支持，你再有钱又有什么用？你自己的一票顶什么用？你掏100元是一张选票，你掏1000万元也还是只有一张选票。可你发动群众，哪怕每人给你捐一块十块，你得的选票就不再是一张了，兴许一块钱就是一张选票。在这种机制下，你就是大富翁也未必一定可以获得竞选成功。

美国的官员为什么最怕选民？秘密就在于此。竞选总统也是如此，在大选时你就得到处跑，到处去接见拥护你的选民，你不跑就可能少一张票，少一张票你就少了一份成功的可能。像小布什和戈尔竞选，选票如此接近，谁少跑几个地方，谁就可能败在那儿。李琬若因此告诉我，总统大选中，好多普通选民不止一次受到总统候选人的接见或与之握手，这是因为作为总统候选人除了大选时要到处奔波，在这之前他们在党内竞争时就已经有过了几轮拉票活动。如果遇上实力不分上下的地方，这些候选人就得再回过头来重新跟选民们亲热一番或者再一次“拉感情”。普通公民因此就成了真正的“上帝的选民”或者说你就是总统和州长、国会议员的“上帝”。离开了你的那一票，不知哪位总统候选人会哭得伤心——因为就少了你这个“上帝”的那一票呀！

李琬若就是按照美国的竞选制度开始了她的竞选。她要做的最重要的事，是首先得取得蒙市的头面人物的支持。头面人物出来一说：唔，我觉得李琬若这人不错，她聘任为市议员对全市建设、未来发展和社区公民们服务会更好些。这样的话由别人出来说，尤其是已经在选民和市民中有威望的人物出来说，效果肯定比李琬若自己出面自吹自擂的效果不知要好多少倍。

社会福利工作部出来的李琬若对这些门道并不陌生，李琬若决定先走访华裔要人。为什么？她自己心里有数，此次竞选议员的七名竞选对手中，唯有她是华裔，能取得华裔的支持是最重要的获胜基础。

李琬若满怀信心地跨进了她的同种族人群中。

“你要竞选市议员？太好了，说什么我们华裔也应该有自己的代表在市政府和议会做事嘛！”

“真是今非昔比，我们华裔也该在美国土地上扬眉吐气了。我们全力支持你去竞选，要钱有钱，要人出人，只要你 Lily 招呼一声就是。”

华裔社区里，李琬若被同胞们的热情和支持所感动。从中国去的老人，有不少是认识李琬若的，这与她在社会福利部工作有关，他们从以往这位同裔福利部“领导”那儿得到过照顾。但李琬若知道要想竞选成功，自然离不开那些实力派人物的支持。当时的蒙市发展很快，变化已经很大了，华商实力人物实际上开始影响着蒙市的经济和政治等诸多方面。李琬若因此决定拜会在蒙市可以左右某种势力的华裔地产商谢叔钢等人。

说起谢叔钢还真是了得，在李琬若成为蒙市主流社会的一位华裔领袖人物之前，谢叔钢是最有影响力的人物，他也是华人中的第一个进入当地主流社会的人物。此人的功绩用李琬若的话讲是“不可磨灭的”。正是谢叔钢等地产建筑商的发展、推销，蒙市才从一个小镇变成了繁华的现代化都市。

“谁？李琬若？没听说过的人我一向是不见的。”李琬若第一次求见谢叔钢就碰了一鼻子灰。好友李亚宁打电话约谢叔钢能否与李琬若见面，那边连电话都不愿接。

李琬若没有退却，这种求人的事你就得有耐心。第二次当李琬若知道这位谢姓大人物在一家广东饭馆就餐时，李亚宁又带着她跑了过去。

“你也想竞选议员？”谢叔钢一边喝着咖啡，一边用眼睛斜视了一下李琬若，鼻孔里哼了一声，然后拉长了嗓音说："华人从政还不到时候，怎么说时机也还不成熟……"

李琬若满心希望得到华裔同胞的支持，尤其是像谢叔钢这种实力派人物支持，哪知人家根本没有把她的"宏伟目标"放在眼里。李琬若当时深深地抽了一口冷气，遭受的打击不小。那天她虽然很失望，但是她坚信市民草根的支持更重要。

这时好友李亚宁过来劝道："这些建筑商心里坏着呢！他们不是没有政治意图，也不是不想支持自己的同胞，但他们是商人，他们对利益远比对候选人更看重。想一想，你 Lily 假如选不上，他们一旦投了你的票，不等于得罪了另外的候选人吗？而真的出现这种结果的话，他们当商人的日后不就可能会被那些上台的人压着头走路嘛！谢某是商会副主席，他不支持我们还有人支持呢！走，带你去见商会主席，他是日裔社区领袖喜加喜（Higashi），一个大大的好人！"

"喜加喜！太好了，我知道这人，能取得他的支持比什么都重要。走，现在我们就去见他！"李琬若一听，顿时一腔怨气化作了烟云。

喜加喜果不其然是位有远见的政治家，他对李琬若的拜会表现得既有礼节又很热情。这位社区领袖对李琬若的参政意识表示积极支持，并说蒙市的华人越来越多，应该有自己的代言人。

从喜加喜家出来，李亚宁告诉李琬若，蒙市还有一个重要人物需要去拜会。

"谁？"

"高总。"

"干什么的？"

"当然是蒙市的重要人物嘛！"

听好友这么一说，李琬若也就硬着头皮去见了一下这位姓高的华人地产商。

同见谢总的结果一模一样。人家冷眼相待，而且根本不相信这么个崭露头角的女人能在蒙市干出惊天动地的事来。

李琬若刚刚恢复的那么一点信心又被狠狠地泼了一盆冷水，她直怨自己为什么去找这些商人。用她的话说："我自己又没做过生意，所以对生意人那套最看不惯。当时真后悔不该去见这样的同胞……"

话虽这么说，但为了争取竞选的胜利，作为竞选人是万不能在某一个方面有所忽略的，否则都有可能带来不利影响。当李琬若对外公布参加市议员的竞选后，当地很有影响的《蒙市进步报》立即对李琬若等竞选人进行了分析。报界认为，李琬若虽然在洛杉矶县里比较活跃，但包括她过去所获得的荣誉和在社会福利部的工作成就，对社区而言都并不十分重要，选民们关心更多的是竞选者能给他们带来什么好处。换句话说，李琬若要想获得竞选成功，你得让社区的市民们了解你的情况及施政纲领，否则就没法给你投票。

美国的选举就是这样有民众性，你要拉选票，一定的公众形象非常必要，你得让他们认为你将来真的能为他们服务，为他们办事。李琬若深知自己作为一名华裔竞选者的不利。本来在普通的蒙市市民眼里，黄皮肤、黑眼睛的人是"外人"，一个"外人"现在要成为管理他们的"头儿"，这本身让他们多少感到有点不舒服。消除老居民或者说消除白人们对有色种族的心理隔阂至关重要。

至少要让白人老居民们明白，李琬若虽然是华裔，但早已是一个真正的美国人，她想做的和准备做的与所有蒙市选民的愿望是一致的。

在当时任蒙市市长的路易丝·戴维斯（Louis Davis)和克里德等知名人士的引见下，李琬若在最短的时间里，结识了一批当地的白人领袖人物。兰利老人中心主任莱恩（Ryan）女士便是其中的一个。历来是这样：美国的任何一级竞选活动，老人或老居民的票是最重要的部分，他们最关心市长、议员上台后会给他们带来什么新的好处，故而这一群体无论哪一位候选人都不敢轻易得罪。

“大家静一静！”一日，莱恩邀请李琬若以竞选人的身份出席蒙市居民协会的一个会议，莱恩女士十分友好地将李琬若介绍给会场的所有老居民：“Lily 现在是新一届议会的竞选者，她是位杰出的社会活动家和优秀的政府官员，她在县政府社会福利部任局长期间卓有成效的工作曾赢得联邦政府的高度评价和卡特总统的任命。她与我们在座的各位见面，就是希望大家能了解她的施政纲要并投她的票。”

“你是华裔呀？那么好吧，今天就这个机会我们可以向你们族裔提点意见，或者说你应该了解你的同胞的很多行为实在让我们感到无比厌恶，他们不懂得如何建设一座城市，不懂得如何美化自己的家园，盖的楼都像鸟笼一般，把蒙市搞得面目全非；有人还将住宅前面的绿地铺成水泥地，围起一道道墙，真是糟透了！”

“是的是的，你们怎么可以把你们的坏习惯都带到我们蒙市来了呢……”

老居民们你一言我一语，会议立即成了向李琬若发泄对华裔不满的“声讨”。这是李琬若没有料到的，她感到如坐针毡。但这从另一方面使她明白了一件事：要想赢得竞选胜利，就必须把这些老居民们心里想的和要说出的话听清楚，并针对他们提出的问题，重新调整施政纲领，这一工作绝对不是可有可无，而是极其重要。

那天从莱恩家回到自己的家，李琬若心情十分沉重，她把会上的感觉倒给了丈夫陈宝和：“我在美国生活也有十几年了，早以为同老居民们打成一片了。但现在我才明白，即使我再在美国生活几十年，人家还是把我当作新移民看待。这个种族隔阂也许永远无法消除……”

“怎么，你退却了？”丈夫有些惊诧地问。

李琬若摇摇头，长叹了一声：“不会。只是感到这场选举战一定非常辛苦，而且要走的路还长着呢！”

李琬若开始重新调整战术，决定专做那些对华人等少数族裔有成见的老居民们的工作。这让她感到极其难堪，有时甚至无法接受，因为她的血脉里流淌的是华人的血，那改不掉的黄皮肤、黑眼睛，在李琬若看来是祖先遗传给她的珍宝，不是被外族人歧视和侮辱的理由。李琬若一向看重个人的尊严，而祖先和民族的尊严更加重要，必须坚决地维护。然而她现在是竞选人，为了一张张选票，她只能表现出极大的耐心与谦和去倾听每一位见面选民的意见。

这对性格直爽的她而言，正是一场意志和心理的严峻考验。

一天，蒙市犹太人领袖威纳（Willner）女士高兴地告诉李琬若，说她已经在自己的家里为李琬若准备了一次同犹太裔市民的见面会。威纳是李琬若的好友，这个建议本身就是一种有力的支持。但李琬若仍然感到十分紧张，因为这一天到会的五十多位人士都是李琬若不熟悉的另一个社区的白人。这回李琬若吸取了上次的教训，一上来就介绍了一番自己的施政纲领，接着就邀请大家将自己最关心的问题提出来，她一个个答复。果然，白人们马上对这位彬彬有礼的东方女士产生了好感，随后的问题也提得具体到位，而李琬若也回答得相当有水平。当威纳女士高兴地宣布茶会已过两小时的时候，全场的白人和李琬若已无话不谈、融为一体了。

“Lily，我们相信你会成为我们很好的代言人，我们支持你！”

“Lily，你是好样的，你让我们改变了对华人的看法，你们确实也是非常了不起的优秀民族。我们没有理由不接受你。让我们一起携手建设好我们的家园！”

茶会越开越热闹，白人代表们与李琬若的对话到后来完全成了朋友式的恳谈与交流，大家纷纷发言，有的甚至激动地站起来拥抱李琬若，表示要做她最坚决的支持者。当场有人提出要为李琬若竞选做义工，几位有经验的老选民还拿出过去用过的“支持卡”，填上自己的名字交给李琬若。

“从今天起，我们就是你最忠诚的支持者了！长城！长城！你是东方的伟大长城！你是蒙特利的伟大长城！”茶会就在这样热烈的气氛中依依不舍地结束。主持活动的威纳忍不住拥抱李琬若：“Lily，你今晚太棒了！你打破了僵局！有了这次竞选的破冰之旅，我们一定能所向无敌！”

说到这儿，李琬若给我讲了一件以前她从未对别人说过的事：在她决定参加竞选时，为了估计一下形势，她曾向一位成为加州民选官员的颇有参政经验的华人同胞求助过，李琬若希望借这位“名人”提高一下选民对自己的知名度，问对方同意不同意将他与李琬若一起合影的照片放在竞选宣传材料上。那位官员却睁大眼睛将李琬若上下打量了半天后说：“这事我一下定不了，得了解一下你的其他竞选对手情况，然后我要同我的顾问们商量一下。”平时李琬若一直把此人视为华人在美进入主流社会的楷模，不想人家根本没把她放在眼里。这件事远比几个建筑商的不理睬更刺伤了李琬若的心，因为在这个人竞选加州官职时她出过太多的力。也许正是这一桩桩“自家人”的不经意，使李琬若这位要强的女性更坚定了自己从政的决心。后来那位官员听说李琬若一次次捐款会开得出乎预料的成功，不由感叹道：“了不得，一个小小市议员竞选竟能受到如此热情的支持！Lily，我现在非常高兴地告诉你：我支持你的竞选。”李琬若对这迟来的支持，还是报以了感谢。

说美国竞选是相声脱口秀和滑稽戏都可以，因为这对很少关心国家大事的美国人来说，各种议员和官员的竞选活动，便是他们生活的唯一一种“政治”内容，不把它搅得天翻地覆就不叫政治了。戏是做给大家看的，你想上台就得表演得好，让市民们认同你、接受你才行。

李琬若作为华人要想获得竞选成功，必须做的事太多了。朋友之间的自我推销、族裔之间的自我推销还不够，必须还有对公众的宣传推销。为此一向对从商不感兴趣的李琬若最后也不得不申请参加了蒙市华商会，因为只有进了这个商会，你才有权提议举办一些公众活动。李琬若的第一个提议是联合蒙市警察局、消防队以及其他社区组织进行全市性“安全常识集会”，被邀请的人各界都有，而且根本没有人注意谁亲谁疏、谁友谁敌，安全消防是公众的事，大家都十分踊跃地参加。

李琬若则抓住这样的集会，以她特有的演讲才能，站在讲台上充分展现了她“关心市民安全”“热心公众事业”的美好形象。集会办得相当成功，李琬若通过这个集会的讲台，与蒙市各要害部门的官员们有了接触，比如警察部门的头头脑脑们觉得这个东方女士很不简单，能出面为他们警察做工作，便有了很好的第一印象。而不同族裔的新老市民则在不带任何种族和政治偏见下对李琬若有了一种心理上的认可。加上媒体接二连三的报道，使李琬若的名字在媒体上出现的频率颇高。这种连锁反应的结果是，她这位黄肤色的竞选人反而更加引人关注了。

美国人生来就喜欢追求个性。李琬若出现在蒙市的竞选本身就是一件新鲜事，当华人为主的亚裔族人越来越多地出现在蒙市时，显而易见的一个事实是：亚裔们将从“外人”变成蒙市“自

此话怎讲?

1882 年，当在议会占据强势的排华分子推出臭名昭著的排华法案后，华人在美国的命运便急转直下。当时最严重的是大批已经生活了几代人的华人突然一夜之间被宣布为“非法移民”而被野蛮地驱逐出他们亲手建起的美丽家园，变成“黑户”，甚至沦为奴隶后任人欺凌。

翻开海外华人的血泪史，尤其是在美的华人史，我们几乎一直可以听到这种声音，那就是它常被那些反华分子用来“证明”华人压根儿就不想融入他们“大熔炉”的所谓的“华人们对自己成为美国公民不感兴趣”“他们的粗鲁与不文明习性使他们认为假如有一天成了美国公民后便无法沿袭祖先传下的那些习惯而痛苦万分。为了不受这等痛苦，所以很多华人放弃了选择当一个美国人的权利”云云。从 19 世纪初叶第一批中国人登上美洲大陆后，在美国的一次次议会会议上，这样的声音几乎叫嚷了二百年。这就是从美国独立日那天起，一次次的排华法案总是被通过的重要原因之一。

华人真的不想成为美国公民吗?不，凡是踏上那块土地的华人几乎都有一个与欧洲后裔们同样的“美国梦”，他们不远万里，冒着死亡危险来到美国的最初和最后的愿望，都是期望在这儿生根传代。可是这块土地上的主人们却并不给予他们这种实现愿望的机会。

1876 年，在加州参议院会议上，就有过一场关于华人是否愿意成为美国公民的听证记录，它很有趣，也很能说明问题。问话的是参议员唐络凡，答话人是华人洪春——

参议员：你在美国已经有多少年了?

洪春：25 年了。

参议员：你在做生意吗?

洪春：我是三亚公司的视察员。

参议员：你已经递交申请美国公民的文件了吗?

洪春：是的，先生。

参议员：你已经得到发给你的入籍证明了吗?

洪春：是的，先生。是去年12月得到的。

参议员：会有很多华人像你一样要求成为美国公民吗?

洪春：是的，先生。

参议员：非常多吗?

洪春：是的，非常多。

参议员：他们会定居美国吗?

洪春：是的，先生，他们还准备把自己的孩子和家人都留在美国定居。

参议员：他们成为美国公民后，会立即成为州长的候选人吗?

洪春：也许会。而我自己认为有可能的话争取当州长。

参议员：为什么?

洪春：因为美国人不会给我们华人制定好的法律，所以我当州长后会为华人制定好的法律……

上面这段对话记载在美国加州参议院一份题为《华人移民的社会、道德和政治影响》档案的第114页。它清楚地表明了移民美国的华人们的共同愿望。

李琬若投身政治的加州地区，从有美国历史起，就是华人与排华势力斗争的前沿阵地。1876年，这里发生了一件重要事件并被美国人后来称为“一场政治地震”。事情其实并不复杂，只不过是这件事让美国人感到紧张而已。在这一年的美国总统选举中，旧金山的一个投票点有位华裔在那个投票点投下了自己庄严的一票。这位华裔本来行使的是自己应有的权利，但当时正值美国国会在调查华人移民情况的关键时刻，所以这张票就成了那些极度敏感的美国右倾反华势力大做文章的“把柄”。

这年 11 月 21 日的《纽约时报》对当时发生的事情做了详细描述：“……发生在旧金山的第四选区里的一个投票站点。正值投票紧张时刻，人们看到一名黄肤色黑眼睛的华人走过来，他没有向人透露姓名，只是微笑着走向投票室，向选举工作人员出示了选票并把它交给监票员，态度和蔼，但行动却十分坚决。当时的监票员是查尔斯·高夫，他一看是位华人在投票，震惊和愤怒使查尔斯竟然一下讲不出话来。查尔斯瞪大了眼睛，指望周围有人捡起石头朝这位华人投去，但显然没有。查尔斯不得不自己应付这突如其来的尴尬场面。只听查尔斯怒喊道：‘我要查一查你的投票资格！’这时，华人礼貌地揭下他的帽子，就像有教养的绅士一样，耐心地回答查尔斯提出的所有问题。然后，那位华人举起他的手，像白人一样做了宣誓。令人自豪的盎格鲁－撒克逊的文明，就这样被这个小眼睛的华人一抬手就给毁了。他折叠好的选票，被轻飘飘地投进票箱。一切都完了，生米煮成熟饭，一名华人已经投了票……”

看看这篇有趣的报道，让人体味到的是那名华人多么骄傲，而那些高傲的自以为是美国主人的盎格鲁－撒克逊后裔是多么可怜可悲！据说这位有教养的能说一口流利英语的华人，在投完票后，特意拿那些吓得愣在一旁的监票员寻了一个开心：他投完票，走出十几步后又折身回去对监票员们十分和蔼可亲地说：“对了，我应该给你们看一下我的美国公民入籍证书。”原来他在两年前就完成了入籍手续。而那份入籍证书的可靠性是不容置疑的。有人后来调查证明，这样的入籍证书的出现，是在那段时间里美国各地针对限制华人归化问题争论不休时，有的州政府在执行时出现了“偏差”而被华人们钻了空子所致。

写到这里我想发笑。因为美国的法律多如牛毛，细到你连说话放屁都可能触犯法律，但这些多如牛毛的法律又常常可以使那些他们认为最需要“限制”的对象能大摇大摆地顺利通过。

居住在纽约的王阿义算是其中另一位幸运者。他到美国后与一名爱尔兰妇女结婚，并很成功地做着烟草生意。他申请加入美国国籍的那天，穿了一身地道的美国式服装，而且讲一口非常流利的英语。王阿义的美国化装束与流利的英语，给法官留下很好的印象，于是他的“归化”很快获得通过。

同样，一位叫霍新的华人在纽约申请入籍时也很顺利。霍新是1863年到美国的，基督教徒，打算永久留在美国，他在内华达州还有一个银矿的股份，所以法官在审查他的入籍文件时，“印象很好”而轻易地给了他美国国籍。

像王阿义和霍新这样的华人入籍方法，在当时华人中很盛行。那些希望在美国生根的华人知道美国的法官很注重“印象”，所以在“印象”上大做文章。

27岁的韦恩也是个幸运者。他在美国11年了，拥有一家洗衣店。因为韦恩的英语不错，经常在法庭上和商业谈判中给人当翻译，所以他的口语听不出半点外国口音。在申请入籍那天，韦恩精心打扮，把头上的辫子也剪掉了，佩戴精致的丝绸领带，头戴高级礼帽，手持文明棍，他力求给人感觉是个“标准的绅士”。效果果然不错，法官在记录他的入籍时这么写道：“韦是个具有良好文明行为的中国绅士，他已经彻底地美国文明化，所以同意他成为美国公民应该不是问题……”

侥幸的还有。发生在《独立宣言》诞生地的费城就有过下面的趣事。林姓兄弟俩在费城开了一家洗衣店，林仲季是老大，他到费城中级民事法庭向阿罗德法官申请入籍时，因为进去一看里面的人很多，他便特别紧张，害怕里面有反华的坚尼党分子认出他是华人而将其轰出去——林仲季没有“将自己打扮成绅士”，而是身着一身黑大褂，长长的大辫子也没有剪掉，十足的一个旧式中国人。他紧张得不知如何是好，当他正想逃出法官的登记处时，只见一位同样是华人的申请者也来到此地。那人叫哈里·梁。哈里·梁很大胆也很自然地走到法官面前，说自己是华人，来申请入籍。法官没有为难他，说你完全可以办理这种手续。哈里·梁见林仲季后，便朝他招招手，示意他也过来登记。林仲季于是硬着头皮，磨蹭着过去排在白人后面。那些白人很好奇地看着他，但没有难为他。林仲季因此壮大了胆子往前走。林是1868年到美国的，当时才14岁，开始在洗衣店做工，后来有了自己的生意。他用左手签的英文名字非常美国式，所以法官很痛快地给了他入籍文件。林仲季高兴得拿着文件就像拿到了结婚证书的新郎一样。第二天他出现在法官面前，这回他是领着弟弟来申请入籍的，谁知弟弟仲南的命就是“苦”——不巧这一天换了个法官，叫叶科斯，当林仲南出现在他面前时，叶科斯法官拿不准地翻着美国法律文本，当看到其中有一条说华人不能入籍时，于是他对林仲南说，你是华人，美国不允许华人入籍。就这样，林家兄弟受到了两种完全不同的命运捉弄，就因为换了位法官。林仲南后悔莫及地高喊：“黑暗的星期五是反华的日子！”因为星期四他哥哥获得了入籍权利。

美国人办事方式中国人从来弄不明白。别说一百多年前，就是今天，我们还常常听到那些准备留学赴美的年轻人从美国驻华使馆回来的路上的埋怨，说我的签证就是下不来，而别人与我的情况一模一样，可人家早就下来了。当等他左盼右顾完全失去信心时，那永无出头之日的签证却会见鬼似的下来了。中国人永远弄不懂“美国方式”。

但是幸运华人对整个在美的华人而言，实在屈指可数。多数人通常只能是被拒之门外，尤其是1882年“排华法案”通过之后，华人基本不太可能被批准加入美国国籍，假如有法官那么糊涂地给华人签了入籍证书，最后非得闹到国会争执十天半个月还未必有结果。而后来的情况是，那些已经拿到入籍文件的美籍华人，他们仍然被当作“外人”而受到低人一等的对待。

在中国近代史上产生过重要影响的容闳便是典型的一位。

容闳有“中国留美第一人”之称。生于1828年的容闳，是从广东转澳门再到美国留学的，他被牧师勃郎先生带到美国后先在马萨诸塞州的孟松学校学习，后又到耶鲁大学，1854年成为第一个从美国著名大学毕业的中国人。容闳早已向往美国，并立志要“以西方之学术，灌输于中国，使中国日趋于文明富强之境”。当他还在大学读书时就获得了美国国籍。

1854年，刚刚从大学毕业的容闳有意要为中国振兴做点贡献，在这年初冬的一个日子，他乘尤利卡号返回祖国，在曾国藩和张之洞等有识之士的帮助下，容闳决意利用自己熟悉西洋文明的优势，为苦难之中的祖国从事外交与商务方面的工作，就这样在以后的几十年里，他四海漂流，到处奔波。

但令他没有想到的是在1898年，他的“第二祖国”——美国政府告诉他，美利坚不承认他的美国公民身份，并因此不允许他重新踏上美国领土。容闳据理反驳，又拿出一大堆美国政府签署证明他是美国公民的文件，但美国政府仍然不予承认他的公民身份。

容闳是中国著名的人物，又通晓外文，他准备给美国人点“眼药水”，可白宫方面则搬出1802年的“归化法”和1875年的美国法律汇编修订本、1878年“索伊决定”和1892年最高法院对另一个华人做出的判决等来证明不给容闳恢复美国公民权的“合法性”。

在这不久后，中国发生了震惊世界的“百日维新”运动，容闳和梁启超等人有密切关系，因此也受到清政府的通缉，他在自己的祖国无法待下去，而美国又拒绝承认他的公民权，最后容闳只得通过友人转道逃到香港。后来凭着“试试运气”的念头，偷偷搭船到了夏威夷，之后在朋友帮助下才悄悄回到了美国，并从此再也没有离开。1912年，中国历史上一位杰出的著名留学使者、外交家、美国史学专家，应该也是美国的好儿子的容闳先生逝世于康涅狄格州哈特福德市，他的墓就在该市的塞德山公共墓地（Cedar Hill Cemetery)。

美国政府对容闳的不公正待遇，非常典型地印证了在这个国家所出现的百年前排华势力的无情与无理。

多少年的抗争与努力，却总是被无情与无理的一条条所谓法律扼杀而窒息。这便使后来华人慢慢形成了身在美国却从不企求成为一名美国人的习惯与意识。他们不是不想，而是“想也没有用”。最重要的1882年排华法案出笼后，当时有两万多名出境的美籍华人由于美方拒绝承认其入籍的合法性，硬是不给予返美。这些华人或是不得不妻离子散，或是不得不痛心地舍去家业和财产，那一幕幕凄惨的景象令人不堪回首。在清政府的史卷中记载过这些人回来向清政府求助的陈述，谁听了都会愤然而起。

“那是一天晚餐之后”，一位在旧金山出生的美籍华人向中国清朝官员陈述道，“我正在和妻子收拾饭碗，突然一群警察进屋把我们家的全部有用的东西砸了个稀巴烂，然后勒令我和孩子几小时之内离开旧金山。我指责他们这是违法的，可他们说‘你在这里一天就是违法，而我们执行的是美国法律，你这中国猪，即使你剪掉了辫子你还是一头中国猪’——他们这样骂我和我的孩子，因为我的妻子是美国白人，于是他们就说我引诱了他们的人民，罪加一等。他们强行将我押上一辆车，同车的人都是华人，都是同我一样被视为‘非法移民’而要遣返回中国的黄种人。我无法接受这种妻离子散的命运，在上船的那一刻我跳下了海，警察就开枪，幸好我没有中弹。后来我回到了自己的家，可他们把我的家毁了，妻子和孩子不知去向，我欲哭无泪。当我找到当地政府要求恢复我的美国公民权利时，警察又趁机抓住了我，并且对我用刑……”

土生的美籍华人，其实即使按美国的排华法案内容规定，他们也应该有公民权。然而有人却常常故意出难题找茬。一位家在亚拉巴马州的华人李素利，听说远在广东的祖父病危，便带着全家人的嘱托申请到中国探亲。李素利根本不知道从中国回美国时还需要什么证件，于是向市政府的官员及联邦财政部要求签发护照——那时移民和护照都归财政部管，不料财政部官员向李素利回答说，你不能算美国公民，因此必须马上离开美国。李素利简直弄不清这是怎么回事，他申诉到最高法院。结果最高法院拿出的财政部政策令这位父辈就是美国人的华裔惊得成了疯子。你知道那美国财政部的官方文件上是怎么规定的？

他们说，美国出生的华人不是美国公民；

他们说，“排华法案”对土生华人具有同对外国出生华人侨民同样的效力；

他们说，不发美国护照给美国土生华人；

他们说，美国出生的华人出境后，不能保证他们重新入境；

他们说，美国土生华人在重新回美申请入境时，必须符合“排华法案”的规定；

他们说，在土生华人入境问题上，移民官的决定是最终决定。

美国人做事，很多方面让我们弄不懂，尤其是在对待华人问题上。可想而知，李琬若这样一位华裔女士想在这样的国度从政，其路不可谓不艰难。

3. 丈夫出招救驾

能算什么人，那得先要看中国人为什么要到美国去。我们还是看看一百多年前的另一位著名人物、也是容闳先生的同窗好友、被海外华人称为“华人马丁·路德·金”的黄清福先生的故事吧——

1884年7月30日晚，在美国纽约市的贝尔街32号发生了一件在美国以往从未有过的事件：一群华人聚集在一起，高呼着“要自由，要民主，我们也是美国人，我们也要尊严和权利”等口号。

这是发生在美国土地上第一次由华人发起的参政示威，而在这次集会上，一向受歧视和压迫的华人第一次有了向政府要求权利的团体。它的发起人便是黄清福。

相比容闳，黄清福更“美国化”，他自留美后的几十年里，基本一直在美国生活。由于他致力在美国宣传东方文化和为华人做事，美国人甚至称他是“中国传教士”，但黄清福本人反对这种评价。他在给《纽约时报》的一个读者来信中这样回答：“自从我开始在这个国家宣传关于我的祖国——中国的宗教、社会生活和政治事务后，任何地方我都没有诽谤、胡言或者欺骗。我想向基督教徒展示一个正当的华人的言谈举止和精神状态。你们传教士到中国，我们认真地听着传教士的讲演。现在我们要求你们也听一听我们要说的话，这是不是很公平呢？那些传教士们说，我们这些异教徒会被打入永久的地狱，无论我们是怎样的诚实和认真。我们认为，如果基督徒的行为也像那些不开化的人一样，他们也会被打入地狱……”黄清福的言语从来就是这样充满哲理和富有激情，他使被奴役的华人觉醒，并保护了无数华人正当的权益。

但黄清福一生的奋斗，却最终未能抵挡得住美国反华势力的猖狂进攻。这位比黑人领袖马丁·路德·金早出名半个多世纪的人，在他有限的生命里，没有停止过为华人能获得参政权利所做的努力。可惜的是黄清福没能用他那沙哑的嗓音唤醒沉睡的东方雄狮，以至多少年来一批批踏上美国领土的华人们甚至连“权利”这两个字差不多都忘却了。

李琬若力求重振先人黄清福的遗志，可面对麻木不仁的同胞，她真有些不知所措。竞选是残酷的，你下了血本，最终还是要看选票多少才能决定你能否进入政坛。

那天拖着疲惫双腿回家的李琬若，正想向丈夫吐苦水，她的眼睛突然亮起来：“丈夫，你太伟大了！你真是今日黄清福！有你在，我前面纵有千难万险，也定能克服！”

妻子惊喜的是她看到丈夫陈宝和“发明”了一项为她解难的“高招”：为那些不懂也不知晓怎么参加投票的华人们准备了一份特殊的《选民须知》，丈夫的这个“发明”后来被李琬若略加修正后当作蒙市向华裔甚至全市居民发放的《选民须知》，并在以后尤其是华人参政中起到了特殊作用。《选民须知》在今天仍然作为华人参政的重要工具，陈宝和功不可没。

话说当时有些走投无路的李琬若，见到丈夫埋头为她制作《选民须知》，尤其听其讲解用途后，真的热泪盈眶了。

“太棒了！丈夫。真的，我要以全体华人的名义为你申请一项专利……”李琬若情不自禁地举着丈夫刚刚拟好的《选民须知》，高声欢呼起来。

一向温和的丈夫陈宝和看到妻子如此兴奋，又把另一个“决策”透露了出来：“从明天开始，我就到菜市场和超市那儿摆摊……”

“你？去摆摊？”

“唔，我——陈宝和去摆摊有何不可？”

“啊哈哈哈……”妻子这回真的笑弯了腰。“你陈宝和见生人都脸红的人，竟然要到菜市场、超市门口为太太竞选摆摊吆喝？！

哈哈哈……有你陈宝和的……”

第二天恰好是个周末。蒙市的居民们特别是那些华人，突然发现在热闹的菜市场和超市、学校和教堂门前，有人在向他们分发一份份制作精美的《选民须知》。

“有意思。你能给我解释一下我们为什么要参加选举活动吗？”“这是美国人的事，关我们华人什么事？”一对像是从祖国大陆来的新移民夫妇站在陈宝和面前，询问道。

陈宝和立即微笑着用中文解释道：“竞选与我们华人的关系可大啦！比如如果政府和议会里有我们的代表。那么一些对我们移民不利的法案尤其是对我们华人不利的法案就不会被通过……”

“竞选还真能管事啊？”

“当然。而且还不止这些……”

“行，听您一说，我们真得考虑应该参加投票和选举。”年轻的新移民开始有了兴趣，他们愉快地接受了陈宝和发送给他们的《选民须知》。

“太麻烦了。参加选举还要去登记当选民……”有人说。

“不，其实并不麻烦，你只要用五分钟时间就可以完成选民的登记。您看看这本手册，请你看看这个……”陈宝和赶忙解释。

陈宝和摆摊就是这样开始的。李琬若的脚迈向美国政坛时是何等的恐惧与无援，什么都得自己动手。仅仅为华人同胞能成为选民，仅仅为了制作一份《选民须知》，陈宝和先生用了十几个不眠之夜，翻来覆去，每一项都要做得让同胞们一目了然，一用即会。而这一切仅是基础工作，当陈宝和带领一些义工出现在菜市场、超市门口时，他需要对每一位经过的居民宣传并耐心地回答他们的各种提问，那才是细致而繁重的工作，没有人知道这中间的酸甜苦辣。

有一天，陈宝和从早忙到晚，喊破了嗓子，晒曝了脸皮，却一无所获，收获的只有从他身边走过的那些惊诧和带着几分嘲讽的目光。事实上，李琬若他们这时才真正明白，从历届竞选的情况看，虽说在蒙市甚至整个加州地区华人所占的人口比例接近总数的30%，但他们中真正有资格参加选举的还不足10%，因为大多数人还不是公民，也有很多人虽然早已入了美国籍，但从未去做过选民登记，而没有做过选民登记的人是无权参加投票的。有一次李琬若到另一个华裔居住众多的城市探访，一位在华裔区当选上当地议会议员的非亚裔人得意地告诉李琬若："我之所以能当选，全靠你们华裔的功劳——因为他们根本不会去投票，所以我就这样轻易地取胜了。"

这种情况绝不能在蒙市出现，李琬若离开那个城市时，心头有过痛楚。而今天当她正式跻身政坛，她自己所面临的仍是同样的问题。

华人的选民意识得从基本选民教育开始。

丈夫陈宝和的工作看起来很原始，但这是美国社会，你也只能采取这样的原始办法，必须"走群众路线"才会大有收获。

李琬若远远看着丈夫和他的助手们忙于为一个个过路的市民发放和解释着有关参加选举的知识与手续的情景，既是感激，又觉心酸。

华裔参政多难啊！然而这些基础工作还非做不可，因为他们不但是基本票同时也为华裔参选铺路。李琬若长叹了一声。

有一次，她在华裔聚会中说："你们问我为什么要参加选举？那么好吧，我可以这样告诉你们：在我们美国，公民的权利是最被重视的，而公民的权利常常最直接地体现在参加选举活动中。因为选举是参与政府政策、制定法律以及选择你喜欢的官员的直接方式。你神圣的一票，大到可影响国家方针政策，小到可直接关系城市和社区管理以及你居住的环境状态是否符合你个人的心愿。你一定关心你孩子的学习和你家园的环境情况如何，而这与你是否参加投票选举直接相关……”在七位竞选者中，唯有李琬若是既要当施政演说的演说家，又要当华裔新移民美国选举普及知识的讲解员。

“Lily，听你这么一说，我们似乎应该参加选举活动，可美国的选举是不是手续很复杂？”

“哈哈哈，很简单！”

一些新入籍移民要求获得美国的选举细则。

“很好，你的问题有一定代表性。”李琬若高高地举起《选民须知》，对大伙说：“我搞飞机设计的丈夫，为大家设计了一份通俗易懂的资料，可以快捷地为你们提供这方面的知识。拿去吧，免费为大家提供，人手一册。”

“你必须是美国公民。”

“你必须是蒙市居民。”

“在下一次选举之日，你需年满 18 岁，才能参加该次选举。”

“你必须并非因犯罪而正在监狱服刑或者假释。”

“如果要在任何一次选举中投票，你必须在该次选举二十九日前登记为选民。如果你的登记表已填妥，选民注册官在收到你的注册卡后便立即生效；但需在接到选民通知卡后才算已经注册。如果你未接到选民通知卡，请打电话给县书记或者选民注册官。”

“你可以用此卡在加州任何一个地方参加选举，并成为永久的选民，在政府各阶层表达你们的意见，发表你们的看法……”

一时间，蒙市华人区里从未有过的“选举普及教育”活动，伴着李琬若的竞选而热闹起来。有人后来评说李琬若的竞选时表示，这虽然是一次地方性选举，但对全美华人而言，意义非同一般。它所起的作用后来影响了整个加州，甚至影响了全美华人的参政运动。华人通过积极合法的参与选举，无数次为维护自身的权利赢得了高分。对此李琬若夫妇功不可没。

在采访过程中我听说这对恩爱夫妻有张非常动人和令人难忘的“一吻功臣”照片，于是再三请求看一看。最后还是不太作声的陈宝和老伯拿出来给我看的。真的，那照片我认为是李琬若众多记录政治生涯的照片中最好的一张。照片上，身着红色“市长服”的李琬若踮着双脚，搂着高高的丈夫陈宝和的肩膀，热烈而又深情地亲吻着丈夫的脸颊……

“那是我参加完市长就职典礼之后，在现场我给丈夫的一个长吻。我是表达对他支持我竞选和在我竞选中所做出的特殊贡献的一个谢意。故而我女儿为此照起名‘一吻功臣’。哈哈哈，有意思吧？”爱开怀大笑的李琬若又忍俊不禁了。

该有这样的回报！

在那段难忘的日子里，陈宝和到底为妻子竞选“铺路”做了多少基础工作连他自己都说不上来，也真的记不清了。今天的“市长丈夫”陈宝和面对老伴和我这个采访者，一边幸福地回忆着当年那段紧张而激烈的“竞选战事”，一边笑哈哈地摇着头。其实我知道，这位“功臣”心里是有数的，而这份幸福只能属于他和他的妻子，只能永远保存在他那宽阔的胸怀里……

李琬若告诉我，她丈夫平时不爱动，也不喜欢社交，为了她的竞选，他竟然学会了与各种人打交道。华裔选民们参加投票，在很多人看来是一种带有为竞选者做“义务劳动”的感觉，因此稍稍有点问题就要求你帮助解决。陈宝和做的就是这些又烦琐又细小的工作。常常是他刚从外面回家端起饭碗，另一个选民又打电话来说他妻子已成为美国公民可参加选民登记。陈宝和二话不说，只有一句话：“行，你等着，我马上过去为你办。”一个“行”字，不知让陈宝和跑了多少腿。而他换回的却是又一张华人参政的选票，又一份华人在美的尊严与权利。

4．三双鞋和一条断腿

美国人当官颇为有趣的就是你无论是想当总统还是想当市长、州长或者大大小小议员什么的，有一点是共同的：那就是你得拼命去竞选拉票。

竞选拉票，最主要的是去讨好选民，不把选民们讨好了，就没有人给你投票。听说美国历史上曾有位在任总统想在第一届任期满后连任，他的对手名气远比这位在任总统差远了，所以在两人开始新一轮竞选时，这位在任总统根本没有把对手放在眼里，照常在白宫里忙于日常事务。大选越来越接近尾声，他的顾问们告诉他，根据民意测验，这位在任总统由最初的78%民意支持率，下降到和对手打成平手。他的顾问们很是着急，再三提醒在任总统到民众中拉票去。那位自信的总统先生说什么也不愿劳神费力，最后大选公布，他以34∶52输给了对手。在任总统怎么也不相信这一事实，但国会证明此次大选结果没有问题，于是这位过于自信的总统先生遗憾地搬出了白宫。美国自建国二百多年来，产生的总统已有四十多位，唯有首任华盛顿总统是未靠拉票而被推举到总统宝座的。除此之外，谁都不敢狂妄地对选民说“我用不着你们投票也会进白宫”一类的话。

李琬若在第一次参加竞选时，也会尽可能多地与选民们接触。当时她的竞选消息传出后，另外的几名竞选对手都是本地老居民的代表，他们根基深，有广泛的选民基础，相比之下，一个新面孔出现就显得难度大得多，更何况李琬若是华人——属于老居民心目中的那种“外人”。但就像美国人通常说的那样，选举是场热闹的戏，什么事情都可能发生，有人们预料的那种“合理结果”，更有另一种“出人意料的意外”。也许是专修社会学的原因，也许是东方文化背景的缘故，李琬若奉行的是“见面三分亲”信条，并据此展开了紧张而艰苦的“见面战”。

当竞选人让施政纲领与市民见面并有针对性地在其势力范围内进行“组织宣传动员”后，接下去要做的事是筹集竞选经费。在美国选举中不同的竞选都有不同的捐款规定和限制，选举捐款也被称为政治捐款。在法定的范围和允许的数额之内，为竞选者捐款视为合法；如果违反了法定标准，一经查实，捐款者和接受捐款者都要受到法律制裁。如果符合政治捐款的“游戏规则”，那么一切都会顺理成章。

这也是美国特色。

李琬若到美国时只是个中国台湾去的留学生，她参加竞选时也只是个社会福利部的公务员，虽说父亲在台湾也算是高官，但绝对不是有钱的富豪，所以她参加竞选从经济实力讲仅是平民水平。不过美国政治制度很严格，你可以很有钱，但在参加竞选时不能拿个人的存款随便往选举班子里塞，更不用说你想出钱给选民搞什么“钱票交易”，假如有人告你，你也就完蛋了。所有的捐款竞选人不能塞进自己的口袋，而是必须用支票（不能用现金）向政府选举机构上报账目，收支均须有明细单，不得有任何隐瞒，隐瞒者会受到法律严厉制裁。想竞选上台的人一般不会拿这件事当儿戏，不过政治小动作从来就没有断绝过。李琬若笑言她所见的一件滑稽事：某君在竞选某州议员时，因为与竞选对手势均力敌，怕几票之差痛失机会，便自己掏钱让几位好友以他们的名义“捐”给他，结果露馅，后来被法院查实倒吃了两年官司，演出了一场州议员未当上却进了牢房的倒霉滑稽戏。

李琬若生性刚直爽快，自幼便有助人为乐之爱心，但现在是竞选议员，要厚着脸皮伸手向别人要钱——募不到竞选资金，你就无法竞选，也就意味着未选先败。另外，通常谁筹集的款多就意味着谁获胜的可能性越大。在竞选场上，你手必先伸，不伸手你就得把高昂的头颅缩回去。这可是难住了李琬若。为此，她在丈夫面前嚷嚷了好一阵。

“让我干什么都行，可就是别在熟人面前张嘴讨钱，这真是太不好意思的事！”李琬若为此急得团团转，就差没有到选举委员会撤回自己的竞选申请了。

丈夫面对着从不低头求人的妻子也直摇头，说：“什么事我都可以替你去办，可唯独这事我替不了你……”

“哎哟哟，又不是你竞选嘛！”李琬若找不出什么词可以埋怨好心眼的丈夫。

说什么还得是自己硬着头皮去向别人讨钱去——华人在美国参政，能过这一关的人也不是很多。这在一定程度上比真刀真枪跟对手拼命还难。

李琬若的心里感觉就是这样。

捐款不先找熟人是不会有人给你的，而这类捐款的用途主要是为了竞选宣传活动，虽然跟总统选举集资一两亿美元无法相比，但几万美元还是需要的。熟人或者好朋友刷刷刷地开出支票给你，这样的好事有，不过太少。我到过美国、加拿大，原以为那儿的有钱人特多，肯定也特大方，谁知他们比我们中国人还小气。他们即使很要好的朋友在一起，谁拿一百美元请客那绝对是很阔的了。

再难为情，碰到要竞选这样的大事，也只得让难为情暂时靠边站一站，还非得大张旗鼓地进行。有竞选经验的人告诉李琬若，筹款最好是以募款餐会形式进行，就是由她请客吃饭，在热热闹闹中大伙你好我好地侃一番后当场开支票给竞选人。一次，“请客吃饭筹款”是在 Bell&Beau 餐馆举行，白人及拉丁裔人，虽然捐款不多，每人 25 美元，但李琬若很高兴，因为钱多少是一回事，但能多一个人捐款就证明你多了一个选民支持。这是至关重要的。在这个场合，华人同胞去的也不少。一向在众人面前不怯场的李琬若，这回涨红着脸就是不知说什么好。

她这么个伶牙俐齿的女中豪杰如此反常，倒给本来有些拘束的聚餐会带来一阵善意的哄笑。笑过后大伙心头好像一下痛快了起来。于是你一言我一语都说华人参政非有人先行不可，李琬若参加竞选是我们华人的光荣，也是华人同胞的神圣大事，怎么说也得全力支持，不是有句话叫有钱出钱有力出力嘛！对啊，大家表表心意，钱不在多少，能出个份子就是尽到了要为咱华人争气的心意！

有人这么给李琬若做现场宣传鼓动，立即就引起全场热烈响应。

“今儿个是 Lily 竞选的头一次筹款，大家不是外人，我提议，每人 25 美元，就算为 Lily 凑个份子怎么样？”

“好好，我们同意，现在就给吗？”

“当然。”

“好吧，Lily 收我的。”

“这是我的，Lily ……”

接下去的那一幕是李琬若没有想到的，那热烈踊跃的场面令她热泪盈眶。因为当时近二百位来宾，几乎全都向她伸出了热情之手。而且很重要的一点是：在竞选这事上，钱多钱少有时作用分不出大小，出十美元的与出一千美元的同样代表一张支持你的选票。作为基层和中级选举，有经验的竞选者还特别看重钱少人多的那种效果，这样就意味着支持你的群众基础很广泛，你获胜的可能性就越大。

第一次的局面打开后，李琬若心头不知有多高兴，这是因为她真真切切地看到了华人同胞对她参政所寄予的希望和抱有的热情是多么的大！没有比这更宝贵和值得珍惜的了。

这一夜她激动得彻夜未眠，丈夫宝和也兴奋得心旌荡漾。

第二次募款会如期举行，选择的地方更加引人注目，这便是蒙市很著名的高尔夫球场旁边的Luminaries西餐馆。此处位于蒙市商业休闲区的最高处，旁边又有高尔夫球场的映衬，能在这儿举行大型活动本来就显示了一种气派与气度。当日，前来参加募款会的各界华裔有数百人，整个餐馆被挤得水泄不通，很多人只能站在餐馆的长廊里。热心人刘冰特地为李琬若的这次筹款会印制了一批精美而醒目的宣传资料，封面写的是"谁是李琬若？"(Who is Lily Lee Chen?)这是蒙市地区的第一位华人作为议员竞选人露面，广大华人无不感到振奋和鼓舞，所以把参加此次筹款餐会当作一次证明华人在当地地位得到提高的一种庆典加以重视。

"Lily竞选，意义非凡，我要带个好头！"李琬若的学长王桂荣、范培林当场把一张1000美元的支票交给李琬若。华人本来好面子，有人这么一带头，整个气氛就给营造出来了。于是你捐我捐，大伙儿的热情空前高涨。据住在洛杉矶唐人街的一位老华侨说，像Lily募捐会这样的盛况，蒙市有史以来还是头一次，可见广大在美华人是非常拥护自己的同胞走向政坛的。

根据美国选举法规定，凡捐满100美元的名单必须在媒体公布，除捐款数额外，必须向政府报告捐款人姓名、住址。这个报告是公开的。这样的话，竞选政敌就会得到捐款人的资料，如果支持者偏于某个族裔的话，就会让对方提出异议，批评竞选人没有代表居民的共同利益。因为华人捐款的人多，数字也高，也不愿在公开捐款名单中都公布名字，所以李琬若的筹款委员会在募捐前就确定了一个每人99元的捐款数字，这样一来向政府报累积总数时就看不出华裔捐款的多少了。

Luminaries筹款会获得巨大成功，当地华人报纸和英文报纸都进行了详细报道。一些没有参加活动的华人得知后，也纷纷打电话或直接向李琬若寄来支票。其中有一位叫尤君达的先生在寄给李琬若支票的同时附了一封热情洋溢的信，他说他在替一家营建商工作，听说有自己的华人同胞参选蒙市议员，高兴得逢人便讲这是华人在美国扬眉吐气的大喜事。他说他特别将省吃俭用一个星期的薪水寄来支持李琬若的竞选，钱虽然不多，但却是一位华人的心意。这位尤先生还不太会英文，在支票的抬头把李琬若的名字写成了中文，银行拒收。但李琬若很看重尤先生的这份特殊“礼物”，便打电话与尤商量。尤一听，马上说：“那张支票你留着做个纪念，我立即给你重新寄一张。不，我给你送去吧，你告诉我你的住址……”

当李琬若接过尤先生送来的新支票，两眼溢满了泪花。她在征得尤先生的同意后，把那张作废的支票贴在自己竞选总部的墙上，她要以此方式感谢所有支持她的同胞。

竞选的序幕已经拉开。所需的几万元竞选费用也在大家的支持下筹齐。而这仅仅是整个竞选的起点，要想获得竞选成功，需要跨越的门槛还多着呢，确切地说还远远没到李琬若可以高枕无忧的时候。属于少数族裔的华人要想赢得多数美国选民的支持，仅靠华人自己的力量是不够的，甚至是非常不够的。我们中国国内的一些宣传常常缺乏对美国整体社会的全面介绍，比如一说到华人如何如何地有智慧，就说现在美国的科学家中华人已经成了“顶梁柱”，而真实的情况是，真正顶尖的科研机构与前沿项目，特别是那些会对整个世界产生影响的科研工作，美国人连摸都不让你华裔科学家摸。

亚裔在美国人口中只占2%。在全美亚裔人口最多的加州，亚裔也只占该州人口的12%，想在美国政坛立足，你本事再大，能扛得过占绝对多数的人群吗？

很多亚裔移民不是没有尝试过从政的道路，多数失败了，其重要原因就是最终斗不过当地势力。李琬若面临的依然是强大的其他少数族裔和土生美国人，他们的势力比华人强大很多倍。从竞选对手的势力范围争取部分选票，是李琬若竞选的一个重要战略。她自认有信心完成这方面的工作，凭借她过去和现在所从事的社会工作特别是在县政府社会福利部的经验与体会，她感到只要心诚实干，与土生美国人是能融合的，甚至那些有个性的美国人说不准比华人支持者的热情还高呢！

李琬若的这一判断没有错。关键的问题是看你能否让土生美国居民信任你，一旦心理上的距离感消失后，“山姆大叔”是最善解人意的。他们常常会以超乎你想象的行为支持你，成为你的铁杆选民。

话虽这么说，但要他们成为你的“铁杆选民”，还得真正研究一番。李琬若作为当地第一位华人参政候选人，同族同胞中没有可以借鉴的经验，只能一切从自己实践中慢慢摸索着做起。她从在社会福利工作部工作的经验中体会到，要想让其他族裔理解和支持你的工作，你就必须研究透那些族裔在想什么，应该怎样更有效地为全体大众服务。因此李琬若首先在自己的施政纲要中重点突出蒙市市民们最关心的问题，她提出坚决反对兴建赌场，维护市区治安，促进种族和谐，支持有规划的、高品质的市政建设，注重家庭和妇女儿童的健康，帮助新移民融入主流社会等问题。这些竞选的承诺，既体现了李琬若作为竞选者站在蒙市这样一个花园城市的角度考虑问题，同时又体现出了她东西方文化兼备的女人形象，一下抓住了非华裔市民的心。当李琬若的施政纲领和她在宣传材料上的个人形象一同出现在广大市民面前时，大家异口同声地赞叹：“这个华裔女人值得信任，我们愿意投她的票。”

在美国的选举中，竞选人在选民中尽力发挥个人的才能至关重要，特别是演说口才，常常能使你获得选民的直接选票。但是一般的华裔在美国参加竞选都会碰到三大难题：一是语言，纯正的美国英语没有几个人能讲得好。美国首位驻外华裔大使张之香女士，之所以官至白宫，重要的一点是她的英语可以说是百分之百的美国化——当然这不是她到白宫当官的唯一优势，但一个英语不怎么样的少数族裔，想在美国官场上有所发展，会是很难很难的。二是没有草根基础。所谓的草根基础指的是没有美国本土百姓的群众基础，即一般的移民，无论你是第一代还是第二第三代移民，真正跟美国本土百姓融合为一体的不多，或者说太难。而美国的政治竞选通常是自下而上，即先由普通的老百姓投票，然后才有你市长州长，再有你国会议员和总统，因此没有草根基础的华人想从政，这一门槛常常也难以逾越。三是演说才能的缺陷。看一看美国历史上的那些杰出的政治家，他们之所以杰出，除了个人的品行之外，突出重要的一点就是他们都是能说会道的演说好手。美国有句话很流行，叫作“你能做多少并不重要，重要的是你能把想做的表达出来多少”。中国人自古养成“少说多干”的所谓美德，而到美国后会变得很吃亏。一个美国政治竞选者想要击败对手，通常就要使选民把注意力转到你这边来。而要做到这一点，决定性的一条途径就是让选民相信，只有你才能给选民带来最多好处和利益。

因此在美国的每一次竞选中，无论竞选者本人祖上积了多少德，或者他个人曾经有过多少辉煌，此时此刻，这位竞选者在广大选民中的形象都是那样的谦和那样的善解人意，而且总能表现出时时处处鞠躬尽瘁的样子。他们通常有两大武器：一是不厌其烦地握手、亲吻；二是无休止地甚至大言不惭地许诺。在小布什和戈尔竞选美国总统时，我们随时可以在电视镜头里看到两个昔日风流倜傥的富家公子，平民化地不断与老人小孩男士女士拥抱接吻。候选人还十分注意利用这个时候到学校和孤寡老人院抛头露面，据说那里最容易获得选民的支持和激动的眼泪——这都是

“竞选艺术”。

李琬若当然不能不注意华人从政的“天然缺陷”和这些“竞选艺术”。好在她在竞选前有过十几年的美国主流社会的经历与经验，因此她深谙这“竞选艺术”中的奥妙。同时李琬若之所以能从容投身政治竞选，其中很重要的原因正是她有美国化的语言，从普通留学生到医院社会工作人员和县政府社会福利部职员的“草根”基础，还有一点是她与众不同的演说才能。早在青少年时代，李琬若就是学校的活跃分子，喜欢出风头，喜欢做别人不敢做的事，她因此变得伶牙俐齿。

时势造英雄绝非偶然。李琬若能代表华人在美参政，除了她肩负为几代华人前辈雪耻的重任外，她自身也有独特优势，但仅仅有这些优势是远远不够的。李琬若的聪明之处和成功之处就在于她懂得美国人和主流社会需要什么。

医院、社会福利部门和学校是李琬若熟悉的三大场所，她本人有过多年的社会福利工作实践经验，李琬若再次脱去公务员的官服，向居民们宣传自己关于提高社会福利的透明度和建立孤寡老人公寓的施政演说，绘声绘色的演说和东方女性的细语柔情，讲得那些年长的居民们个个热泪盈眶。

李琬若有一儿一女，因此跟附近的学校都很熟，家长会现今成了她竞选的宝贵财富。

“哇，你是克光的妈妈呀？太好了，我们支持你！”

“克瑜是个好学生，特优秀。你是她的妈妈，肯定也很优秀，我们一定投你的票。”

李琬若听到这样的赞美，心中说不出对自己儿女有多感激。

社区的面上工作仍不能决定竞选的胜负，由于美国人的生活习惯于私人化和自由化，这就要求竞选者尽可能同那些愿意参加投票的人见面。俗话说见面三分情，美国人也讲究这个。你一声

“你好”，一声“我很愿意为你做点事”，会让他们马上对你产生好感。李琬若是带着真诚去向那些或者谋过面，或者从未谋过面的居民们进行登门拜访。此举俗称“拜票”。地方竞选的成与败在很大程度上决定你的“拜票”是否做到了家。

在我采访李琬若女士时，谈起“拜票”这段经历，她可谓感慨万千。

“我这个人平时好胜心强，又好面子。要是让我站在大讲台上我不觉得有一点怯场的感觉，发挥得只会越来越好。同样，我喜欢做的另一件事是同广大选民接触，就是直接去挨家挨户‘拜票’。所谓‘拜票’就是上人家的门去求他们投你的票。这事别人帮不了忙，我丈夫陈宝和也帮不了忙，他比我还要怯场，他能到大街上摆摊设点拉选民登记已经是难为他了。我曾试着让他跟我一起登门拜票，他坚决拒绝，说这事他不去。但这并不影响我自已去挨家挨户走，那情景我至今历历在目。我带着自己的宣传材料，开始一家一户的登门拜访。美国没有户口制，除非你已向政府登记为竞选者才可挨户拜访选民。美国人本来就讨厌陌生人随便敲门打扰，你冷不丁去敲人家的门，他们心理上就不愿意见你。可既然当了竞选者，想获得居民选票，我就必须把他们的门敲开。那门敲轻了他们听不到，也不知道家里有没有人在。有一回我连敲了三遍还不见人开门，想最后敲一下如果没有人就准备到下一家去。可能最后一下敲得声音大了些，里面的人出来开门了，我心里很高兴，心想总算没有白跑。谁知那居民哐地把门拉开后，一看我是黄皮肤的东方人，顿时火气更大，‘哐当’一下就把门关死了。我当时愤怒和屈辱交织在一起，眼泪哗哗地从眼眶中涌出。我把握紧的拳头高高地举在半空，想敲开那居民的大门让他说个明白，可是我想到了后面还有那么多居民的门需要我带着真诚的微笑去敲开，想到我作为一个华裔代表去参加美国政坛竞选议员的目标，我强忍着心中的愤怒，擦干满脸的泪痕，强打起精神，带着只有我知道的那种苦涩的微笑，去另一户居民家敲门……”

李琬若说到这里，双手掩面，我看到那往日受辱的泪水顺着她的手指缝淌了出来……

“对不起。”她马上掩饰地抹了抹眼睛，给我继续讲述那段无法忘怀的竞选经历。“应该说多数美国居民是文明的，对我们华裔是友好的。像上面的这种情形是个别的。不过吃闭门羹的事可不是一回两回。后来我学会了与居民们打交道的门道。比如说蒙市是个丘陵地带的城市，居民都散居在各个丘坡上，你就是走路也不能从下往上走，因为这样你跑不了几家就会累得喘不过气来。后来我改为先开车上山顶，然后一家家往下走。时间也有很多技巧，早晨时间一般拜访老人和退休在家的。晚上和假日就可以走访那些上班族。复活节和美国的几个特殊假期你不能去，否则人家会讨厌你的。晚上也不能太晚，要恰到好处，人家可能刚就完餐准备小憩时你进去最好。另外敲开门后你用什么语言什么表情是至关重要的。一般如果是早上，你得说：‘早上好，我是向您拜票来的，我叫 Lily，是竞选本届市议员的，我请求您投我一票，不知道您对我有什么问题，我现在来征求您的意见。’……”

“起初我见一家就说很多话，生怕自己没有介绍清楚”，但后来我的竞选经理说你说得不能太多。因为一是会引起人家的反感，二是在开门那一瞬间你自己感觉没有站多少时间，你是带着任务和某种激情在说话，可人家则不一样，人家听得多了就会觉得乏味和占用他的时间。所以我就不得不学会用最简短的语言，把要表达的话尽可能在最短的时间内说清楚，给人留下好的第一印象。说起来容易，做起来就不那么简单了。有时一个居民他根本不想听你说什么，就会挥挥手说，好了好了，不就是你要当选议员吗？好吧，到时我投你票就是了。有的则相反，很热情地叫你到屋里坐下，然后给你提出很多很多问题，比如你上任后能不能给他家里带来什么好处，比如他是当地的居民，会问你能不能在你上任后为整个社区服务？而遇到这种情况时，你也得学会在热情热心的同时要注意节省时间，否则你一天跑不了几家。”

“总之，你得见机行事，以热情为主，但也不能过热过近。有时好不容易挤出一个好时段跑上一个社区，但大都没有人在家，这时候我就把准备好的材料塞在他们的门缝里，绝对不能塞进信箱——信箱在美国是受法律保护的，你随便把东西放进别人的信箱属于犯法。而常常碰到些收到我宣传材料的居民打电话让我再去向他们当面陈述一些问题，这时你再忙再累最好还是跑一趟。因为这样的票一般都是比较稳的，这时你就得多吃点苦，谁让你当竞选者呢。在美国当民选官员你就得准备吃苦，尤其是你初涉政坛，谁认你呀？你就是现任总统，如果不合他心意，他也不买账。像我初涉政坛竞选一市议员，居民会在心里想，给你卖了半天劲谁知道你是输家还是赢家呢！所以一切都得靠竞选人自己努力，靠你腿勤嘴勤脑子勤。美国的任何选举，无论大选还是小选，都很激烈，竞选人都得全力以赴才行。所以为了尽可能地与选民接触，我几乎用了大部分时间进行这种面对面的拜票工作。不管刮风下雨，不管烈日暴晒，我坚持一个社区一个社区、一个学区一个学区不停地跑。有一段时间蒙市地区下雨，我想不能因此耽误时间，就冒雨走访居民家。不少居民们看到我淋得像只落汤鸡似的出现在他们面前，非常感动，说凭你 Lily 这种精神，我们就投你的票。后来大选结果出来一看，果真那几天我冒雨拜票的效果特别好，大家几乎都投了我的票……”

有道是功夫不负有心人，李琬若甘于不辞辛苦地走群众路线，获得了市民们的广泛好评。原本缺乏参政意识的广大华裔同胞纷纷出面支持她竞选。于是也有了这桩“三双鞋和一条断腿”的故事。三双鞋说的是李琬若自己因为向居民们拜票而跑破了三双球鞋的事。从她能在几个月内跑坏了三双球鞋，可以看到她为竞选所受的苦。然而这仅仅是表层的辛劳之苦，至于她经受的心理之苦则非言语所能表达。

在拜票期间，有一条街道住着很多华裔，于是你一串我一连，他们自发起来组成了一个“李琬若竞选支持团”，在自家门前宅后通通插上了有李琬若头像的照片与宣传文字的竞选牌子，既醒目又突出主题，好似一道华裔扬眉吐气的风景线。当时一些老同胞看到后激动得直流眼泪，说回家也要学着把 Lily 的宣传招牌插在自家门前宅后，让全市百姓看看我们华裔也有才华和勇气领导美国。

不过这种造势在李琬若的竞选对手看来，等于看到有人在给他们掘墓一样可怕。于是在竞选非常关键的时期，蒙市城内出现了一股不和谐的紧张气氛。那些挂插李琬若大幅照片的标牌突然在一夜之间不是被人拔掉了，就是被人用种种颜色涂得不堪入目。显然，这一切都是有计划和有组织的。但这样的行为很少有办法制止。唯一的办法是你拔我再插、你涂坏我再贴好给你看。

家居蒙市一高坡处的土生土长的周锡昂医生，与李琬若本来素不相识，但因为有人拔掉了他插在后院的牌子，周医生很生气，发誓要与那些破坏者斗争到底。而那些蓄意不想让李琬若上台的人则连续三次将周医生插在自家后院的牌子给拔掉了。周医生又想出一招，他索性做了块特别大的招牌，并且将其悬挂在蒙市最高的山顶上。望着那格外醒目的招牌，周医生非常得意地对人说：“这会儿，怕再没有人能偷我挂的竞选牌子了。”周医生知道，那些偷牌者都是晚上活动，从这么高的悬崖上摘牌可非易事。而非常不幸的是，周医生自己在下山时却一脚踩空，摔断了一条腿……

李琬若得知周医生的义举和不幸，特地赶去看望这位好同胞。可周锡昂先生却若无其事地笑着对李琬若说：“只要你能当选，叫我再摔断一条腿也愿意。”同胞的舍命盛情，令李琬若激动不已。而在当时像周锡昂先生这样的积极支持者，对初入政坛的李琬若来说乃至对整个华裔参政运动显得尤为珍贵。

5. 决战分晓，败却胜也

美国的选举投票日都设在星期二，这大概考虑的是公民们能够在双休日有时间认真思考，又能在星期一处理完手头的工作去做一次庄严神圣的投票。从向政府竞选机构申请到最后正式投票，李琬若和她的伙伴们包括她的丈夫与孩子，还有众多义工，已经忙碌了四五个月。随着投票日期的临近，竞选的气氛变得日益紧张，李琬若最关心的是选民能不能像她拜票时当面向她表示的那样说到做到。

西方人相对比较看重自己的信誉和承诺，但新移民则不一样。他们不习惯投票，这使选举常常出现意想不到的结果。因此李琬若担心的也是华裔选民在最后的表现。蒙特利公园市直至李琬若宣布竞选议员之日，也没有哪一届议会和政府里有华裔主政，而当时亚裔在这个城市的人口中已经占了三分之一，可华裔参政仍是一片空白。李琬若要出的就是这口气，但她无法预料同胞们在最后时刻能否出来投她一票，她甚至这么想：你是华裔，可以不投我李琬若的票，但你只要从家里走出来去投票站，你就是好样的，因为作为在美华裔，你已经知道了参政的重要并行使了你应该享有的权利。

“王先生，你知道6月2号是投票日吗？”

“李先生你好，请记住2号到投票点投票。”

“你工作忙离不开岗位？那我告诉你有一个好办法：我们加州的法律规定，选民可以申请通讯投票，就是你可以不用离开工作岗位，通过寄信的方式在规定的时间内把票寄出去。”

“你不太明白通讯投票的情况？那好，如果方便的话，我马上到你那儿去一趟行不行？”

为了确保最后的冲刺成功，李琬若发动了全家及帮助她竞选的义工们，尽可能地向那些他们认为会投票的华裔同胞打电话，做临战前的最后一次提醒。

“什么叫参政？参政就是责任和争取。”

“什么叫权利？权利就是应该和必须。”

“既然我们都是华裔同胞，又都愿意共同长期生活在美国这个国家，那么不管是谁都应该对自己和这个国家负有一种神圣的责任，而既然有了这种神圣的责任，我们就该去争取可以争取的一切，包括立法权和领导权，包括我们现在和将来的保护权，等等等等。你情愿放弃这种权利？不想放弃？那么好吧，你就该懂得什么叫应该和必须做的事。现在参与投票就是一种应该和必须，明白吗？同胞兄弟姐妹们！”

李琬若用含泪的音调向同胞们求助。

6 月 2 日，蒙市 7 位竞选人同争一个议席的竞选投票开始了。此次投票与众不同的是竞选者中有史以来出现了第一位黄皮肤的华人，先声夺人地站在了广大选民面前。

那一天，全市多数居民像过节一样，三三两两地走出家门和工作单位，来到设在各个点的投票站。在参加投票的居民中，最引人注目的是以往一直很少关心政治的华裔带着自信和骄傲的表情出现在投票站。他们中大多数是第一次参加美国的投票，甚感好奇和新鲜，所以非常注意自己的仪表和行为，并且带着少有的那份庄严将一张张选举票放入票箱内……全市的投票过程花去了一整天时间，之后马上开始的是计票工作。

此时此刻，最激动和最紧张的是各个竞选人的竞选总部里静候等待的人们。当然，此时此刻的李琬若无疑是所有激动的人中最难以按捺的一个。她和家人及竞选班子的全体人员都彻夜守在竞选现场。而在当时的现场还有两位特殊人物，他们就是李琬若的父亲和公公。

说起两位老人同到美国还有一段佳话。

当年李琬若只身离开中国台湾到美国时，她的姐姐带着妹妹到了日本，老父亲李曜林孤独一人留在台湾。那天父亲把留在身边的老二李琬若送上去往美国的“海明轮”，那一幕凄凉的情景一直在李琬若眼前闪动。14 天的海上旅途，使琬若能静下心来想一想父亲和母亲，父亲对母亲不好的一面在她的思考中全然淡化，更多的是想着父亲孤身一人留在台湾的凄凉生活。本来是父亲托“海明轮”船长照顾李琬若，结果李琬若却因担忧父亲而为父亲做成了一桩媒。事情是这样的：琬若上船后，自然得到了父亲重托的船长的一路关照。船长是个热心人，心眼也好，看琬若小姐闷闷不乐地一人关在舱里，便请她到甲板上观赏大海风光，后来又领她到船长室，最后干脆让琬若搬出客舱睡到比较特殊的船长室旁边的房间。熟悉了，琬若就把自己家里的事给船长叔叔说了个底儿掉。

“我现在最担心的是爸爸，表面上看他很坚强，实际上他内心很孤独。妈妈去世后他一个人过着无人照顾的生活，看得出心里有很多不快。可他从不在嘴上说……”琬若低着头，很忧伤地说，“我希望给他找一位老伴。”

船长一听，说：“好啊，我有个远房亲戚，她是留法的，现在台湾当教师，近四十岁了还没有男朋友，把她介绍给你爸我看挺合适。”

“真的？那你回台湾后一定帮着撮合这件事啊！”琬若听船长这么一说，喜出望外。

"包在我身上。"

船长是个痛快人，回到台湾后马上与他的那位叫罗孝衿的亲戚取得联系，并将琬若的爸爸介绍给了她。那位懂法语的罗孝衿女士确实不同一般女子，气质高雅，又有很高的文化修养，与琬若的"立法委员"父亲一见如故。这事一来二去，慢慢地就有了眉目。

一天，父亲突然给远在洛杉矶的女儿琬若写信挑明了他与罗孝衿女士的关系，并以他一向的严谨作风，列出了罗女士四条长处，意在听取女儿们的意见。那时琬若已经把妹妹从日本办到了美国。妹妹一听爸爸要给她找"后妈"了，好伤心地痛哭了一场。倒是琬若很为爸爸的这桩喜事高兴，因为她是促成此事的半个"月老"。很明显，父亲与罗女士的关系是确定了，父亲给女儿们写信只是希望她们支持和理解他的做法。

这自然是水到渠成的事。很快，李琬若的老父亲身边有了新伴侣。父亲举行结婚仪式时，琬若代表三姐妹专程从美国赶回中国台湾参加了父亲的婚礼，罗女士的白色婚纱就是琬若亲自购置的。当看到孤独的父亲身边有了一位能陪伴他的人，琬若心头终于放下了一块石头。之后父亲与罗女士共同度过了一段相当美满的时光。不过由于李琬若父亲的脾气，两人时不时也为一些小事吵架。这时罗女士（李琬若说她虽然非常赞同父亲的这桩婚事，但却从不叫罗女士妈妈，因为她说自己一生只有一个母亲，妈妈的称呼不能给另一个人）便会给琬若打电话诉说父亲的这事那事，琬若成了父亲和继母之间的调解人。不幸的是，罗女士后来得了绝症，生命无法挽回。这时的琬若一方面忙着为生病的继母千方百计想办法做最后的努力，一方面劝说再度受到感情打击的父亲离开中国台湾，来美国到女儿身边。老父亲时年已有 80 岁，他在无奈中做出了离开中国台湾的选择，这对性格固执的老人家来说很不容易，不过到了美国安顿下来后，他才慢慢感叹女儿这么做确实全为他好。

李琬若在为老父亲办理赴美手续的同时，又在为病重的继母奔波。无奈罗女士最终还是被无情的癌症夺去了生命。琬若及妹妹琬君代父亲专赴中国台湾给罗女士办理后事。德高望重的老父亲后来由妹妹及妹夫细心照顾，活到 96 岁，并长眠在风景优美的美国华盛顿州。他生前有个信念始终没有改变，就是可以到美国来居住，但绝对不入美国籍。“我是堂堂中国人，这一点谁也无权改变。”他自己这么说。

话说李琬若竞选时，政治家出身的父亲听说老二在美国也要从政，不免好奇和担忧，于是从老大家搬到了老二家来住，以便亲自观摩女儿在美国参政的全过程。所以在进入竞选的最后时刻，老父亲挺着硬朗的腰板，坚决要求坐到女儿的竞选总部看结果。

再说从中国大陆来的李琬若的公公陈老先生，也遇到一番周折。李琬若与陈宝和有缘，而李家与陈家上一辈的人之间也有不少缘分。其实李琬若的父亲与陈宝和的父亲在天津时就认识，一位是教育界的名流，一位是工商界的巨头，只是那时仅是社交方面的一般交情。在琬若决定与陈宝和成亲时，台湾的老父亲还不知道陈宝和的父亲何许人也，因为那时宝和在美国，与琬若成婚又是在特殊情况之下闪电式进行的。当女婿后来与老岳父见面言明父亲身份时，李老先生仰头长叹一声，高兴地说：“我和你爸可是老相识呀！”

李家和陈家就是这么结下了多重缘分。

大陆和台湾因人为原因数十年老死不相往来，使李老和陈老这对亲家也不能相会，这份残酷是李琬若与陈宝和早想了却的一桩心事，但在 20 世纪 80 年代前谈何容易。

尼克松访华，打开了中美之间的铁门，中美之间通了航，也给海峡两岸的亲人们提供了一条曲线联络的途径。陈宝和早已按捺不住想与家人见面的心情。他比琬若的命运要惨得多，当年离开天津后孤身一人来到台湾，没有任何背景，还被国民党政府的特务机构内定为与共产党有关的“危险分子”，同大陆的家人不能见面。尽管通信从未间断，可那时通一封信得辗转几地，台湾和大陆方面都得经过严格检查，所以信上其实什么都不能说。后来中美虽然建交了，但人员来往仍受到相当严格的控制。

陈宝和多次申请回国都没有被批准，最后还是在1978年，他借了南加州华人科工会访问中国的团体名额才得到了一个机会回大陆。

飞机从洛杉矶出航到香港，再从香港转到广州，由广州再到北京，而到了北京也未被允许回天津看望父亲。倒是有人做了特别安排，事先通知父亲从天津赶到北京的某个地方。因为那正好是陈宝和他们的团队车子要停的地方，一切都在“地下工作”似的气氛中进行着。

30年了，陈宝和离开天津，离开父亲和家人整整30年了。当载着美国代表团的车子徐徐开进那个地方时，陈宝和突然大喊起来：“我看到爸爸了！看到爸爸了！”此时陈宝和年近五十，但他却像孩子一样激动得跳了起来。

全车人都知道他和父亲已经30年没有见面了，大家全都情不自禁地鼓掌欢呼起来。

“爸爸——”

“宝儿——”

当年迈的父亲和也已两鬓斑白的儿子跑步拥抱在一起的刹那间，所有目睹这一幕的人无不泪流满面……

“琬若要竞选美国议员？这可是开天辟地的事，我得去助威！”八十有余的陈老先生听儿子说，他们陈家的儿媳妇在美国要竞选市议员时，说什么也要亲自到美国一趟。

就这么着，李老和陈老一对亲家，两位旧识在异国他乡，为了自己的孩子能在美国为华人争口气而不顾年老体衰，一起走进了李琬若的竞选总部。

“Lily1000 票！”

“Lily4000 票！”

“哇，通讯投票全部统计完毕：竞选人 Lily 获得最高纪录票数！”

“Lily 要胜利啦！”

第一轮通讯选票统计一公布，李琬若竞选总部的工作人员欢声雷动。

“现在我们公布高地区选票：Lily 第一名。”

“哇——！我们又赢了！”高地区是李琬若所居住的地方，这样的结果在李琬若的意料之中，但大家仍然无法按捺心头的喜悦，把李琬若拥抱了一次又一次。

计票继续。

另一位竞选者吉尔曼（Gilman）在其他地区的选票超过了李琬若。即便如此，李琬若的支持者们仍满怀信心地等候着此起彼伏的最终结果。

计票结果的几个箭头代表着不同的竞选者的票数，那几个箭头因此牵动着蒙市全市百姓的心弦，不同的支持者都在为自己的竞选者欢呼或悲哀。

越到后来，选票越来越集中在李琬若和另一位竞选者吉尔曼之间。两人时而你多时而我多，呈现异常激烈的拉锯式波动，这更使这场势均力敌的竞选平添了硝烟气氛。

晚 10 点 30 分，全市计票结束。结果：李琬若得票 25.3%，吉尔曼得票 25.7%。李琬若仅以 28 票之差，败给对手，痛失议员竞选席位。

“太惨了！仅差28票！”

“不不，我们不相信这种结果，呜呜……我们绝不相信……”

当计票最后时刻的那一份寂静不知被谁的一声哭泣打破后，李琬若的竞选总部里立刻沉浸在一片悲痛之中。许多女工作人员抱头痛哭起来，男士们也呆呆地站在那儿不相信这种残酷的结果。然而竞选就是这么残酷。根据美国法律，你就是失之一票，也只能是失败者。

“要是我们最后再多打几个电话，多跑几条街，就不会出现这种结果了！”

“不行，Lily，那么多票要统计，28票并不能说明对手赢了。我们可以要求重新统计，说不定你还是胜利者。”

“对，我们坚决要求重新计票！”

当蒙市此次大选的结果公布后，由于李琬若和吉尔曼的得票数如此接近，根据联邦宪法规定，竞选者一方有权提出重新计票。当年小布什与戈尔之间的大选结果和后来一直拖了几个月的总统难产期，就是因为戈尔不服，要求重新计票造成的。事实也证明，现行的美国计票工作中确实存在一定的问题，别说几十票之差可能让本是胜利者反成了失败者，就是几万张差距也有可能发生的。

仅差28票的李琬若在当时完全有权利提出重新计票的请求，没准进行重新计票后会出现另一种结果。

但李琬若没有那样做。

“我谢谢大家，也谢谢大家这些日子为我奔波劳累。我先向大家鞠躬致谢。”李琬若面对一张张熟悉而布满了失望的脸，深深地弯下了腰。然后她又坚定地说道：“虽然我有权提出申请要求重新计票，但我不想这么做。所以请大家原谅我甘心接受此次选举的结果，再一次向大家表示最诚挚的谢意。”

在李琬若弯腰鞠躬的时刻，蒙市的这场激烈竞选也画上了句号。竞选总部里几乎所有的人都感到无比惋惜。唯有两位老人对李琬若做出的决定会心地点了点头。他们便是李琬若的爸爸与公公。

这一夜对李琬若来说是个真正的不眠之夜。她在竞选总部没有表现出内心真实的失望之情，但回到家后在丈夫的怀里忍不住痛苦地哭泣起来，这眼泪既有不相信失败的现实，更有对家人几个月来跟着自己辛辛苦苦搞竞选的歉意。

“没关系，第一次嘛，总有个输赢不是？”丈夫陈宝和从来都是这么体贴人，这使李琬若感到更加对不起亲人。回想起从不沾政治边的丈夫为了她的竞选，在无数个日子里风里来雨里去地在街头摆摊，还有那么多亲朋好友的义务帮助，包括那个断了一条腿的周医生，李琬若怎么也不相信这残酷的失败。更主要的，这是华裔第一次在蒙市政坛露面，结果影响极大。

“政治从来就是现实和残酷的，老二，要我看你此次竞选没有输。”有参政经验的老父亲把刚刚经历大喜大悲的女儿叫到身边，这样说道。

“为什么？”

“据我看你有三胜：一是28票之差并不能代表真正的民意，特别是这儿的不少白人投了你的票，所以在我看来，你虽败其实赢了；二是你作为华裔代表第一次在蒙市政坛出现就获得如此高的选票，加上有那么多的华裔从过去连有选举的权利都不知道的历史中走出，并开始履行自己的权利走向投票站，这就是你与宝和等在美华裔共同努力和争取参政的最大成功——此为二胜；三胜是你以28票之差败给对手，使广大华裔从这微弱的劣势中明白了一件事，即华人在美国参政是大有希望的，这一点无论对你个人还是对整个华裔世界都是至关重要的。所以你虽败犹荣。亲家，你说我言之有理否？”李琬若的父亲说完向女儿的公公征求道。

“此言极是。此言极是。”陈宝和的父亲一边梳理着银白胡须，一边频频向儿子和儿媳妇点头。

“爸爸——爸爸。谢谢你们。”当李琬若挽着父亲时，她的脸上已经露出了笑容。

“丁零零——”清晨，李琬若家的电话铃声大作。各大媒体的记者纷纷要求采访。

“Lily，我是《洛杉矶时报》的记者，我们看到蒙市议员选举的结果后，很想知道你是否要求选务部门重新计算选票？”

“不。我认为自己还没有得到大多数选民的支持。我信任我们美国的政治制度，所以不要求重新计票。”李琬若非常直截了当地回答了《洛杉矶时报》记者的提问，也用同样的基调回答了其他众多媒体的问题。

选举一旦确认没有疑问时，就被宣告有效。那么接下来的就是当选人的就职典礼。美国人非常讲究民选官员的就职仪式，所有选举产生的官员都受到社会的尊敬，而且这种尊敬是终身的。在热烈而庄严的新议员就职仪式上，蒙市百姓惊喜地看到一位体态优雅、气质非凡的东方女性走向就职台，以热烈而真诚的微笑走到台前，与新议员吉尔曼握手表示祝贺。

“她就是李琬若！一个只差28票的失败者。”

“都说政治对手不是你死就是我活，瞧人家Lily，多有风度。她虽败犹荣。真正的胜利属于她嘛！”

当李琬若的手握住吉尔曼时，全场响起长时间的雷鸣般掌声。市民们说，这在蒙市历史上是少有的。

第二天，几乎所有当地报纸都在头版刊出了李琬若微笑着上台向当选者吉尔曼祝贺的大幅照片。仿佛胜利者真的就是华裔李琬若，他们称李琬若是蒙市政坛的“黑马”。

是的，美国西部的一个华裔占总人口比例最多的新兴城市——蒙特利公园市真的出现了一匹政坛“黑马”，这就是李琬若——蒙市明天的希望之星。

6. 胜券在握中埋下危机

没有人相信明天的蒙市政坛上会缺少李琬若这样一位强有力的东方女性。根据当地议会两年一届的议会议员换届规律，在李琬若第一次补差落选不久，两年一次的议员换届选举就正式拉开了帷幕。而市民们心里都明白一件事：过去的市议员中，大多数是由反对蒙市加速建设的保守派占据着。由于市长在选举出的议员中自然诞生并轮流执政的规定，此次议员换届选举，是拥护快速发展的改革派与限制发展的保守派之间的一次全面较量，1982年的蒙市议员选举成了蒙市历史上一个重要的分界线。

决意参政的李琬若又一次成了竞选和注目的焦点。在多数居民眼里，李琬若是美籍华裔，而华裔在蒙市定居和经商的人中，多数是极力支持大力开发蒙市和对旧城进行彻底改造的，故而他们把李琬若看作是求进步、有计划、有发展的代表。同时李琬若的个人形象特别鲜明，东方式的娇美，成熟女性的那种挡不住的风采，都给人以一种全新的、充满朝气的感觉，相比之下其他竞选者的形象便显得老态与旧式。

李琬若注定是个被人注目的人物。

此次选举5个议员席，其中有2位是现任议员，一般来说现任议员竞选连任的可能性是很大的。所以李琬若再次举旗和其他8位竞选者参加角逐剩下的3个议员席。这8个候选人中有上次和李琬若交手的现任市议员吉尔曼，还有高曲、小学校长阿尔曼达、商人佩拉特等人。

与8个月前的那次竞争形势相比，此次李琬若明显具有了优势。当地英文报纸在李琬若刚刚宣布参加竞选新一届议员后，便发表大量文章称她是势在必得。媒体估计，高曲和吉尔曼应顺利连任无疑，而阿尔曼达与佩拉特这两位墨西哥裔的竞选者同当地房地产开发商关系密切，虽然有势力很大的警察协会支持，但蒙市市民不喜欢他们，所以失败的可能是这两人。后来有关组织搞的民意测验也证明了上述判断。

李琬若的得票率遥遥领先。

但李琬若有了第一次28票之差的教训后，不敢轻敌。她又特意向工作单位——政府社会福利部请了3个月的假——当然又是一次自己贴本钱的政治竞选。停薪留职，还得从自己家的积蓄中拿出很多钱来开办竞选事务。同样的募捐活动，同样的一家一户去拜票，同样的一个又一个沟通感情交流施政纲领的茶话会、见面会和早餐会等，李琬若不敢放松一个环节，当然这一次她的竞选经验要充足多了。有了第一次的高票落选及友善地同竞选对手握手言欢的好形象，李琬若的知名度在蒙市大多了，此次竞选形势可谓今非昔比。

要说最有眼力的人可能得算那些与政府有直接利益关系的商人们。我们还记得在李琬若第一次竞选时，曾经期望得到支持的几位蒙市实力派人物，当初根本没有把李琬若放在眼里。这回可大不一样了，首先跑来讨好李琬若的就是颇有实力的A和B等人。

“Lily，你的竞选捐款我们包了。”胖乎乎的A找到李琬若表示出一副同胞的特别亲情，“我们都是华裔，说什么也应该全力支持你竞选嘛！”

李琬若记得前面那次受辱的境遇，所以对这些个商人表现出不冷不热的态度，这反倒使A、B等人急得像热锅上的蚂蚁。后来听说日裔领袖人物、深受蒙市各界尊敬的“蒙市之父”喜加喜出任李琬若的竞选委员会主席之一，A 与喜加喜有过交情，便托喜加喜做李琬若的工作，要求加盟李琬若的此次竞选支持者行列。

“他们都是地产商，我不想占他们任何便宜，而且对他们的钱也不感兴趣。上次的竞选使我对他们有了清醒的认识，所以我对这些专做锦上添花的事的人最为反感。”李琬若从来爱憎分明。

喜加喜是个大好人，他以长者的身份，笑着说李琬若：“毕竟都是华裔，再说人家是商人，当然都是利益为第一嘛。你现在势头好，有头脑的人都向你靠，这是正常的。只要做到心里有数就行。这才叫政治嘛！听我的没错。”

既然竞选委员会主席发话了，李琬若也只好听着，不管怎么说，竞选仍然是相当激烈的，能把所有重要的力量吸引到自己这边来毕竟是重之又重的任务，总比把到手的选票推给对手要好吧。

李琬若是个讲原则又讲情面的人。后来她身为蒙特利市的一市之长，对 A 他们提出的有损城市整体建设的开发项目也有过坚决的抵制，而 A 后来落难了，老婆跟他离婚，生意出现滑坡，又摔断了腿，厄运接踵而至，李琬若没有疏远他，反而给予许多帮助。不久 A 去世。在葬礼上，李琬若还特意代表当地华裔致悼词。她说：A 是位对蒙市做出过重要贡献的华裔，他生前毁誉参半，但功大于过。这是后话。

话说李琬若此次竞选的势头强劲，一是民意调查显示她的支持率高，二是各界要人纷纷向她靠拢。看一看她的两位竞选委员会主席，大家就知道形势对她有多好。她的一位竞选委员会主席是潘恩博士（Dr.Paine），前东洛杉矶学院新闻系主任，正直而颇有学者风范的大名人，在老居民中有着广泛的影响力。另一位主席，领袖人物日裔喜加喜已经介绍过。这位连警察局的头面人物见了都要向他鞠大躬的“蒙市之父”，不但当了李琬若的竞选委员会主席之一，而且全力以赴为李琬若整个竞选活动出力，其行为让人感动。喜加喜把自己开的家具店腾出来给李琬若作竞选总部，他和退休在家的太太两人全天候地为李琬若竞选做义工，每天最晚下班。所有对外联络和日用物品的费用全部自掏腰包。这么德高望重的人如此帮助李琬若竞选，谁还不看好此次李琬若当选的前景呢！

在竞选总部，李琬若的几十位义工们更是士气十足，因为大家明白，李琬若当选已成定局，只等投票之日开箱验票。

正在李琬若的竞选总部工作人员们觉得胜利在望时，一股暗流则悄然潜入李琬若身边。

上面已经提到，此次议员竞选由于正值蒙市进入一个新旧交替的历史时刻，各种势力较量的焦点其实都在争夺议员席位，并尽可能地拉到能代表自己利益的人进入议会，从而最终掌控未来蒙市政府与议会的立法权。几乎全美国都有这种情况，除了一些财团和实力派人物影响着当地政治外，警察势力是最不可忽视的一大方面。蒙市也不例外，那些积极争取获得未来市政建设控制权的建筑开发商们，为了达到把自己的代表阿尔曼达和佩拉特塞进议会的目的，同势力很大的当地警察协会勾结在一起，他们的政治意图非常明了：如果建筑开发商们通过警察协会的势力把自己的代表选进议会，那么警察协会日后向政府提出要求增加福利和薪金及改变工作时间等会员福利便可获得通过。实力微弱的其他两位墨裔候选人阿尔曼达与佩拉特无法保证让市民们投自己的票，因此警察协会的人想出了一个招数：现在李琬若不是大势所趋，民心所向嘛，好啊，借她之强劲势头，把阿尔曼达和佩拉特一起绑在她身上，让他们三人合着一同直线飞翔呀！

好，太好了！建筑开发商和警察协会的交易者对此招大为赞赏。于是不几日，由警察协会出面，在蒙市嘉伟大街最热闹的商业区，他们蓄意挂出支持李琬若和阿尔曼达、佩拉特的大型招牌和宣传画。此外，警察协会还印刷了大量材料，并尽可能地把李琬若的形象与他们所支持的两位竞选者捆绑在一起，让居民一看原来李琬若也是建筑开发商们的代表呀！警察协会利用他们手中的管理权力，在动员市民进行选举时要求他们在选李琬若时，务必也投票给阿尔曼达和佩拉特。

“卑鄙无耻！”生性耿直的潘恩博士第一个向李琬若揭穿警察协会和建筑开发商的阴谋诡计，他在竞选总部十分气愤地说道：“我们 Lily 一直是独立竞选人，不代表任何私人利益集团，只代表广大市民，而现在有人硬把 Lily 拉到建筑开发商的马车上，给人感觉之坏非同小可，我们坚决不能同意这种行为，必须加以制止和公开发表声明！”

“对，应该发表声明揭穿某些人的阴谋。不然居民们还真的错以为 Lily 是某些既得利益者的代表呢！”竞选总部的不少人也这样认为。

李琬若本人对此事同样感到十分意外和恼火，想不到自己竞选势头太好了也有麻烦呀！而让她内心不安的是目前蒙市一部分老居民坚持在发展城市建设时一定要保持蒙市固有的特点渐进发展，而另一部分想在此赚钱发迹的新移民们则期望一夜之间蒙市有个“万丈高楼平地起”的景象，平心而论，这两者之间本不该有矛盾，应统为一体，但不同的势力与观念影响着人们的思维方式和行为准则，所以代表不同观念的双方矛盾十分尖锐。选民们普遍认为她代表那些准备到此赚钱发迹的以华裔为主的建筑开发商，当时种种现象也表明了这一点，你看看警察协会多么支持你李琬若，你看看像谢叔钢等一批建筑开发巨商们多么支持你李琬若呀！

人气正旺的李琬若很理直气壮地说：“不行，这样下去我像被扔进了染缸里，日后想洗刷都洗不清了！”

“喜加喜，我以为潘恩博士的话有道理，我们应该有个表态。”李琬若找到她尊敬的长者和有丰富政治经验的竞选主席。喜加喜沉思了片刻，说：“Lily，我同意警察协会和一部分建筑开发商把你和阿尔曼达等人捆绑在一起是蓄谋已久的，但应该看到这种效果对你竞选议员和获得选票是有一定好处的。你当前最大的任务是获得竞选胜利。获得竞选胜利是第一位的。至于其他问题，我们日后还有足够的时间和机会去研究对策。”

喜加喜的话不能说没有道理，如果竞选不成功，其他的事又怎么谈呢？也许是求胜心太急切了，李琬若最终没能坚持听取潘恩教授的话，而对阿尔曼达与佩拉特的“捆绑竞选”做了暂时的沉默。

“Lily，不能这样做！明白吗？你的竞选不用任何集团势力都是稳操胜券的。可现在，如果你不言明与那些建筑开发商们划清界限，将来会断送你前程的呀！”瘦高而满头白发的潘恩教授几乎在声嘶力竭地劝说李琬若，然而当他觉得整个竞选总部的人都在迫不及待地等候李琬若的竞选胜利时，老教授痛苦地低下了头……

事情并没有因此结束。就在投票日前的最后一个周末，一份叫作《蒙特利公园市纪事报》的彩色宣传材料寄到了全市广大选民手中。那报纸以整版的篇幅刊出了李琬若和阿尔曼达与佩拉特三人的特大照片，而且李琬若被突出在中间位置。报纸除照片外，以三人的名义一同表达了反对建赌场为主题的文章，并以恶毒的语言对高曲和吉尔曼等另外几位竞选人进行了攻击。这文章表面看来与李琬若以往反对建赌场的政治主张没有多大差异，但其恶毒之处在于把李琬若突出地与另外两位市民完全不熟悉的竞选者捆绑在一起，同时又借李琬若之名攻击了几位本不是李琬若政敌的竞选者。

“可恶！太可恶！”李琬若看到这张报纸简直肺都要气炸了。几个月前，她以28票败于吉尔曼，当时她以何等宽广的胸怀上台主动与吉尔曼握手祝贺，那新闻何等动人，何等光辉！可如今有人却代她以这种形式来攻击吉尔曼，让人第一感觉是李琬若今天为了取胜而完全不择手段了。

“这不是明摆着有人挖个坑想让我掉下去吗？马上查一查我的那张照片怎么会到他们那儿去的！”李琬若要求竞选总部的工作人员迅速查出事情发生的原因。

“那照片不是前几天在我们这儿做义工的那个女学生拿走的嘛？Lily是你同意的呀！”工作人员想起来了。

对呀，那照片是我答应给那个女学生的呀！李琬若突然想起前些日子有位女学生很虔诚的样子来到她的竞选总部自愿做义工，并拿走了一张她的照片，说是去宣传。原来是个小间谍呀！李琬若好不生气。

有道是玩政治就是玩阴谋与权术，看来有人是恶意想让我李琬若往染缸里跳嘛！

“怎么办？请他们撤了。”李琬若找来潘恩和喜加喜两位竞选委员会主席商量。这张宣传报纸太恶毒了，不仅是借了李琬若的刀杀吉尔曼等竞选人，而且那些玩阴谋的人打了个时间差：下个星期二就是投票日，现在周末的报纸上出现这类东西，无疑既让受攻击的吉尔曼等竞选人没有时间澄清与声辩，也让李琬若没有时间向广大选民们就此事说个明白。

“我已经写好了一份声明，无论如何，Lily你这次一定要把自己从那些建筑开发商代表的阴影中摆脱出来，这样对你的政治前途和身份都有莫大的好处。”潘恩教授不愧是新闻专业的教授，他已经为李琬若准备了反击的材料。

“现在已经晚了。即使送到报社最早出版的《蒙市进步报》也在星期三才能出版呀！”有人提醒道。

“即使星期二投票，我们的声明在星期三才发出，可我还是认为十分有必要，因为Lily的政治前途还长着呢。不能因为这事耽误了个人的命运，而且这会影响整个蒙市的历史发展。我因此坚持认为声明一定要发！”潘恩教授坚定地说道。

李琬若把目光转向喜加喜，希望听到他的意见。

喜加喜依然用他那东方人特有的沉稳，说出了让李琬若不知如何是好的意见：“我以为Lily应该看到自己目前不能因为这一件事而影响了自己同拉丁族裔的关系。阿尔曼达与佩拉特虽然代表着一部分建筑开发商的利益，但他们毕竟是拉丁族裔的代表。将来Lily会同他们常打交道，我们亚裔是少数族裔，而拉丁族裔人口目前与我们亚裔不相上下，我们不能因此事而有失社区领袖的风度。再说危害已经造成，我们再去澄清也未必起到好的作用，说不好倒会让选民们起误会，最好的办法是大事化小。”

“你这是不讲原则！我坚决反对！”潘恩一听火了，“Lily，如果今天你不出面澄清是非，日后将后患无穷。我现在能做的只能是遗憾地辞去你的竞选委员会主席一职。”说完，潘恩将声明稿撕了个粉碎，随后就离开了李琬若的竞选总部。

“潘恩！潘恩——！”无论李琬若在后面怎么叫喊，平时非常和善的潘恩再也没有回到竞选总部。

李琬若好不伤心。她在竞选的最后时刻，失去了一位尊敬的长者。

“Lily，别哭了，快看我们的胜利吧！”4月13日，投票结果公布：像人们期望的那样，李琬若以最高得票当选新一届蒙市议员，成为这个城市历史上第一位华裔议员、女市长。而搭李琬若便车的阿尔曼达和佩拉特也分别当选，原来呼声甚高、富有经验的高曲和吉尔曼则败北落马。竞选结果一公布，李琬若的竞选总部里一片欢呼，最高兴也最失态的是她的丈夫陈宝和，这位做任何事情都稳重有余、含而不露的工程技术人员出身的壮年汉子，当听到自己的妻子高票当选时，竟然一下蹦了起来，口中连声喊道：“胜利啦！我们胜利啦！”

陈宝和蹦蹦跳跳，又猛然过来抱住妻子，全然不顾在场的是熟人还是陌生人，那情景感染了所有支持李琬若的亲朋好友以及每一位义工。李琬若的父亲与公公、喜加喜与夫人、那个断了腿的周医生……不同族裔背景的人群，纷纷前来向李琬若祝贺。人们唱啊跳啊，整个蒙市的华裔区沸腾了，他们打着标语和横幅，欢呼第一个自己的同胞参政成功……

那场面永久地留在了蒙市居民的记忆之中。

美国的大学教科书上有这样的一段话：从这一天开始，南加州的新兴城市蒙特利公园市的历史便掀开了崭新的一页……

第四章　华裔女市长的荣辱命运

蒙市像一个刚刚被掀开面纱的少女，开始了青春四射、婀娜多姿的时代。市民们在欣喜中感觉着这种日新月异的变化，他们知道这功劳应该归功于“美眉市长”——李琬若。

1. 美眉市长改写南加州历史

1983 年 11 月 28 日，在美国历史上发生了一件值得记载的事——这在当代出版的合众国史书上已经做了准确的记录。这一天所发生的事，对如今生活在美国国土上的一千多万亚裔来说，更是值得大书特书。

根据美国地方法律，李琬若作为民选蒙特利公园市得票最高的市议员，她在这一天正式出任蒙市市长。

在美国，所有的官员上任时，都要举行一场就职仪式。泱泱大国美利坚几乎每天都有这样的就职仪式。可是，这一天的美国主要媒体则全都把镜头对准了新当选的蒙市市长——李琬若。李琬若着一身特别鲜艳的红色套装，配合恰到好处的妆容，站在市政大厅的议会议事台上，显得光彩夺目。当时那些从首都华盛顿等地赶来的记者目睹这位具有东方女性风采的蒙市市长后，无不惊叹道：“要是我在蒙市，也会投她一票的！”而李琬若自己也不否认：在美国参加选举，竞选者的个人形象的确是一部分选民的取舍标准。当年肯尼迪，还有后来的克林顿，他们得票很高的原因之一就是公众形象太迷人。李曜林家的三姐妹中，李琬若一直自愧是长得最差的“丑小鸭”。但成熟后的她，特别是参与美国主流社会后的她，已经完全从当年的“丑小鸭”脱胎换骨成了独具魅力的“东方美人”——我在看过她当时留下的照片和其他资料后，非常认真地对她说：“你一生最漂亮的时候是在当市长以后。”

她听了高兴地哈哈大笑，问我为什么这样说。

我诡秘地告诉她：“你当市长时的年龄看上去像没过 40 岁，而 40 岁的女人只有让一个 40 岁的男人去看，才能做出最准确的判断。我现在正是这个年龄，所以我用一个 40 岁男人的审视目光，对你当时的形象便能做出最具“权威”的判断。那时你真的很有风韵，是那种成熟女性的风韵，是充满了朝气并真正开始了属于自己生命的那种风韵。”

李琬若笑得更开心了。

真的，她一生太善于在大庭广众面前展示自己的魅力和风采了。她的个性和血脉里充满了张扬成分，她自己也承认这一点。“越是人多，越是公开场合，我的情绪和表现能力就越强，越能将自己全部的和突出的个性展现出来。”她十分客观地评价着自己。

李琬若入主蒙市的市长宣誓仪式，与其说是一次仪式，倒不如说是在美华人们的一次扬眉吐气的庄严示威——因为从 17 世纪初第一位中国人踏上南加州这块土地后的 200 多年以来，一代又一代华人渴望能在这块充满冒险和理想的新美洲大陆上，也能像欧洲盎格鲁－撒克逊后裔一样，使“美国梦”能得以实现。现在，他们不仅能在新美洲大陆的土地上安居乐业，并且终于有了自己的华裔市长，这难道不是最盛大的庆典？

本来市议会大厅只能装下几百人，当日参加和观看李琬若宣誓仪式的人超过这个数的几倍。那些原本对华人参政不抱希望的老居民和新移民们也挤进热闹的人群，要亲眼看一下他们昨天还在犹豫和怀疑的这个历史性事件。而那一天最突出的情况是，蒙市的一些白人老居民也纷纷全家出动，他们有的甚至比华人还高兴和激动，这是因为在他们看来选择李琬若这样一位既有东方文化背景，又比较深刻了解美国社会的人来担当华人越来越多的蒙市市长，乃是最佳的选择。

李琬若上台，与其说是一种人事上的更迭，倒不如说是东西方两个不同民族的共同愿望和对未来的美好憧憬。

“这真是不可思议的事。”专门从中国天津赶来参加此次典礼的李琬若的公公，那天与亲家李曜林先生坐在会场的最中间，他一边瞅着神采飞扬的儿媳妇，一边手捋着飘然的缕缕银须，感慨万千地频频点头，那乐陶陶的神情令一向不为情所动的老亲家李曜林也情不自禁地上台拥抱起爱女……

宣誓仪式的第二天，美国有了首位华裔女市长的消息传遍全球。中国大陆、香港和台湾都给予了报道，而美国的媒体是报道最多的，因为这在当局看来是一件“最能说明和体现美国精神的事件”，当时中美关系也处于正式建交不久的“蜜月”时期，由一名华裔女士当选美国市长，这足以回报邓小平先生访美留下的美好祝愿，白宫因此对李琬若当选蒙市市长给予了特别的关注。

蒙市全称为美利坚合众国加利福尼亚州蒙特利公园市，位于洛杉矶县腹地，是个四面山峦起伏的宁静谷地，原是印第安人的家园。18 世纪的一位西班牙传教士来此传教，建立了圣盖博教堂，山谷由此得名，被称为圣盖博山谷。那时的居民主要是墨西哥人和西班牙人。18 世纪末，美国西部开发热潮时，从东部涌来的大批拓荒白人开始在此定居，主要以养鸡为生。由于这儿资源非常丰富，又紧靠洛杉矶市，深得白人贵族的青睐，故于 1916 年正式立市，并取名为蒙特利公园市。美国人喜欢工作在都市，生活在充满大自然情趣的郊区，而蒙市恰巧具备了这些优势，它那闹中取静和靠近洛杉矶市的地理位置及山林叠翠、绿草如茵的自然环境，加上南加州独特的阳光与海岸，使这个小城一直被人看好。

20世纪60年代，美国政府为推动本国经济高速发展，出台了一项旨在鼓励外国人投资的“十万美元投资移民计划”。也就是说，你只要拿出十万美元以上存到美国银行，便可以获得一个美国居留身份。这项计划吸引了一大批台湾和香港华商到这儿定居。美国政府还在1965年通过修改移民法案，向中国的台湾和香港，每年配额入境美国的人数达两万人。这之后相当长的一段时间里，华人大举进入加州，他们首选的地方就是旧金山和洛杉矶，而到洛杉矶的华人们又有相当一批有钱人看中了白人中产阶级定居较多的蒙特利公园市。如此几个轮转，蒙市的居民数量突飞猛进。

李琬若在当市长之前全家已在蒙市住了十几年，她亲眼见证了蒙市人口急剧发展的全过程。随着后来洛杉矶经济的不断发展，市民生活水准的提高，许多原本在洛杉矶市区居住的居民也开始迁入自然条件优越的蒙市。在唐人街上生意有成的华人也随之涌入蒙市购屋买地，并以此抬高自己的身份。像华人在美国的最大组织“中华会馆”和“同源会”主席都先后在这儿落户，美国最大的中文报纸也先后搬入蒙市。于是这儿就有了“华人的比弗利山庄”之称（比弗利山庄是好莱坞的一个最高级的居住区）。

当年李琬若一家落脚蒙市纯粹是为了他们的孩子能在这儿接受良好的教育和全家人能融入美国主流社会。根本不曾想到这个城市将由李琬若来领导迈入新的历史进程。也许从踏上美国领土的第一天开始，或者说与陈宝和成婚的那一天起，李琬若心里最大的愿望就是让自己和孩子从此同土生土长的美国人一样成为美国的公民。

在李琬若的记忆中，还异常清楚地记得从西雅图回到加州后不久的一件事，那时他们为了选择一个住宅反反复复不知跑了多少个地方。当两人最终确定蒙市为他们安家立业之所的时候，李琬若好不激动，第一天就带着儿子和女儿拜访了白人邻居，听到白人邻居那句“从现在开始我们将生活在一起”的话时，她内心得到了极大的安慰。

“儿子、女儿，你们听着，从现在开始，你们要像邻居的孩子那样努力学习，而且要超过他们，因为我们不比他们差……”李琬若用这句话鼓励孩子，也在鼓励自己。

当儿子克光在学校网球比赛中得了冠军，女儿克瑜在学校举行的西班牙语比赛中获得第一名时，李琬若看着儿女走上领奖台，台下那么多白人居民和拉丁族裔家长向她热烈祝贺时，她心头充满了骄傲和被认同的喜悦。有一次她过生日，邻居的孩子们给她送来一张大贺卡，上面写着：“您是世界上最好的妈妈。”

李琬若有点不解其意地问那些孩子为什么这样评价她。孩子们认真地告诉她：“因为你不像我们见过的一些妈妈，她们整天打麻将，而你却常常参加学校家长会和公众活动……”

“谢谢，谢谢……”李琬若听后泪流满面。孩子们的话是最纯真的，李琬若从孩子们的这句话中真切感受到自己已被当地居民们认同，这一点对第一代新移民来说是何等的重要。

……

市长宣誓仪式结束，李琬若领着四位议员，来到市政大楼的二层市长办公室。

在那张宽大的市长办公桌前坐定后，当她庄严地转身面向星条国旗和州旗致敬时，李琬若的眼里忍不住淌出两行滚烫的泪水。此刻的她心潮起伏，思绪万千，数百年来，华人在美国的奋斗史如同电影般地在她眼前闪现……

“哐——！”一声槌棒落下。李琬若市长宣布：本届政府从现在开始正式工作……

在美国，一个城市的市长是这个城市的最高行政执行长官，但美国的市长可以做得很实，也可以交由全职市政经理控制，像李琬若承担的市长之职就是属于后者。

在她和议员下面有个专职的市政经理，这个人实权很大，掌握着警察局、消防局、公共设施等十几个政府部门的运作权。按照美国的行政管理条例，市政经理不经选举产生，而是由市议会聘任。市政经理的职责就像公司的总经理，他向议会负责，议会可以罢免他。蒙市市长李琬若手下的市政经理就是这么个人，虽说他在市长李琬若之下，但通常情况下完全可以绕过市长干他想干的事。这种局面的结果是，一个市政经理的好坏会给整个城市的建设和发展带来很大影响，甚至影响人民的生活水平。

李琬若来自草根社会，她在竞选市议员时已经从居民的口中得知了这个城市以前存在的问题和未来必须制定的几个市政方针。正直的个性和对全市选民负责的强烈使命感，使李琬若不想做一个仅为摆样子的市长，她要做一个真正能对蒙市建设发展有贡献的市长，这就决定了她必须在自己独到的政治见解和对市民深切了解的基础上，做出属于她自己判断的各项决策。

“我是市长。所以我就是这个城市的第一主人。既然是主人，我就必须按照市民的意志来办事。”在第一次市政会议上，李琬若要求议会成员重新审核关于关闭市区南部的一个垃圾场的提案。

“我知道这个议题对大家来说可能是感到很头痛的事，可我的个性决定了我喜欢把最难的问题放在优先位置解决。”李琬若把处理一个重磅炸弹放在她行使市长职权的第一个市议员会议上。

按照美国联邦宪法规定，市议会是政府的最高权力机构，凡是市政建设和立法提案都必须经过市议会决定。蒙市这一届的议会连李琬若在内五名议员，任何一项决策须经三票以上赞成方可通过，也就是说只要有三票反对，再强硬的人的提议也得不到通过。说李琬若提出的关闭垃圾场提议是个重磅炸弹，是因为它是个涉及多方利益的敏感问题。蒙市作为以环境优美著称的居住城市，环境问题历来被市民所看重，但蒙市有个由亚美尼亚籍人开设的垃圾场，十分抢眼地设在离市区居民很近的地方，居民们早就对这个臭气熏天的垃圾场愤愤不平了，多次要求政府关闭它。但垃圾场的老板对历届政府和议员的政治捐款出手很大方，即使李琬若这一届的议员中接受这个老板捐款的也大有人在，所以多年来市民要求关闭垃圾场的呼声虽然很大，但到头来总是不了了之。李琬若不想把这一直接影响蒙市建设和形象的老大难问题再从自己这一任市长手中溜过去。

“经理先生，下次会议，我们将重新审核关闭垃圾场的提案，请你帮助将相关材料在最短时间里提供给我。”李琬若吩咐市政经理。

市政经理当时一愣，当他反应过来后再看看这位意志很坚定的女市长时，脸上露出一丝不易觉察的阴笑。“好吧，我会把你需要的材料及时交给你的。”他说。

不几日，李琬若主持第二次议员会议。当她打开市政经理送来的相关材料时，暗暗吃了一惊。因为这些材料不但没有把市民强烈指责垃圾场的种种危害罗列出来，反倒把关闭垃圾场的“过激行动”造成的“危害”列了一大串，并且还有一份所谓的“折中方案”。什么都明白了，李琬若心想，为什么以往关闭垃圾场这个显而易见、大得民心的事办不成，原因只有一个，就是议员们全都被垃圾场老板买通了。

“市长，你的电话。”秘书恰在此时叫李琬若去接电话。

“尊敬的Lily市长，想必你已经收到我的请柬了吧，千万别介意，我只是想向你表达一下对你当选蒙市市长的一份敬意。我约请你出来谈谈对蒙市市立公园捐款的事，你一定给我个面子呀！”

无巧不成书，打来电话的正是那个垃圾场的老板。

李琬若完全明白了对方的意思，她强压心头之火，客气地回答道："很对不起，我现在正在主持会议。"说完便把电话挂了。

"我还是坚持原来的意见。为了蒙市的整体建设和形象，也为了给市民们一个满意的答复，现在我们投票表决：同意关闭垃圾场的请投下你们神圣的一票。"

结果大出李琬若意料。五名议员中只有她一个人投了赞成票，其余四人全都反对。

"看来他们都不敢惹怒这些地头蛇。"李琬若心里说。

第二天，蒙市报纸以《市长李琬若极力反对，但一人之力孤掌难鸣》为标题，报道了市议会讨论关闭垃圾场的会议结果。显然，在会议上失去多数支持的新市长在市民中再度赢得信誉，市民支持李琬若要求坚决关闭垃圾场的呼声一浪高过一浪。李琬若则向国家环保局和南加州空气质量管理局等专业部门做了多次反映，并协助有关部门重新对垃圾场进行了评估，结果是李琬若和市民成了最终胜利者。危害多时的蒙市垃圾场被正式关闭，取代它的是联邦环保署的新型垃圾治理机制。

"Lily 市长，你既然能对关闭垃圾场下那么大的决心，可见你身为市长对我们蒙市的环境保护之重视。但现在州政府在我们上空不停地进行飞机喷洒果蝇杀虫剂，这对我们市民身体健康和环境是有害的，如果你也能从蒙市的一个居住者角度考虑问题，而不是一个事事屈从州政府的市长，我想你应该坚决地站出来向州政府喷洒果蝇杀虫剂的行动说"不"！"这一天，李琬若的办公桌上放着一封市民来信。

这封信让李琬若感到沉甸甸的，因为市民要求她在管理这个城市时，在听从州政府命令和市民意愿之间做出一个选择。

关于这位市民代表提到的州政府用飞机喷洒果蝇杀虫剂，是因为洛杉矶地区发现了一种有危害的地中海果蝇，州农业部便下令在洛杉矶部分地区的上空用飞机喷洒类似 DDT 的杀虫剂，以防止果蝇蔓延。农业部声称喷洒这样的药水不会对人体造成危害，但却又要求居民在喷洒期间留在家中和用布盖住车子等物品，显然这是一个对环境保护和人体健康有一定危害的举措。与蒙市相邻的好莱坞比弗利山庄因为住了很多世界级名人，政府便没有在那儿实施喷洒药水的计划。洛杉矶很多城市的市民对此早有意见，但碍于这是州政府的决定，故只能敢怒而不敢言，现在蒙市的市民则把这一难题摆到了女市长李琬若面前。

“既然是市民们提出的意见，而且还不仅是我们蒙市对州政府的做法有看法，那我们就应该重视。这样吧，你先帮我跟相关的科学实验室联系，请专家调查了解清楚，这种喷洒对人体是否构成危害做出一份准确的实验报告，然后我们再做下一步行动。”李琬若吩咐秘书。

不多时，一份证实广大市民所反映的问题属实的科学实验报告送到了李琬若的办公桌上。

“喷洒果蝇杀虫剂可能构成对人体的危害，那么政府应另想其他解决办法。”李琬若认真阅读实验报告后，毫不犹豫地做出决定：向联邦政府提出建议立即停止这样的喷药。

“Lily，你得小心点儿，你也是州政府下属的一员市长啊，跟上面拧着劲可不是闹着玩的，你最好认真考虑考虑后果再说哟！”市长办公室的几位工作人员一听这位新上任的女市长竟然要向州政府开战，不由紧张起来。这样的事在他们经历的数任市长期间是从未有过的。

李琬若看着助手们不由笑了起来，说：“我这个市长，是包括你们在内的广大市民选出来的，大家为什么要选我？不就是希望我能为大家多做些有利于这个城市、有利于广大市民们的事吗？

联邦政府喷洒果蝇杀虫剂的做法，从科学角度是欠妥的，既然这样我们就应该向政府提出，建议他们不要这样做，我想这样做没有什么错，州政府会纠正他们的错误做法的。”

“也许……”助手们相互对视着，又朝他们的上司耸耸肩，友好地说：“但愿市长的运气还是那么好，就像你与布朗州长和白宫较量那样。”

李琬若一听就乐了，信心满满地对大家说：“我们一起等待吧。”

关于助手们提及的上面两件事，同样从中可以看出李琬若在参与政治活动中是个在原则问题上从不让步的女性。

第一件事是她与加州州长布朗先生的交锋，起因是一位在加州政府中任职最高的华裔女士杨曹文梅，突然被州长布朗借故革掉了州储贷局局长之职。这事在华裔占了很大势力的加州引起一片哗然，但不少人慑于州长的权力，敢怒不敢言。李琬若得知后，深感此事不能等闲视之，虽然州长布朗先生与她关系不一般，当年她出任洛杉矶县政府社会福利部“亚裔事务处”处长之职时，布朗也在洛杉矶县长等政要面前替李琬若美言过，而且布朗本人在加州乃至全美都很有威望。但杨曹文梅事件关系到华裔在州政府里的基本权利问题，所以李琬若毫不客气地给布朗州长打去电话，要求他尽快撤回处分，给杨曹文梅恢复原职。李琬若明确告诉布朗州长：“阁下的做法是对我们华裔的不公处置，如果得不到纠正，那么我作为华人区的一名代表人物，将会重新考虑是否继续支持你的问题。”老朋友之间把话说到这份上，使得布朗州长也感到了自己处理问题时可能有失公允，于是答应马上调查后重新做出决定。不几日，布朗州长收回了原来的处分决定，给杨曹文梅恢复了原职。杨曹文梅对李琬若在关键时刻挺身而出保护同胞利益极为敬佩，后来她在出任美国驻亚洲开发银行大使时，为使亚洲走出前两年金融危机的阴影发挥了重要作用。

第二件事是在李琬若竞选蒙市市长之前发生的。当时有七百多万人口的洛杉矶县政府的人权署署长空缺，由于这是一个重要职位，所以洛杉矶公开向全美招聘人选。而报考此职的超过二百人，经过核准，参加正式考试的有一百多人，李琬若名列考试成绩第三名。但美国有个法案，即“退伍军人优待条例”(Veterans Preference Rule)，根据这一条例精神，原本考试名列第六名的一位退伍军人因此加了 10 分而一跃排在了李琬若之前，她则屈居第四名。此后人事部门决定前四名中再进行最后一次考试，谁获得最高分，谁就是人权署署长的当选人。当时形势对李琬若应该说还是相当有利的，呼声很高，人权署主管人要的就是像她这种背景的人。但李琬若做出了一个令招聘人选部门大为惊讶的决定：她宣布退出此职的竞选，原因是“不满意退伍军人的优厚待遇”。李琬若说：那些为国家立过功流过血的退伍军人应该给予照顾，比如政府在提供大学进修、买房子和其他福利方面给予照顾，可是如果他们参加任何公职的考试或者升职等方面不管什么情况都另加 10 分，这种终身特权对广大妇女和那些没有服过兵役的人来说，是不公平的。为此，她决定放弃最后角逐署长一职，以抗议“退伍军人优待条例”的不公性。李琬若的做法，让组织此次录选工作的政府人事部门官员大为惊诧，媒体纷纷做了报道，大多数人支持李琬若坚持原则的举动。此时在白宫的卡特总统正在向国会提出修改“退伍军人优待条例”的提案，专门约请李琬若到白宫为此事进行咨询。在李琬若的积极呼吁和倡导下，国会虽未能通过修改“退伍军人优待条例”，但重新确认了其优待的时间和条件的某些限制，这正是李琬若所期望的。美国平等就业机会委员会和美国全国妇女协会都称李琬若此举为美国妇女运动史写下了重要一笔。

加州和洛杉矶的许多人都知道上述这两件事。可眼前的这件事情远不像李琬若和她的助手们想得那么简单。

李琬若以蒙市市长的名义向联邦农业部发出要求停止飞机喷洒果蝇杀虫剂的报告寄出后，如石沉大海，这时有人劝李琬若就此收场算了，这样既对市民有个交代，也让联邦政府有个台阶下。但李琬若不这样认为，她感觉联邦政府的有关部门无视公民和一级政府的意见极其错误，至少他们应该有个解释。为此她做出了一个大胆的行动，一方面继续向州政府和白宫联邦政府陈情；另一方面又组织蒙市政府律师团向法院提出起诉加州农业部。

这下可把事情闹大了。《洛杉矶时报》将蒙市的这一行动视为代表公民利益的地方政府向代表官僚部门的联邦政府的一次公开挑战。而东方面孔的女市长李琬若则被描写成反果蝇杀虫剂喷洒的英雄，当时洛杉矶市长布拉德利（Bradley）还特别在洛市议会上称赞李琬若的“勇敢”精神。其实李琬若自己本无意把事情闹得那么大，只是出于蒙市人民的切身利益——她特别强调这利益中也有她作为蒙市普通居民的一份，才十分希望联邦政府能体察民情而已。没想到洛杉矶媒体将消息传出后，美国各地政府和市民反响巨大，而且几乎全都站在李琬若这一边。

结果不用多说，李琬若又当了回胜利者。这是她执政以后干的第二件漂亮事。那些原来怀疑“美眉市长”能不能管好一个城市的居民，也开始对李琬若刮目相看了。

“先别忙赞扬她，你们看看，这是怎么回事？堂堂的一级美国政府，竟然在政府的公告中出现了中英文两种文字。她这不会是想把蒙市变成中国人的政府吧？”一天，老居民们聚集在一起大声嚷嚷。

“可不，蒙市成立以来还不曾有过这样的事！问问她到底想把蒙市引到什么地方去。”

市长办公室的电话骤然大作。

“我们需要市长对此做出答复……”又一个几乎同一内容的要求。

“请原谅，在政府公告的文本中用中英文两种语言是经市议会一致通过的。”市长办公室的秘书不得不出面挡驾，这才算平息市民们愤愤不平的电话。

其实市民们在不长的时间里，已经发现他们的城市开始出现了许多变化。

非常直接的是过去全市没有任何公共交通设施的状况得到了改善，几条四通八达的环城“巴士”服务线路出现在市民家门口。以前市民在休息和节假日，因为本市没有一个公共图书馆而不得不驾车到很远的大学或者洛杉矶市区去，现在不用了，家门前一座由华裔赞助的崭新图书馆拔地而起。

市区高地小学的礼堂建设，多年来一直是学生家长极为关心的事。学校曾为筹建礼堂集资，甚至还出现过发动全校师生卖土豆片筹资的窘况。而现在，一项由州政府拨款的现代化城市建设工程在女市长的主持下已经破土动工……

“真的变了，蒙市像一个刚被掀开面纱的少女，开始了青春四射婀娜多姿的时代！”市民们在欣喜中感觉着这种日新月异的变化。他们当然知道这功劳应该归“美眉市长”——李琬若。

显然，从执政后的一件件事例中，李琬若明白了一个不容置疑的事实：作为一名市长要想有所作为，要想对自己的选民履行在竞选时的承诺，那就得真干，干到点子上。

李琬若不是不知道她自己执政的政府公告文本中出现中文版可能引起的政治后果，但她还是坚持说服了其他几位议员：“蒙市有很多新移民，他们看不懂英文的市政通讯。我们应该让他们经常了解本届政府的许多政策，以及市政设施与意图，因此政府公告的文本用双语文体会大大方便新移民，这既有利于我们政府的工作，又有利于新移民，不仅仅是华人，而是从世界各地来的所有新移民以后都会赞成我们政府的这种做法的。”

华裔女市长非常关心的一件事，就是她不愿看到蒙市市民尤其是年轻人受到黄、毒的侵袭，为此她费尽心思，与开发商们展开一次次甚至是拍案对峙的激烈争执——

“我明白那些像鸟笼式的房子建起来后做什么用。所以只要我在位一天，你们就别想得到项目开发的政府许可批准文件！”李琬若寸步不让地告诫她的华裔同胞。最后谁都拿她没办法，那些意图想建专门从事色情活动场所的建筑商们只得举家迁出蒙市，因为有这样一个华人女市长在此，他们兴建按摩院的计划将永无落地之日。市民们发现，他们的女市长其实并没有私心，因为她关心的正是所有市民的孩子。

“市长，我们不同意把一个商业电台的发射塔架设在蒙市境内。虽然看起来它能给蒙市带来一些投资，可是据我们几位从事电子工程的专家论证，电台发射的电磁波对市民生活有干扰，对健康也不利，所以我们建议不要同意这项申请案。”

“对，我们也认为几位华裔专家的意见是正确的，在蒙市的城市建设过程中，应当把保持市民的生活质量放在首位，否则我们将失去原有的优势，也就谈不上开发更大的投资环境……”

——又是一次讨论热烈的市民听证会。当李琬若看到她的华裔同胞和白人兄弟们坐在一起和谐融洽地共商市政大事时，心头充满了喜悦，而这一切正是她所期望的。

自担任市长那天起，李琬若最担心的就是随着新移民的增多，族裔之间的冲突会成为蒙市最大的政治和社会问题。

“Lily，我有一个好建议：美国城市联盟协会和《今日美国》每年都要评选“全美模范城市”（All American City）。我们蒙市为什么不参加这样的竞争呢？也许真能通过这样的活动，把全市居民的向心力都放在全市的荣誉和发展上，那时就没有多少人去想着他的族裔还是我的族裔的问题了。”一位叫张毅威的好友又向李琬若提出一项建议。

是啊，要调和族裔之间的矛盾与冲突，没有比把大伙的注意力吸引到关心共同的良好愿望上来更有效了！李琬若觉得这是个非常好的主意，于是她把这项提议交给议员们讨论，获得了全体议员的支持和拥护。

就这样，李琬若在全市掀起了一个抓城市文明建设，以争取竞选全美模范城市为内容的全市性活动，各社区不同族裔的居民以此为荣，积极参与，全市上下形成了比学赶帮超的族裔大团结大促进的热潮。在李琬若和全市市民的共同努力下，当年蒙市在与其他州的几百个城市的竞争中脱颖而出，一举获得了本年度“全美模范城市”的崇高荣誉。当时《今日美国》等主要媒体都做了重要报道，消息传来，蒙市各族裔居民涌上街头，敲锣打鼓，载歌载舞，像过节一样庆祝他们齐心努力的结果。

那年，李琬若与另外几位市议员在一起的照片，被刊发在当年的《时代周刊》上。昔日默默无闻的蒙特利公园市从此成了全美媒体的关注焦点。李琬若因此也被誉为“改写南加州的华裔女市长”。

2. 当官不拿薪水

李琬若是个个性极强的女人，在我们初次接触时，她就直截了当地向我发起“攻击”。原因是在我的两部有些影响的长篇报告文学《落泪是金》和《中国高考报告》的书上，都配了我的“光辉形象”。

“你都是个有影响的作家了，可在公众场合嘴里总叼着烟，不太好。我在美国《纽约时报》上也见过介绍这两部作品的文章，我知道中国的大学生、中学生们非常喜欢你的这两部作品，但书的封面上却是你抽着烟的形象，很不协调。我最反对抽烟，对身体有太大伤害，更何况抽烟现在在世界上已不时髦，很多年轻人以抽烟为耻，你跟我在一起就不能抽烟了。”当她看到我在采访她的二十几天时间里，没有抽过一支烟时，又大惊大喜地赞扬我“了不起”。

“你这个人意志很坚强，能说到做到，我很敬佩。”她甚至用长辈的爱抚拥抱我说：“如果我现在仍是市长，我将给你授予荣誉市民称号，因为我在当议员和市长时就极力主张禁止赌博，可抽烟问题政府不能管，只能抽重税。”

我因此知道李琬若在参政不久就为蒙市做了一件具有奠基性的工作，那就是禁止在这个美丽的南加州城市里开设赌场的事。别以为这只是小事一桩，一个东方面孔的女市长，能在赌业兴盛的西方国家制止这样一种影响治安及社会环境的恶习，是很不容易的。

随着华裔的不断涌入，在素有“美丽花园”和“小台北”之称的蒙特利公园市开设赌场成了许多大商家们梦想的一件大事，时时挂在心头和嘴边，他们努力想实现这个美梦。

“蒙市离好莱坞近，交通四通八达。正是天时地利人和开办赌场的好地方，是一本万利的事！要办咱们就办它个可以同拉斯维加斯媲美的大赌场！”一日，几位来自台湾和香港的商人正热火朝天地一边搓着麻将一边兴致勃勃地算计着一桩大买卖。

“哎哎，你慢些说，这蒙市天时地利我听着确实是好，可‘人和’在哪？听说那儿现在还是墨西哥人比我们华人多哪！”一位初来乍到的华裔商人问道。

“人多有什么用？得掌权。关键是蒙市有我们华人在当市长……”

“市长？我们的市长？！华人在美国当上市长啦？哈哈，这就行了。有咱们的市长撑腰，建赌场就有戏！”

“我的老天爷，中国人真够牛的呀，一个女人家跑到美国这儿当市长来了！不简单不简单！”

这群兴高采烈自认为碰上好运气的华商们正准备筹措巨资开赌场时，有人带着一腔晦气回来了。“吹了，什么自己人？连一点华人的忙都不帮，还把我们教训了一顿……”

“没错，而且她还说只要她在那执政，这蒙市就别想建一个赌场、开一个色情场所！”

方才还兴高采烈的几位华商一下子泄了气。有人无比遗憾，也有人无比憎恨，而更多的人则对他们选出的市长发自内心的感激。

自李琬若禁止开设赌场后（后任华裔市长姜国梁也付出了极大努力），身处赌业之中央的蒙特利公园市至今仍没有一个公开的赌场。十几年过去了，无论是生活在这里已经几代人的老居民，还是只有几年生活经历的新移民们，提起市区中央的那块巨大的赌场用地改为了绿地花园时，市民们说得更多的仍是怀念他们的“老市长”——Lily Lee Chen（李琬若的英文名字）当年的英明领导。这是后话。

下面的事，说起来我们国内好多中国人都不会相信——

在美国，实际上很多当官的是不拿薪水的，而且谁都知道要想赚大钱绝对不要去当什么官。

美国的官职有几种，像总统、州长、国会议员、县长、市长之类的官员，都是由民众选举产生的，这类官有全职官，即每天必须把全部的时间放在本职工作上，一般来说州长以上的官都是需要做全职的，联邦政府因此规定州长以上的官员拿薪水。总统和国会议员都是属于全职民选官员，总统的年薪在20万美元以上，国会议员和州长都在10万美元左右。在美国社会，20万美金的年薪其实还是很穷的。总统、国会议员这样的大人物，社交活动又多，生活又属上层水平，个人和家庭财政赤字是常有的事。

李琬若介绍说，能当总统和国会议员者大多数家庭和祖上都有积蓄，他们根本不缺钱，但也有不少是穷人或者平民出身的，像卡特、克林顿都是属于家庭缺钱的一类。卡特不当总统后，生活靠的就是自己写点回忆录和别人请他当什么顾问。但有一点却是事实，像李琬若这样的一个地区级市长和议员，当官确实不仅发不了财，反而还要赔大钱。为什么像李琬若这样一个美国加州蒙市市长，竟然不拿钱，还要自家赔本？

同样是根据美国联邦政府的法律规定，州以下的民选官员均系荣誉官员，也就是不拿薪水的官员。李琬若在当市长和市议员的几年间，只有每月 300 元的交通补贴。

“两三百元钱一个月的交通费怎么可能够用呀？而且我当市长少不了应酬，来个客人，会见一个什么要人，都得自己花钱。我是草根出身的人，丈夫和我都不做生意，工资基本上是固定的。在美国，市长和很多社会职务都是不拿钱只服务大众的荣誉性质的官位，但这种荣誉职务在美国特别有地位，你如果曾经是民选官员，那么在你的名字前面一辈子都有‘荣誉什么什么’(Honorable) 的头衔。人家一看就知道你的身份，就知道你是老百姓选出来的官员，虽然这可能只是一种象征意义，但却广受社会尊重。有权而不拿钱这可能也体现了美国政体的独特性和官员比较清廉的重要原因。不拿钱当官，对我这样出身和背景的人来说，也有许多让自己极其无可奈何的时候。”

李琬若说到这里自己先笑起来了。她给我讲起一次她当克林顿政府的商务部工业委员会顾问时，到华盛顿开会时的窘境。按照联邦政府的规定，民选官员在出席政府会议时，是可以报销出差费的。李琬若市长那次开完商务部会议后，她依旧习惯地掏出一堆差旅票据，请商务部的工作人员给她报销一下。那金发女郎半天没有反应过来，最后才恍然大悟地说："对不起，Lily，我们……部里的顾问都是旅差费自理的。要不我请示一下部长先生？"

这回可轮到李琬若愣在那儿了，她满脸通红。后来她也明白过来了，在美国，能被商务部任命为顾问级的官员，不是大亨也是某某财团的总经理董事长什么的，他们来商务部开会别说不可能让政府报销，就是来开会也不可能光杆司令一个人来的，常常是私人助理就有好几个，住的地方也通常要包大饭店的套房。李琬若一想，在美国商务部的历史里，像她这样草根出身的顾问不还是头一个嘛。这回反轮到她不好意思起来了。

与美国人在一起最好不要讲钱的事，不过与李琬若就不一样了，那天我们谈钱时，她的老伴陈宝和也在。我知道，在这位女市长家里，丈夫是"经济支柱"。

李琬若一直是政府的公务员，即使她在当市长的几年里，其经济来源也是靠她在社会福利部的那份薪水。但当议员和市长就同一般的公务员不一样了，客来客往经常有，虽然市长也有一定的公务招待费。在美国你想多报销点私账，那你就最好别想当官。当官者你就别想多占一分钱，这是美国的法律。

说到此处，驰骋于美国政坛几十年的李琬若的脸上有几多无奈。"所以说，在美国你想从政谈何容易。即使你有远大政治抱负，但如果没有经济实力也一步都迈不出去；我是草根阶层出身的华人，我从政没有任何的社会背景，也没有任何一方政治集团势力在经济上支持我，靠的完全是自己和自己的家庭，我对此感到特别的自豪。"经历几十年政坛风雨后，李琬若心平如镜。

因为市长是荣誉职位，所以社会福利部的工作不能放弃，这是她维系生活的主要经济来源。旁人无法知道，管理一个现代化城市，每天有多少事情需要市长决定，有多少开工奠基活动和仪式需要你出席，有多少当年投你票的市民家的孩子洗礼、儿女婚庆、老人治病之类的事需要你去参与。没过多久，李琬若不得不在社会福利部办理停薪留职，就是说彻底地当不拿钱的市长了。

有人说李琬若当市长其实够傻，但李琬若算的是另外的账，那就是一个人的社会价值和她作为一名华裔市长的价值。其次用我们中国人的话说就是百分之百地“为人民服务”。

“我是学社会工作专业出身的，社会工作专业的本质和最终奋斗目标是什么？就是协调社会中的那些不平衡的事，就是用我的热情、热忱和爱心去关怀那些需要解决困难的人们。为什么在西方世界里，有人情愿放弃巨额家财或年收入几亿元的好事，而去竞选一个只拿十几万元二十几万元的专职议员、州长等民选官员呢？例如前洛杉矶市市长就只接受每年一元的象征性薪水。你问他为什么这样做？因为可以贯彻自己的政治抱负，而不能用金钱来衡量全社会都向你欢呼与微笑的巨大荣耀呀！华人讲究光宗耀祖，西方社会则更愿意光耀自己这一辈子。你们只要注意一下就会发现，几乎所有总统在任职期间个人经济状况都是赤字。可为什么还吸引了那么多人竞争总统职位呢？这就是荣耀，终身的荣耀和世代的荣耀。当总统是这样，下面当州长、市长的也是同样一个道理。我在竞选市长时，社会福利部的副部长之职也马上可以成为我的，如果论收入，我当市长不仅一分钱不拿，每年至少还要从家庭收入中贴进几万元。而社会福利部副部长的年薪接近专职州长的年薪。如果论薪水的话，做了几年市长、议员要比过去少得多……但我无悔。因为做一个社会福利部主管的工作，绝对无法与一市之长的作用相比，它绝非用金钱所能衡量。而我是一个中国华裔背景的移民，现在我当上了市长，一个决策，甚至一句话，都将给百姓带来利益，用数字是计算不出来的！这不是很值得吗？”李琬若以政治家的伟大胸怀和远见卓识，回答了我们的疑虑。

这是她先生陈宝和给我讲述的——

为了方便华人新移民办理入籍手续，她专门在蒙市社区内自己出薪雇了个职员，设立新移民服务站。该服务站一设就是几年，为众多新移民解决了入籍问题。

一些祖国大陆留学生到加州一时找不到打工机会，生活陷入困境，他们找到市长李琬若哭诉着，希望“市长阿姨”能帮忙。“市长阿姨”只好慷慨解囊。她每年固定资助几位品学兼优的留学生。

那些从台湾随儿女落户蒙市的老人，由于生活和习惯上无法适应“美国化”而被儿女抛弃后，他们找到“市长阿妹”苦苦相求。“市长阿妹”便含泪将老人安排好吃住，然后再帮助他们拿起法律武器重新获得尊重和权利。

越、韩、柬三国是一个新移民源，为使这些后来者能被美国社会所接受并不被欺负，她无数次利用自己的家，在自己家的饭桌上帮助他们筹划建立组织与团体……

我笑问李琬若这样的事能有多少？她笑答这样的事在她任市长时只能算区区小事，不足挂齿。

难怪在今天美国大学的权威教科书上写到当代美国历史发展的时候，都举过位于南加州的蒙特利公园市的发展模式，而在介绍这个城市的发展时，总是会提到一位华裔女市长的杰出管理。“也许没有她的卓越领导和倾心倾力的工作，这个城市可能就不会有现在这样的面貌……”《今日美国》《世界日报》等不止一次说过这样的评语。

3. 让华人低头——没门

稍稍读过一些美国历史或者到过华盛顿的人都知道林肯这个名字。他是美国历史上的第 16 任总统。这位身材伟岸的肯塔基人，因为家庭贫困读过不多的书，他做过苦役、做过短工、做过船夫、当过律师，但因为他天才的讲演能力和心地淳厚善良，加之性格沉稳刚强，使他成为美国历史上唯一一位可以同开国元勋华盛顿相比的人物。在美国白宫前面的自由广场左右，一面是代表美国权力的国会大厦，一面就是林肯纪念馆。显而易见，林肯在美国人心目中的地位非同一般。其实林肯代表的是美国的一种精神，一种勇于进取和大胆革新奋进的牺牲精神。我们都知道林肯一生中最著名的就是他解放了黑奴，战胜了南方反对势力企图分裂美利坚合众国的阴谋，领导北方军队进行了伟大的南北战争并获得了胜利。但是就在他即将看到南北战争胜利曙光的时刻，刚刚进行完第二次连任总统的就职宣誓后，一颗罪恶的子弹击中了他的身体，并残酷地夺去了这位伟大人物的生命。

然而，在林肯生前，人们并不像现在对他有着崇高的赞誉和敬仰，他甚至一直被人误解和作为攻击的对象。只有在他死后，美国人才觉得这个人其实是最了不起的民族英雄。

李琬若自然无法与林肯这样的人物相比。但有一点已经被美国历史学家和南加州的人民所认同，那就是蒙特利公园市能有今天如此的发展，能有华裔与当地居民、拉丁裔及少数族裔之间如此团结和谐地生活在一起，并共同拥有了一个差不多由东方人支撑着的美国新兴的现代化城市，李琬若可以说具有奠基作用。

1998 年，由亚裔人士组织起来的联盟给她颁发了一个“天使功勋奖”。给她颁奖的是当年曾经受过李琬若启蒙而走上美国社会主流阶层的一位杰出的华裔领袖。在那次隆重的颁奖仪式上，主持人对李琬若有过这样一段赞语：也许没有你当年无畏英勇的行为和辛勤不懈的努力，坚定地捍卫华人利益，我们今天蒙特利公园市和整个南加州的历史也许会迟来五年、十年……而在这飞速发展的世界里，五年、十年是个什么概念？那可能是一个世纪、一个时代和一个革命的过程。

李琬若告诉我，这是她一生获得的诸多荣誉中最让她激动和自豪的一次。因为这是包括华裔同胞在内的广大亚裔同胞给予她的，而这样的荣誉使她忍不住联想起十几年前在当市长时的那段难忘的斗争经历——

“从在星条旗下宣誓的那天起，我就从心灵深处期望并始终努力地要让自己成为一个最杰出的美国公民，一个与所有白人和其他肤色一样甚至更加优秀的美国公民。我因此不断学习，不断拼搏，不断融入。虽然后来我当选市议员和市长时，华裔同胞的力量占了很重要的因素，但如果没有白人和其他族裔的支持，也不会获得成功。当我走上市长的岗位重新审视一个城市的建设和发展时，我更加明白了市长的角色应该如何定位，那是一个与肤色无关，与血缘无关，而只与城市和所有城市居民们的最高利益相关的角色。但事实上我错了，或者说至少想得不远、不够全面和深刻，因为无论我如何努力和争取，那些从来就把我们华裔还有其他少数族裔看成另类的人，仍然无端地排斥我们……”李琬若透着那种只有真正委屈的人才有的那股强烈的怨情，痛苦地向我诉说。

我面前的这位从不低头的女中豪杰，在给我讲述那段市长生涯时眼里噙满泪水，她说那是受屈含辱的泪、是愤懑的泪。

说出来是不是对那些始终蔑视我们华人的美国人士的一种讨伐？是一种不友好？但当我们重新背诵美国的“国父”——华盛顿总统在就职典礼上说的话时，我们仍然坚持认为这样做的目的没有丝毫的恶意和不友好，因为我们知道什么是真正的“美国精神”和美利坚的立国之本。华盛顿先生在二百多年前的第一次总统就职仪式上说了这样一段语重心长的话：

……既然你们因出生或归化而成为同一国家的公民，这个国家就有权集中你们的感情。美国这个名称来自你们的国民身份，它是属于你们的，这个名号，一定会经常提高你们爱国的光荣感，远胜任何地方的名称。在你们之间，除了极细微的差别外，有相同的宗教、礼仪、习俗与政治原则。你们曾为同一目标而奋斗，并且共同获得胜利。你们所得到的独立和自由、权利和义务将是统一的，应当亲如一家，并且本来就永远属于同一国家的同一个家园的成员……

但华盛顿的继承者后来渐渐将美利坚的这段立国之本的话忘却了，他们对华人移民所采取的态度令人失望。

在李琬若执政蒙市后的那些日子里，有人不止一次在当面和背后声嘶力竭地叫喊着，要将华裔赶出美国家园。

有一天，李琬若刚从一个社区参加完活动返回市政府驻地，途经蒙市大西洋大道的一家加油站时，看到一条贴在橱窗上的醒目标语引起了不少行人的围观。当有人见市长从车上下来时，便不由窃窃私语起来。李琬若感到有些奇怪，便上前认真一看，那标语是这样写的：Will the last American leaving Monterey Park please bring the flag! 这句话译成中文是：最后一个离开蒙市的美国人记得把美国国旗带走。

天哪，怎么会出现这种事！当她读完这条英文标语时，心头顿升怒火：有人已经直截了当地用这种近似愤怒的话语在对日益增多的华人进行公开挑战，他们因自己在竞争中失去的家园与生意，开始迁怒于新一代移民到此的华人，这话是在挑拨那些老居民们对华裔新移民的不满，并用带着警示的语气告诉美国人：是华人在侵占他们的国土……而这土地和城市本来是他们美国人的，凭什么现在被华人占据了!

“这是诽谤!是诬陷!我们华人到这儿,都是守纪的公民,都是为这个城市的繁荣和发展在尽力,难道不是吗?看看几年前的蒙市是个什么样?而今天又是怎样的一个现代化南加州新城!”李琬若站在那个玻璃橱窗前有数分钟,她的胸膛起伏,思绪滚滚。

不要太小看了这样一幅标语,因为这是发生在20世纪80年代的事。这正是美国早已自已标榜是世界文明之国和唱了一百多年的“民族大熔炉”时代,期望全人类都向它看齐的时代。竟然有人想重新举起一百多年前那些骨子里仇视华人的排华反动势力的臭名昭著的“华人当道,我们就走”的所谓“正义感”“爱国心”的旗帜,想在全美都在注目的由一名华裔女市长执政的南加州掀起新一轮的排斥新移民的暗流。

这样明目张胆且有悖于美国精神的行为偏偏发生在一个华人当市长的加州地区,太容易引起人们联想一百多年前,同样发生在旧金山的那个罪恶之夜——

1876年4月4日,这个日子对美国人来说没人能记住,美国人只记得7年前的5月10日这天,因为这天对美国人是有意义的。这天,一心扩张的美国人梦想的那条连接大西洋和太平洋的第一条横亘美国东西的大铁路正式开通。当身着礼服、头戴绅士帽的加州州长里兰·斯坦福先生兴高采烈举起锤子向那枚闪闪发光的18K黄金铸成的比普通道钉大出两倍的金道钉砸去时,那清脆的响声通过连接道钉的电报信号器直传首都华盛顿,传到旧金山和国会大厦。那一天,首都华盛顿全城市民倾城出动,人们云集在国会大厦前,目不转睛地看着国会大厦顶端……下午2点40分,一个巨型磁铁球从国会大厦的圆顶滚滚落下,顿时全城欢声雷动。此刻,全体合众国公民都知道,象征美国经济启航的东西大铁道已经开通。这一刻,对打了数年战争、经历100年厮杀后终于赢得安宁的美国人来说实在太珍贵了。当在国会大厦顶端的那个大铁球隆隆滚下时，费城的自由之钟和全美各地的教堂钟声齐鸣，而如此举国欢腾的场面，在美国历史上只有三次——第一次是美国宣布独立；第二次是南北战争结束；第三次也是最后的一次，是此次跨越美国东西、连接两大洋的大动脉开通启用。

所有的美国人当然知道这一日子。但不是所有的美国人都知道，他们之所以有这条后来直接影响美国经济大发展，甚至发展到世界霸主地位的大铁路的主要功臣，是我们中国人！

中国人正是因为这条铁路的兴建，才开始了与美国打起交道，开始远涉重洋移民到了太平洋彼岸。

有史料记载，在修建这条铁路之前，中国人在美国的总人数不足几百人，而自 1840 年后美国西部发现了金矿，由于当时战争和扩张造成国内的劳力紧缺，美国人开始用各种手段向东方古国索征劳工，而爱做美梦的大批华人便开始铤而走险，经过几十天甚至几个月的海路，即使中途身葬鱼腹，仍前仆后继地来到美利坚。他们中间大多数连斗大的汉字都不认识，更不用说会写一个英文字了。抵达异国后，他们过的是旧式东方式生活，不敢轻易独自外出，相聚时间久了就慢慢有了自己的地盘，那地盘就是后来的唐人街；街多了后，又有了城市，那个城市就是现在的旧金山——中国人在美国国土上为自己居住的地方起了一个中国式的城名，并一直沿用至今。

几乎与众多中国人共同到达旧金山的一位在纽约当小律师的美国白人也来到了加州，他就是后来成为大名鼎鼎的美国“铁路大王”和著名学府斯坦福大学的创始人，并当了好多年加州州长的里兰·斯坦福先生。年轻时的斯坦福先生刚到加州时，纯粹是为了养家糊口，但只能做些小生意的他却对政治极感兴趣。而 19 世纪 50 年代美国的共和党正式产生，并选举出了第一位共和党籍的总统林肯先生。斯坦福很有人缘，因此他乘着南北战争时期缺乏人才的机会，被选举荣任了加州州长。

当时的加州是美国从墨西哥人手中抢来的一个新州，但随着金矿的发现，这里的经济地位日趋重要，人口不断增长，南北之间的铁路交通被提到了议事日程。斯坦福显示了他的雄才大略，林肯总统高瞻远瞩地支持了斯坦福的建议，并让国会通过了一项《太平洋铁路法》。此时的美国经济极其落后，加上南北线路漫长，地理条件十分恶劣，有人形容修建南北铁路好比又一场南北战争。开工两年，仅修了不足 50 千米。白人们纷纷逃离了那艰苦荒蛮的建设战场。斯坦福急得团团转，最后决定起用那些从海外漂洋过海的华人，第一次他征召了 5000 人。结果他发现这些中国人不但肯吃苦，而且手艺精，什么难题到中国人手里都能被啃下来。斯坦福高兴坏了，他把这一消息告诉了林肯总统，请求允许他大规模地招募华工为他做苦力——“苦力”这两个字从此在美国的字典里开始诞生。一时间，从海上上岸的华人成为美国资本家们的香饽饽了。19 世纪 70 年代末，平均每年被召集来的中国人在 5000 人以上，而到 1881 年高达 1.18 万人，1882 年增至 3.95 万人。

华人吃苦耐劳的精神虽然超过任何当地白人，但其待遇却连黑奴都不如。那时美国本土上已经不允许贩卖黑奴了，而对华工却可以随便买卖。更残酷的是在修建铁路中，老板们总是把那些最艰苦的地段留给华工干。有一年冬季来临，大雪封山长达 5 个月，而被困在山里的 3000 多名华工无人援助，在后来发生的大雪崩中 3000 多名华工无一逃脱死亡的命运。几个月后，当冰雪融化时，人们才发现漫山遍野的尸体，他们有的仍握着铁镐，几乎全都是穿着单衣、赤着双脚，那惨景白人们看了后纷纷逃离，而华工们的尸体只得由新上来的另一批华工们动手掩埋……美国的铁路就是在成千上万的华工们前仆后继的艰苦劳作中筑成通车的。

白人们享受着南北大通道给他们带来更多黄金、牛奶和美女时，那些为美国做出卓越贡献和靠双手勤俭持家的华工们却又成了他们的眼中钉。没有什么理由，简单地说就是这些能干又能吃苦的中国人的存在，会抢他们美国人的饭碗，会给他们“优秀种族”带来生存空间的威胁。总之，中国人是外人，即使有契约，有“绿卡”，但他们是“中国人”，而且是一群“危险的外国人”，一群“可以使美利坚变成东方式皇权封建国家的外国人”。不把他们赶走，美国人就别想睡安稳觉！

首都华盛顿的国会里有人已经开始在这样叫嚣。加州的资本家们更是变本加厉地鼓动加州立法议员们制定新的排华法律提案。而那些自认为利益受到侵犯的白人们则已经急不可耐地准备动手了——

首先是一个矿区的一群白人将88名华工残暴地杀死，然后从名单上划掉。而后又有人在加州议会通过了一项征收华工几百万元的特别税——根据美国联邦宪法规定，这样的行为是完全违法的，而后来美国国会也宣布了这种违法行为和州议会所制定的所谓“华工特别税”的无效。可是一百多年了，加州政府从来没有因此向中国的这些华工做过任何赔偿性退款。如果现在有人想打这样的官司，所索赔的钱可以用来为当年牺牲的数以万计的华工们修一座三层楼高的纯金塔。可是我们至今没有人去做这件事，而一向“知错改错”的美国政府在这个问题上反应也特别迟钝。但他们的另一种表现则特别的敏捷，那就是一见华人在美国“趾高气扬”，便迎头痛击。

与李琬若一样，现今住在加州的中国血统的华裔都知道后来发生的一件震惊世界的事件，那就是1876年4月4日晚，一帮反华分子开始了罪恶的行动，他们所要发泄的对象是旧金山华人的心脏唐人街。从白人那儿传来的消息得知，他们企图“一举扫平唐人街”，而且在旧金山外围看得见成千上万的持有各种轻武器的白人和骑兵队已经驻扎在各个山头与白人居民家中。在这严峻的时刻，华人会馆的头领们紧急约见旧金山市市长布朗安特先生，要求给予保护。然而华人们心里清楚，要求一个代表美国人利益的市长支持和保护几乎是天方夜谭。

活路只有一条：自己武装起来。当时的唐人街所有的华人们被告知，不要出门，紧闭房门庭院，有人进犯，坚决回击。

与此同时，源源不断的枪支弹药也开始向唐人街运送。一时间，整个旧金山唐人街如同一座壁垒森严的钢铁长城。反华匪帮们攻城的目的没有得逞，便在唐人街周围开始了大规模的暴力行为，见华人的房子就烧，见华人就打杀，那一夜，旧金山的城内枪声、哭声、逃命声和暴徒们得意忘形的狂笑声席卷全城。唯独唐人街在一片寂静和黑暗中闪亮着一双双愤怒的目光……

这一次，排华势力没有全部得逞，他们又在一年多后的一天重新纠集上万人的战斗队伍，再度攻打唐人街。当三路暴徒进犯唐人街时，却受到了早已准备好的华人们坚决的抵抗。暴徒们再次血腥洗劫了唐人街外的华裔居民区和华裔商场，并使无数无辜者惨遭杀害。相反，在唐人街内的华裔们则没有遭到丝毫的劫难。

读完这段历史，我才明白了为什么在每一个海外城市里，只要有华人居住的地方，几乎都有一个唐人街。原来在外漂泊的华人为了自保，把唐人街当作抵御所在国反华势力袭击和最后生存的一个据点。唐人街因此成为海外华人的骄傲，同时也是海外华人辛酸与血泪的象征。当然并不是所有的唐人街都能像旧金山的唐人街那样能比较有效地成为华人最后的堡垒。

另外，旧金山唐人街华人的有效抵抗，并不能阻止或改变当时美国人对在美华人的排挤。1882 年 5 月 6 日，被反华势力占据的美国众、参两院通过了美国历史上第一个“排华法案”，这个法案被列入《美国法典》第22卷第58页。该法案被通过的所谓“理由”是：华人对美国国度不感兴趣，他们的黄肤色无法与美国人融合；大部分华人是苦力，被华人自己的会馆和黑势力所控制；华人是低劣的民族，而高加索人种是高等种族，双方不应该被混在一起。美国宪法的起草者和美国的创建者，从来没有打算把归化扩展到有色人种。即使林肯总统解放了黑奴，给予了黑人以美国公民权和国籍，但华人没有与黑人同样的权利。

第一个排华法使华人在美国的命运一落千丈，而这种不公的命运一直维持了整整60年！

李琬若有着太多的深切体会，别人当蒙市市长，不可能会有她那么多想不到的麻烦，而她则时时处处提醒自己在考虑问题和决策时不要太考虑华人的利益，要考虑到整个全市公民的利益，她也这样努力做着，因为她自己早已把自己当作美国公民了，早已把自己的命运与美国的国家命运连在一起了。谁说她不是美国公民，谁说她对美国不尽职，她就会急，那是她多少年来都这样要求自己并尽心尽力地做着的事。现在她是市长，不能不维护族裔的和谐。她不能抹杀华人的利益，而蒙市或者整个加州不也都是因为华裔的迅猛发展与崛起，才有了今天嘛！

李琬若想到此处，忍不住挥笔疾书起来：

艾尔金先生：

现在我以蒙特利公园市市长的名义，通知你——必须在最短的时间内将写在本市南大西洋道2099号你的富田加油站橱窗上的那条“最后一个离开蒙市的美国人记得把美国国旗带走”的招牌立即拿掉！因为我和我的市议员及其政府的同仁们一致认为，这样内容的标语是不符合我们合众国一向引以为自豪的美国精神的，所以也是令人厌恶的。你也肯定知道和懂得，我们美国是由不同族裔、不同宗教、不同文化的人士所组成，在蒙市也是如此，我与我的同仁都以此为荣，而且我们都是美国人，许多人虽未成为公民，但是他们都在学习成为美国公民。此一标语不仅违反美国精神，而且有碍大家团结。因此我认为你必须以最快的时间将其拿掉，并保证不再出现类似的行为。

蒙特利公园市市长　陈李琬若

这封信是李琬若连夜写出并当即送至邮局的，当然也是用标准的英文书写的。

在把信寄给挑起此事端的艾尔金后，李琬若又将原稿让办公室秘书重抄四份转送给了每一位市议员。不用说，市长的信引起了全体议员的一致赞同，因为这一届的议员中除了李琬若外，还有三人也是少数族裔，而另一位白人同样站在李琬若一边。

发出信后没有多久，李琬若又再次驾车到了那个加油站。这一回她的愤怒的脸上露出了一丝不易觉察的微笑——那个令人讨厌的招牌没了。

“Lily 市长，我儿子听说你责令艾尔金摘掉那块标语后，像所有华裔同胞一样振奋，他现在在加州大学洛杉矶分校学习，很想见见你呀！”没几日，李琬若市长的正义之举在华裔中传开了，一日，亚裔法官富山打电话到李琬若家，表达了上述的意愿。

李琬若一向热心帮助年轻人，当市长后还是依旧，便对造访者说欢迎。富山的儿子也是个热心青年，当他见了李琬若后自然马上谈起加油站的那件事，心直口快的李琬若一口气儿把事件的来龙去脉说了一通，并以市长的口气陈述道：我们无论是谁，都在努力地推动多元族裔之间和睦相处，今天的美国虽然已经成为全世界最强大的国家了，却仍然有人企图制造种族麻烦，这是绝对不允许的事。

富山的儿子是日本族裔，他们的民族与华人在美国的境遇相似，因此那种伸张正义之心油然而生。回到学校，他就在校刊上报道了采访李琬若市长的内容。这下事情就闹大了。加油站老板艾尔金不知怎么的也看到了这篇报道，于是一纸诉状将李琬若以"诽谤罪"告上了法庭，并同时提出三笔总额为200多万美元的"赔偿金"。

老艾尔金的告状如同干柴上点燃的一把火，立即有一批本来就对新移民们存有歹心的老居民纷纷响应，他们发表文章声援支持。

同样，在华裔和对民权事务关心的亚裔方面得知此事后，也纷纷出人出力支持和声援市长李琬若，著名华裔律师郭志明等出面免费要为"我们的李市长"打赢官司。

一时间，在洛杉矶的加州最高法院门前形成了两大阵营：一方是以艾尔金为代表的反华分子的原告方；另一方是支持李琬若的亚裔民众。而由于加州是亚裔同白人居民不相上下的地区，又是李琬若这位华裔女市长在跟一位美国公民打官司，所以这场官司从一开始便热闹起来。亚裔人自然非常愤怒个别企图排挤少数族裔的反对势力，而那些早已对华人在内的少数族裔怀有仇视之心的人则认为这是一个极好机会，因为他们本来就对一个华人当他们的市长心头有诸多说不出的痛楚，现在机会来了，打倒女华裔市长，就可以达到一举两得的目的。

"无论如何，我们一定要给政府和法院施压，否则那些视我们新移民为敌的人就会在蒙市、整个加州甚至全美再次掀起暗潮的。我们所有亚裔都应行动起来。保证老艾尔金之流彻底失败！"那些日子里，李琬若的办公室和家里的电话铃声不断，每天都有许多亚裔甚至不少当地白人市民打电话来支持站在正义的一面。

在激烈的斗争面前，李琬若一方面特别感谢那么多市民对自己的声援，同时她又在深思一个问题，虽然她原本无意同老艾尔金打官司，但事已至此，官司来了就别想躲开。可眼下这个阵势，不能火上浇油了，要不然可能恰恰中了某些不怀好意人的计，造成对加州的负面影响，那样对华人、对所有少数族裔、对美国国家利益和当地人民的利益，都是极为不利的。何况，她现在是一市之长，更加重要的是，她是一名华裔背景的市长，几乎所有的人都在盯着她，如果不采取高明的战术，就可能正中了那些对“最后一个离开蒙市的美国人记得把美国国旗带走”标语抱有积极支持态度的人的圈套，把局部的问题引至全局或者整个加州甚至全美，那样情况会更不利。好吧，既为一市之长，就不能光图自己的一时威风和痛快，应该站在更高的视野去看待问题。

“就这么定了：黑锅我一个人背着。”当李琬若下定决心时，正逢一缕晚霞照进她的办公室，映在了她身后的美国国旗上，那条条之间的颗颗星星，仿佛突然在她眼前跳动起来，李琬若看着看着，不由神思飞翔起来：她感到自己就是那旗帜上的星星，那闪烁在星星上面的光泽正是她作为一个美国市长和美国公民的那一份赤诚。而她又感到那一根根线仿佛又像坐标，这坐标是她从心灵深处和血脉里映射出来的希望：你是一位优秀的美国市长，一位杰出的美国公民，同时还是一位对祖国有无限感情的华夏子孙。李琬若站在星条旗下，久久没有离去，她似乎一下从这根根线和颗颗星间找到了无限的勇气和力量，这力量足够她去打赢这场声势浩大的官司……

当她走出市政大楼时，她已经选择了由自己独立承担应诉之路。当她面对夜色下车水马龙的蒙特利公园市时，深深地吸了一口气，然后在自己心底说道：我应该作为一名美国市长去应诉，而不是代表某个族裔或者某种肤色的群体。

应诉的烦琐和复杂，是很难用一两个词形容的。特别是身为市长的李琬若，身为不拿钱只干活的女市长李琬若，对这场其实并不大却弄得满城风雨的官司，她心里清楚，必须打赢。而现在李琬若面临的这场官司又何止是赔不赔钱的问题，它是涉及全体在美华人利益、全体华人乃至少数族裔参政以及整个美国精神是否真的得以体现的大是大非的政治问题了。全美都盯住这场官司，而官司的输赢其实已经不仅在老艾尔金和李琬若两个人之间，是两种势力——正义与邪恶之间的真正斗争。

李琬若比谁都明白这桩官司的实质，因此她特别重视，尽管在表面上她保持着作为市长的风度，可在应诉中不得不花费大量时间和精力去做各种准备，以应付可能出现的不利，这中间有美国法律和司法程序上的问题，更有社会和背景方面的问题，总之这是一场看不见硝烟的决战。

李琬若不愧是一名成熟的政治家，在这之后的9个多月的不动声色中，以其特有的敏感和女性的细腻，摆事实，说道理，最终使这场影响全美种族问题的大官司，在长达200多天的惊涛骇浪中化险为夷。1985年12月12日，加州最高法院宣布：蒙特利公园市市长李琬若女士以市长的身份，为解决族裔之间的消极分歧，增进美利坚多民族的大团结而致信纠正谬误不算诽谤，因此艾尔金对李琬若的起诉应予以撤销。

法院的判决传出，蒙市、加州乃至全美各地的华裔一片欢呼。在蒙市，很多美国老居民也纷纷给李琬若打电话或跑到她家里表示祝贺，他们真诚地说：艾尔金之流并不代表全体美国人的心愿，你、华人和所有具有美国公民权利的人，都有权生活在这美丽的蒙特利公园市，并且不管是黄种人还是黑种人，或者是白种人，只要他们是美国人，就应该也有责任把美国国旗高高地插在这个城市，让它永远飘扬。

李琬若担任市长后，为了使日益增多的华人移民们更快更好地适应当地生活和融入美国社会，不仅开创了双语官方文件、双语社区招牌，还为新老移民开办了中文学校等，这样做的目的只有一个，就是给那些不太懂英文而造成在生活与就业等方面不便的新移民以方便，增进新老移民之间的交流、融合。哪知她这被联邦政府也表彰过的苦心和好事，却使骨子里排斥新移民的极右分子心里不舒服。“加油站事件”还在进行当中，一股更大的暗流却又迎面而来，这就是后来演化为全美的那场“英语独尊事件”。

其实“加油站事件”的官司仍在激烈地打拉锯战阶段，那些蓄意想在蒙市制造排斥新移民浪潮的人早已开始了新的更大浪潮。像美国历史上曾经有过的每一次排斥新移民反华浪潮的起因一样，蒙市这一次的排斥新移民暗流就是因为在李琬若执政期间，市中心原来一家颇有名气的巴黎情调的西式咖啡店被华商买断后，改成为“东方海鲜餐馆”引起的。当地最有名的一家五金店恰巧也变成了中药店。

李琬若当市长之前在蒙市也住了十几年，她对这家巴黎情调的咖啡店十分了解，别看店不大，但在蒙市占有特殊地位。绝对不是“据说”，千真万确的事实是：过去蒙市的头面人物都非常喜欢到这儿喝上几杯纯正的西式咖啡，日久天长，该店也就成了蒙市政要和名流相聚见面及谈论大事的特别场所。比如在李琬若当市长之前，那时一心想走入主流社会的她，曾经为了能同当地政要和名流们见上一面，还到过那儿。她清楚地记得第一次来此见某某政要时，人家根本没有把她当回事，那些自以为是的政要很傲慢，连坐都不会让你坐一下。有人说这家咖啡店是“蒙市的第二市政厅”，可见它的象征意义非同一般。

不用说，白人开的店、政要名流的活动场所，却在李琬若当政期间突然改换门面成了中文招牌的“东方海鲜餐馆”，那种失落感和惊恐外加愤怒是可想而知的。排华极右分子原来一直在暗中窥探，这回见蒙市里为数不少的老政要和一些名流们愤懑不平的情绪后，好不幸灾乐祸。机会到了！上帝赐予的机会到了！这回不再是偷偷地在玻璃窗、汽车门上贴标语什么的了，这回要站出来真刀真枪实战了！极右的排华势力摇身一变，从以前的地下一下走到了与李琬若公开决战的前台，而且声势浩大。

在那段时间里，李琬若正为让蒙市居民们的教育条件和社会福利搞得更好而整天东奔西走。她听说，蒙市这些天无论在街头还是在社区，总有一批人打着“调查”和“请愿”的幌子，问老居民和新移民一些看来很奇怪的问题。

“他们都问些什么问题？”李琬若有所警惕地问。

“他们总是装出一副很真诚的样子，见了老居民就问：你是不是赞成英语应该是美国官方第一语言？这样的问题能成问题吗？所以一般老居民都会点头表示赞同。于是那些问的人就拿出签名请愿表和笔，说你既然同意就请签个名。老居民们也就很痛快地签上了自己的名字和地址。他们见了新移民，也表示出极其热情的样子上前问：你到美国来，是不是感到应该掌握英语？新移民们当然一听就立即表示同意。因此那些人又马上让新移民们在表格上面签上他们的名字……”几位亲眼所见的市政工作人员和华裔同胞一五一十地向李琬若描述道：“几乎所有被问的人都稀里糊涂地签上了自己的名字。看样子，那些人不怀好意呢！”李琬若心里开始琢磨了：那些人又想搞什么名堂？英语本来就是美国的官方语言，这还用得着兴师动众地询问签名吗？看来这中间必有鬼！

果不其然，不几日，反华势力真的在市政大楼前演出了一幕在全美都成新闻的所谓“English Only”即“英语独尊”的运动。

那天李琬若照常来到市政大楼办公处，因为在前一天晚上市府工作人员就已经告诉她了，有群众要到市府“请愿”，所有的市政领导和市议员都必须到场。身处美国这样的“民主国家”，从当市长那天起，李琬若已经习惯市民的“示威”和“请愿”了，这是美国式的民主，当时李琬若听完秘书们的开会通知后并没有往其他方面想，只是她意识到，可能新一天又有比较重要的问题要向市民们回答或者解释罢了。

但情况完全出乎她的意料。当她和其他市议员出现在市政大楼门口时，那一瞬间她确实有点恐惧：怎么会这么多人呀！黑压压的足有数百人吧？再看看横七竖八的一幅幅标语上写的内容和在前排领头的那个叫艾库瑞的极右反华分子，李琬若顿时清醒了过来：原来他们终于开始总攻了！

李琬若不愧是女中豪杰、政坛精英，不动声色地静观了现场的事态，再慢慢用眼睛扫视了一下坐在周围的人。看来今天是一场硬仗，李琬若马上明白自己所要面临的是一场怎样的斗争。

啊，宝和，要是你看到这儿发生的情况多好啊，你一定会千方百计地想法招来比这多几倍的华裔同胞来击退这些排斥新移民分子的疯狂行为的。李琬若微微地朝北加州方向望了一眼，她内心向几十千米外的丈夫工作的地方呼唤了一声。

啊，同胞们，你们要是知道这里将发生的事，你们能出来为我说一句吗？一定的。一定会出来为我说话的！李琬若又微微向身后的东方转了一下头，她内心向自己的同胞轻轻地呼唤了一声。

不，我是李琬若，我是美国公民李琬若。我是美国公民选出来的蒙市市长李琬若。我怕谁？我的身后是美国的旗帜，那蓝底色上颗颗闪耀的星星，有我李琬若的一颗忠诚的心；那道道红白条，是我李琬若对美利坚合众国的热情与胸怀。作为公民，我当之无愧；作为市长，我更无畏！

当面前一阵高过一阵的口号声和喧哗声扑面而来时，李琬若反倒显得镇静自若。

战幕拉开了——排斥新移民分子的伎俩不能不说很高超，也可以说今天摆出的这一招是毒招。根据美国宪法规定，联邦各地的政府和议会可以按照当地公民的意见制定自己的法律法规，而美国的法律法规可以是由议会和政府来制定，也可以是由选民直接参与制定，即达到一定的选民数量后也可以成为立法（即根据当地总人口计算，李琬若所在的蒙市只需有三千选民签名，便可以成为市议会的提案），这叫“创制法”。这种法律很厉害，在美国历史上，有许多重要的法案就是以这种手段通过的，它常常被美国人用作标榜他们的所谓民主、民权的象征来向外人炫耀的。

“你，Lily Lee Chen！睁开你的眼睛看看！”李琬若和市议员等官员刚刚落座，那个“英语独尊”分子艾库瑞就声嘶力竭、气势汹汹地跳到台前，此君完全把平时装出来的那点“绅士”风度丢到三千里之外，只见他歪咧着嘴，张口就极不文明地把矛头直指李琬若。

“艾库瑞先生，请你有话好好说。”李琬若耐着性子说。

“我会说的。你等着……”艾库瑞那双兴奋得变了形的眼睛，看了一眼坐在台上的这位黄皮肤、黑眼睛的东方女人，以早有准备的动作，将手中的一大沓签有市民名字的信件和“倡议书”，“啪”地一下扔到了李琬若的面前。那动作迅猛而又出乎所有人的意料，当然也出乎身为市长的李琬若的意料，这是多年从政以来第一次有人如此极不文明地对待她。那一刻，她真的激动了，真的愤怒了！但令在场所有人都感到震惊和佩服的是他们的女市长泰然自若，只有那双美丽的眼睛此刻变得锐利无比，直盯着艾库瑞……

那一刻，在场所有的人都盯着李琬若，盯着在美国领土上的这名华裔女人，盯着他们蒙市的最高行政长官。

镇静！镇静！李琬若知道她的眼前不仅仅是几千双眼睛；而是几万双，几十万双……这不，艾库瑞之流为了虚张声势，把周边和当地最有影响的大小媒体记者全都请到了现场，那长长短短的摄像机镜头此刻全都对着她李琬若不是？

李琬若两眼从开始就没有离开过眼前这位上蹿下跳的艾库瑞先生，她知道这是斗争的激战场面，但也是展示作为华裔女市长的又一种"良机"。

"看看，我们获得了3300多位蒙市选民的签名，这其中包括与你有同样血脉的华人！"艾库瑞在扔信的一瞬间显得那么得意忘形，脸上泛红的肌肉都有些抖动了。

此刻，喧哗的市政大楼门口一下静得出奇，几千双眼睛全都盯着这位东方女人，他们的市长李琬若。而让李琬若感受最强烈的则是坐在她身边的议员，其实他们远比眼前气焰嚣张的艾库瑞和吵吵嚷嚷的示威群众更具鼓动性和危害性，因为按照当地法律规定，如市政府检查签名人数符合规定，就可将这个"创制案"交由全市民众投票赞成或反对。

唯一的办法就是说理。她选择了这个办法。

"是你们华人把我们美丽的蒙市搞得一塌糊涂，到处让我们看到的是七拐八扭的文字，听的是叽哇叽哇的声音。而你面前的这些签署人就是让你们这些人明白，我们对你们这些不讲英语、入侵我们家园的人极为不满。'请最后一个离开蒙市的美国人不要忘记带走美国国旗'的标语正代表了我们的心声！因此我们坚决要求把英语作为蒙市官方语言列入提案，让全民有投票决定的机会……"艾库瑞终于把极右势力酝酿了数个月的阴谋推到了李琬若面前，并为了显示他非达目的不可的决心，又一次把大叠签名信重重扔到李琬若胸前。

李琬若强压心头之火，平静而又一针见血地反问道："请问艾库瑞先生，在我们美国什么时候、什么法案有谁说过英语不是我们美国的官方语言？"

"这个……"艾库瑞大概没有想到李琬若提了这么个简单而又最严厉的反击问题，便一下愣在那儿不知如何回答。"反正……反正我们有足够的证据证明你们新移民整天说的是叽哇叽哇的华语，我们满目见到的到处是那些中文招牌，而且他们成了美国公民后仍然不爱学习英语，难道不是想改变我们蒙市的一切吗？"

"你说错了，艾库瑞先生。"李琬若随手从公文包里拿出一份文本向艾库瑞和全场示威者及新闻界展示道："事实是，在我们蒙市各个社区，无论是新移民居住的社区还是有学校的教区，你只要稍稍注意，就会发现有几十所各种形式不一的英语学校或者英语培训班，正敞开大门，迎接着数以千计的市民到这些地方学习英语。他们有的从清晨开始便进入课堂上课，有的则在下班后的晚上进校学习，如果有机会你们去看一看他们的学习精神，你们就会发现，原来新移民们是多么刻苦地在学习英语，并且从他们的内心也强烈地希望快快把英语学好，这样就可以好好就业，去融入主流社会，去当一名优秀的美国公民。这种无与伦比的社区风气是所有人有目共睹的，难道这不是再好不过的对弘扬、提倡和巩固英语为我们美国的官方语言的行动吗？"

李琬若有理有据的话语，使方才还起哄站在艾库瑞等极右分子一边的市民仿佛明白过来似的，纷纷收起一面面举着的示威招牌。艾库瑞急坏了，一边转身嚷嚷把示威的招牌重新高高举起，一边又回过头来与李琬若对质："你……不管怎么说，我们不同意和极其反感你们那些华人不使用英语，并且坚决要求用法律的形式固定下来——英语为我们蒙市唯一的官方语言！"

那些想捞稻草的人，在大义凛然的市长面前不再那么气势汹汹了，所以只得采取蛮横无理的高压来威迫李琬若退缩。他们派代表跳到李琬若面前大声责问："蒙市过去在官方的文本中从来没有出现过除英文外的另一种文字，可你当政后为什么偏偏多了中文，你想彻底改变我们蒙市的美国传统和美国精神吗？"

这回轮到李琬若愤怒了，只见她站起身来，大声回答："不错，先生们，我是个无法改变血统的华人。但你们应该明白重要的一点：我现在不仅是美国人，而且是包括你们中间不少人投票选举出来的蒙特利公园市市长。作为一名市长，作为一名继承先人传统的美国市长，我非常清楚的一点是，不断创新，努力改变旧的模式，这正是我们美国的强国之本。同时我还非常清楚的一点是，美国从来就是个以多元文化为自豪的国家，几乎每一任开明的总统和各地的州、市官员都非常鼓励有世界意识的'英语外加第二语言'，即English Plus在自己的国家和地区得以广泛传播和落实。今天的蒙市，我们看到了大量华裔新移民，这说明了什么？说明了我们蒙市会继续美国移民国家的传统，因为正是我们依靠自己城市的魅力，吸引包括华裔在内的世界各族裔来参与我们一起建设蒙市这美丽的家园。而政府官方文件中出现除英语外的另一种语言，其目的恰恰就是为了尽快让那些移民们融入我们大家中间，能与我们大家一起交流，最终成为我们中间的一员。这不正是全体市民所希望的吗？我们亲爱的美国不是一直希望在世界上保持绝对强大的优势吗？那么故步自封、目光短浅、盲目排外的任何做法都是有害的，所以我坚决反对以所谓'英语独尊'(English only)的话题作为法案来讨论，一个无须说明的事实和传统，却要今天再花费时间和精力去研究它的合法性实在毫无意义……"

"哗——！"本来是来"支援"或者来看好戏的人们，听了李琬若这番话，很多人反过来为市长的话而鼓掌。"说得太好了！市长说得对，‘英语独尊’的背后就是种族歧视，不能让这样的法案提议得逞！”

这场风波最终以市长李琬若力挽狂澜而宣告了艾库瑞一伙极右排华分子的失败。那一天的美国新闻几乎都报道了蒙市发生的这起历史性的事件。它在华人和其他少数族裔中产生的鼓励作用非三言两语能表达的。其实美国白人们也非常关心蒙市的这次“英语独尊”风波，因为有人曾扬言，假如“英语独尊”一旦在南加州的蒙市获得通过，那么马上在北加州其他地方也会获得通过，而南北加州出现的风潮，对整个美国都会产生无法预料的影响，所以与其说关心小小蒙市的这场大风波，倒不如说美国人的眼睛都盯着李琬若这个东方肤色的市长是如何展示个人风采、稳妥处理族裔之间的焦点问题的，处理结果有可能对每一位美国人都将产生影响。

这就是蒙特利公园市市长李琬若。

4．与亲人相聚洛杉矶奥运会

1984年，引人注目的奥林匹克运动会要在洛杉矶举办，这是美国人露脸的好机会。由于当时苏联的抵制，所以美国争着一口气要把此次奥运会办好。当时中国是第一次重新走回奥林匹克舞台，又是在大洋彼岸的美国举办，因而十分看重这届奥运会。洛杉矶市居民非常渴望和期盼自己能成功举办奥运会。

华人们听说自己的祖国要派一个庞大的代表团来参加奥运会，其热忱之高是空前的。李琬若的心同广大华人同胞一样，但她多了一份特殊的心情，那就是她是蒙市市长，洛杉矶举办奥运会，作为卫星城的蒙市，有义不容辞的责任把运动会办得热热闹闹、圆满成功。谁都知道举办奥运会对一个国家，尤其是对举办城市来说，是个向全世界展示形象的大好机会。身为洛杉矶属下的蒙市市长，如果不把握这个机会，那就无法向市民交代。李琬若为此亲自挂帅，在美国奥委会和洛杉矶奥运会组委会之间展开了公关大战，并以她高涨的热情与郑重的承诺，为蒙市争取到了曲棍球等项目的举办权。

消息传出，全市居民一片欢呼。奥运会前夕，组织委员会举行火炬接力，蒙市在李琬若市长的带头下倾城出动，成为全美最成功的一段传递活动，受到洛杉矶奥委会组委会的称赞。在蒙市境内举办的曲棍球比赛更是获得圆满成功。不仅如此，蒙市还每天向洛杉矶的奥运会主赛场派出数百名义工，李琬若也以普通公民的身份加入了这一行列。

但她比别人多想到了一件事，那就是应该让祖国的健儿到蒙市来，与广大华裔团聚。在当时，这是一件让当地华人们特别激动的事。多少年来，华人们在美国从来不能因自己的民族昂起头颅，一说自己是华人就会有一种低人一等的感觉。然而，在这一届洛杉矶奥运会上，中国体育健儿大出风头，李宁的体操、所向披靡的女排，让全美华人们欣喜若狂。在那些日子里，华人不管是台湾来的还是祖国大陆来的，只要有中国运动员参加的比赛，他们就自发地组成啦啦队，振臂为中国队加油，蒙市和洛杉矶每天都有华人放弃工作和生意，义务跑到比赛现场为中国运动员们服务，其情其景，催人泪下。在过去很多场合，入籍美国后的华人不太愿意别人再提自己是华人，假如有某个场合出现一位黄皮肤的东方人与一位美国人发生争执，他们肯定非常果断地站在美国人的立场上说话，但这一次不一样了。华人们只要看到比赛场上有中国人，他们就欢呼鼓劲，即使是中国选手与美国选手对决时，华人也毫不犹豫地站在中国人这一边。

不少华裔领袖们回忆起洛杉矶奥运会的情景，都说这是一次华人的难忘时刻。在李琬若家里就有一个很好的事例。她儿子克光没有在中国居住过，只有短期寻根旅游之行，但在洛杉矶奥运会上，当他看到中国运动员们的表现时，一下子完全改变了，他本身就是运动爱好者，在那些日子里，纯粹美国化的克光一到比赛场，只要有中国运动员出场，他就会情不自禁地用英语为中国队加油，这种与生俱来的血脉亲情，连克光自己都解释不清到底是怎么回事。

“我看到与我一样肤色的人表现得太顽强太漂亮了，我从内心感到自豪与兴奋，真的，这是以前从未有过的感觉。看来我的血脉里继承了妈妈和爸爸那一代人的一种永不可丧失的中华民族心吧。”克光说。

李琬若的先生陈宝和在那些日子里，用“市长妻子”的话说是“变了个人”。“平时他对什么都不是很感兴趣，让他激动的事很难找得出。但奥运会使这个不轻易动感情的人每天都处在极度兴奋之中。他看了中国女排的比赛，尤其是当他听说郎平是天津人时，他简直高兴和自豪得要跳起来。逢人便说他天津老乡郎平如何如何的了不起。中国女排确实太优秀了，姑娘们把全美华人都倾倒了。我丈夫在那些日子里，凡是有中国女排的比赛他都得想法到现场观看。如果实在因为工作抽不出身，他也要求我或者儿子给他录下比赛实况，常常半夜起来打开录像机一遍又一遍地看，像他这样的众多在美华人们对祖国运动员的那种感情其实比国内的很多人都要强烈几十倍。所有出现中国运动员的比赛场上，那些老华人常常全家出动，嗓子喊哑了，还在张着嘴打着手势，直到每一场比赛结束，中国运动员离开现场后，他们才恋恋不舍地离开。奥运会上中国健儿的出色表现，极大地激发了在美华人的爱国热情，这是我到美国那么多年中从未见过的……”

李琬若说到这一段时，两眼闪闪发光，仿佛又回到了那个激动人心的洛杉矶奥运会现场。

16年后悉尼奥运会举办时，李琬若和丈夫正应中国政府邀请，到祖国大陆参加全球华人领袖会议。这回可乐坏了夫妇两人，尤其是“陪会”的丈夫陈宝和，他总算过足了当年在美国看洛杉矶奥运会的瘾，因为在美国平时电视节目里极少看得到有关中国的镜头，即使是洛杉矶奥运会期间，如果不是现场观看，仅凭电视节目依然很少见得到几个中国运动员的镜头，这是美国式的所谓“公正”——用李琬若的话讲，美国宣传机构才真的会“讲政治”呢！

李琬若接受我的采访是悉尼奥运会刚刚结束之时，因此她丈夫跟我谈起这事时格外兴奋，说他运气如何如何的好。“你说我第一次看中国运动员出色表现是在洛杉矶奥运会，那次中国大出风头。这回悉尼奥运会又是中国取得好成绩的一次，又恰逢我在北京，那么多电视节目里都有我们中国运动员的比赛项目，我看得实在太过瘾了。”陈宝和竟然能把中国运动员取得悉尼奥运会上的多少金牌和他们的名字全部背下来，令我感到十分惊诧。

话说16年前的洛杉矶奥运会，当时李琬若一方面看到广大华人从内心萌发出的爱国热情异常激动，另一方面又在想自己身为洛杉矶地区的一市之长，现在祖国的亲人到了家门口，我怎能不尽地主之谊，好好招待一下为中国、为全球华人争光立大功的运动健儿们呢？李琬若把自己的想法跟家人和几位华裔领袖一说，大家纷纷赞成，说只要能把祖国的健儿请到咱蒙市，你李市长要啥我们给啥。痛快！李琬若是个办事从来讲效率的人，而且认准的事就很少有办不成的。

某日，在奥运会大放光彩的郎平和李宁等著名运动员被以接亲一样的热烈场面迎到蒙市一家最豪华的饭店。李琬若以市长的身份出面盛情款待了祖国健儿和体育代表团官员。各界华人听说后，全都涌上街头，以一睹亲人风采为快。此时所有的华人完全忘了平时相互间的政治纷争，就连受台湾政治势力控制的当地华人报纸《中国时报》和《世界日报》等中文媒体全都进行了大幅报道。而在盛大的庆功宴上，李琬若的父亲、台湾资深“立委”李曜林老先生也兴致勃勃地到了现场，而且他一个劲地争着跟大陆运动员合影留念。当亲台湾的新闻记者把话筒对准他时，老先生气宇轩昂地大声说道：“这是中国人的骄傲，也是全体华人的骄傲。老朽能看到郎平、李宁等年轻人的出色表现，顿感年少十载也！”李琬若自然更不用说，平时她一出场，人们竞相与她合影照相，这回是她抢着跟郎平、李宁留影，其情景令人难忘。

2002年初夏，当我们为此书的出版与李琬若再次相聚在北京时，2008年奥运主办权早已稳稳地握在了中国人手中。李琬若谈起此事，自然兴奋异常，她告诉我，在美国的所有华裔，全都对中国主办2008年奥运会抱有充分信心。“到那时，我与丈夫宝和一定会回来观摩北京奥运会的。那是我们自家人的事，一定要让它办成最精彩、最隆重、最圆满的全世界为之注目的一届奥运会！”李琬若这样说。

5．国宴风波

因为李琬若是华人，因为李琬若是大陆天津出生的台湾赴美的华人，因为李琬若是全美第一位华裔女市长，所以她注定是海峡两岸政治漩涡中的一叶被左右激荡的风帆。

1984年1月，中国总理首次访美，白宫向她发来请柬，邀她携丈夫参加里根总统招待中国总理的国宴。邀请书和白宫的电话在中国总理访美三个月前就到了李琬若办公室和家里。白宫的电话里只问了李琬若两个问题：一是某月某日是否有时间到白宫；二是她的安全卡号码。前者大概是为了确认安排国宴参加人员的情况；后者是为了进入白宫时的安全检查。美国人每人有一个安全卡号码，因为公民们没有身份证，而安全卡则记录着你个人主要档案材料的全部内容。

这是一件大事。自尼克松和基辛格叩开中国大门，卡特政府与北京签订建交，到里根总统时中国政府总理才第一次正式访美，白宫和全美国都极其重视。接到白宫电话不几日，李琬若便正式接到国宴的请柬，上面用美术字写着李琬若和她丈夫陈宝和的名字及地址，全部是手写。邀请卡封面上印有总统的烫金徽号，闪闪发光。请柬内容上写着此次国宴是为了欢迎中国总理访美。李琬若随即向白宫告知已接到通知，并接受邀请，随后寄出回卡。

从洛杉矶乘坐飞机到达华盛顿，没有人来接他们，其实也不会有人来接的，更没有人为他们安排住处，一切都得自己想办法。李琬若和丈夫找到一家比较便宜的饭店住下。第二天他们坐着朋友的车（出租车）到了白宫。门口，就有人告诉他们进哪道门哪个口，白宫警卫人员一个个友善和蔼，面带着微笑引他们走进一个门口，然后站在那儿的侍官便问了一声："你就是陈市长？"

李琬若当时有些吃惊地瞅了一眼侍官，马上明白过来，人家已经在那儿接待她了，有关她和丈夫陈宝和的一切情况早在白宫情报人员掌握之中。"是的，我就是。"李琬若在美国的正式场合一直沿用的是陈李琬若，所以人家称陈市长，她因此也这样回答白宫侍官。

"欢迎你们的到来。"侍官便什么都没有查问他们，连邀请书都没看一下，极为礼貌地随即便带李琬若夫妇进了白宫最底层的衣帽间。一进门，就有一位身着陆战队礼服、年轻高大的军仪官过去帮助他们把大衣和帽子脱下挂好。这时里面出来两位军官，各自引着李琬若与陈宝和向宽敞的会宾厅走去。当他们刚刚踏上铺着红地毯的楼梯，还未进入房间时，只听麦克风里唱名：

"现在进场的是荣誉市长陈市长和她的先生陈宝和。"

李琬若感觉这个做法非常好，因为不用再一个个介绍了，里面的人一听便知是谁到了，于是她看见先到一步的人在向她和先生鼓掌欢迎。在这里，李琬若见到了白宫许多头面人物，比如基辛格呀、国防部长呀、财政部长呀、国会议长等，当然还有几位很特殊的人物，如华盛顿动物园园长，据说中国总理带来两只大熊猫要送给美国人民，而动物园园长则因此获得了参加国宴的殊荣。在这里，李琬若还见到了同族裔同胞，他们是大企业家王安夫妇、大建筑设计师贝聿铭先生、著名女华裔领袖陈香梅和著名华裔节目主持人宗毓华。可以看出，白宫在挑选华人陪客时是费了不少心思的。这五个人各有代表性，李琬若无疑是作为华人在美参政的杰出代表被邀。李琬若和陈香梅、宗毓华二位女士以前很熟，能在此时再度见面，彼此都为自己是华裔女杰而感到自豪。

几乎所有被邀请的嘉宾都比宴会正式开始的时间早到一二十分钟，而这段时间则是各界名流们互相认识和交谈的好机会。李琬若以前虽然来过白宫，也接受过福特、卡特两位总统的任命和接见，但现在一下见到这么多政要和名流，多少让她感到目不暇接，因为她毕竟是唯一来自草根阶层的妇女，虽然她现在的身份是一市之长，可她深知与旁边这些大人物相比，自己只能算小手指头吧。除有机会认识以往在电视和报纸上见到的这些知名人物外，李琬若还在此学会了一个小礼仪：以往右手端高脚杯用的是食指和中指夹住下杆往上托，拇指靠在杯沿中间位置起稳固作用，而在这白宫最高级的场合，端杯的三个手指发生了变化：它们共同握住杯子的下杆，从而带动整个杯子的提升或移动……

“请各位注意，总统和夫人马上就要带着中国总理一行入场了。”这时，麦克风里又开始预告。听到这一提示，所有的人便在原地自动地让出一条通道，不分谁前谁后。这时只见里根总统夫妇和中国总理步入大厅，在他们旁边是一位翻译。里根总统陪着中国总理与所有的人一一握手。在中国总理走到李琬若面前时，他依旧礼节性地伸手握过来，只是因为他看到了比较少的东方面孔，便多看了一眼，其实对方也不可能知道李琬若是谁，完全出于同族人的直感。随即，中国总理在里根的引见下，同另一个嘉宾见面。

等与所有的人握手见面后，麦克风里又告示：现在请各位到宴会厅。于是，大家陆续随总统和中国总理走入另一间并不大的小宴会厅。李琬若注意了一下，不到十桌。按标签上已经写好的名字入席。李琬若和丈夫此时被分开了，按照规矩，在此时夫妇一般都要分开入席。李琬若安排在离主桌最近的一桌，以示她具有中国背景的特殊身份，而丈夫陈宝和则在比较靠后的一桌。李琬若坐下后发现，桌子上写她名字的标签也是手写的，而且与写给她的信封上的字一模一样，显然这是白宫里的一个人所写，大概是为了显示总统邀请的国宴的特殊和高贵吧。坐下后，便是里根总统和中国总理互致祝词，然后是记者们的一阵狂拍。正式就餐开始，记者们被请了出去。而每个桌上白宫都周到地安排了一个当地的部长或者与白宫很熟悉的人充当临时“桌长”，他的任务是活跃本桌的气氛。

李琬若的感觉是国宴有些华而不实，因为光桌上用的碟子盘子叠得老高老高，数也数不清。后来她回到洛杉矶，有人问她在白宫国宴上都吃了些什么美味佳肴？李琬若想了半天没想出一个菜名，也没有品出哪一个小点心有什么特别。她集中注意周围的人和气氛，根本没有把吃放在心上和收进眼里。但李琬若很欣赏国宴的良好气氛，悦耳悠扬的提琴和竖琴伴奏的乐曲，和谐而恰到好处的布置，宾主们彬彬有礼的风度，简直让李琬若上了一堂美国的礼仪课，但丈夫陈宝和先生却认为很受拘束不自然。

吃饭时间用了 40 多分钟，随后大家被请到旁边的另一间大一些的房间，李琬若一看，原来是第二批被邀请的人，这是个鸡尾酒会，目的是让更多的人能参加这一盛事。接下去的是一个音乐会，宾客和主人文文静静地欣赏着。约一小时，宴会就宣告结束。

“天哪，这一晚可把我难受坏了！”一上出租车，丈夫陈宝和把燕尾服一脱，然后长长地吸了一口气。“下次再有这样的机会我一定推掉不可。”陈宝和心里偷偷下了一个决心，不过他没敢对妻子说。

一场李琬若始料未及的风暴再度降临，那天她还来不及从国宴的紧张、兴奋的情绪中缓过劲来，回到饭店洗了一个澡后刚刚躺在床上，突然电话铃声大作，原来是《世界日报》的记者打来的。

“Lily 市长，很对不起，我们几乎查遍了华盛顿所有饭店才找到你的……我们知道你刚参加完国宴，你能谈谈见到中国总理的感想吗？”听得出，对方在有些不好意思的同时，已经迫不及待地想获得最新新闻。

李琬若说：“我非常遗憾的是，我们只是握了握手，连句话也没说……”

第二天，李琬若夫妇刚乘飞机回到洛杉矶，《世界日报》等当地中英文报纸全在重要位置刊出了她参加国宴的消息。而就在这则消息刊出的两个多星期里，加州和洛杉矶地区的中文报纸开始了一场大批判，其中心内容是李琬若不该与“共党首脑”握手言欢。

但当铺天盖地的骂声向李琬若袭来时，也有人投书报纸说，李琬若出席国宴是代表美国官员去的，有何不妥之处？那些谩骂她的人是“政治神经病患者”。

面对“国宴风波”，李琬若哭笑不得。她在集会上对华裔同胞说，总统邀请我出席国宴，我是作为美国蒙市的一市之长到白宫与中国总理见面的。

特殊的环境，使李琬若不可避免地需要面对来自多方的政治压力。她感到郁闷与痛苦、无奈与气愤。

6. 移民新浪潮

我认识李琬若时，她已经是六十出头的人了，丈夫陈宝和比她大，但他们两人在一起的时候，叫人感到非常恩爱，因为他们有时像青春少男少女般多情。比如，出门时，妻子李琬若总要挽着丈夫的胳膊走；吃饭夹菜，好像一直是李琬若的"专利"。丈夫很听话，每一次表现好时，妻子李琬若会上前热烈地拥抱，并且踮着脚，凑过去用亲昵的吻奖赏一下年近70的老头儿。

在访谈的轻松时候，我问过这位女政治家："你为什么还是那么光彩照人？"

她听后欢快地大笑起来，并很神秘地说："这是女人的秘密。"不过我还是告诉她我与她在一起的十几天中发现的另一个"秘密"："你的光彩照人，是因为你的血液里充满着政治的激情。积极参与和迎接挑战使你的生命永远显得年轻。"李琬若听后大为惊喜，然后夸张地过来拥抱我："知我者建明也。""否，知你者，宝和也。"见陈宝和老先生站在一旁，我便赶紧拉过他，塞进李琬若怀间。"啊哈哈哈……"只见这对老夫妻又热烈地拥抱在一起，那李琬若的嘴里不停地呢喃着："当然嘛，这是永远的知我者也……"

李琬若与丈夫是一对恩爱夫妻，他们的浪漫爱情和诗般的婚礼，足可以证明。但他们两人完全不属于一类人。李琬若从年轻时就是位个性张扬、爱说爱动、喜欢热闹和交际的女性，同时也特别爱打扮和能够在公众面前展示自己迷人的风采。然而丈夫陈宝和却全然相反，不爱说话，总想躲开公众一个人做点非常具体和实际的事，并且对政治不感兴趣。一个非常鲜明的话题，到他嘴里完全会变成另一种味道。

为了采访，我和李琬若夫妇共同度过了一二十天。这一对生活方式基本“美国化”的夫妻和性格迥异的“美国人”，使我对美国人的浪漫生活产生了兴趣。

李琬若有个亲戚第一次到她家小住一段时间后，怎么就再也待不下去了。李琬若觉得很纳闷，觉得自己已经够细致勤快和照顾周到了。最后还是那位年轻的亲戚告诉她，说你家什么都好，厨房大，房间也宽敞，就是生活太单调了！

“我受不了了，而且也不相信这儿离好莱坞这么近，你又是市长政要，上流社会的人，可怎么见不到你和你家里的一点儿浪漫色彩？比如说夜总会，比如说有没有某个男生请你约会什么的……”那位年轻的亲戚这样问，而李琬若当时竟不知如何回答。

“这是绝对的真实。在美国，一旦你成家后，不管是男的一方还是女的一方，必须履行对对方的忠诚义务。花心的人不是没有，但你在婚前怎么着都不会有人说闲话，你可以同居，你可以未婚先孕，你可以做单亲父母，但你在结婚后就不可以随便跟哪个‘第三者’了。这种夫妻之间的关系和家庭概念，不再是一个简单的形式，而是大家讲究责任。这就是美国式的浪漫。”李琬若听完我介绍中国目前存在于家庭和婚姻之外的大量非正常的性行为后大为吃惊，在她看来这已经远远超出“美国式的浪漫”水平了。

“其实一般的美国家庭生活都很固定或者说比较古板。除了工作，就是为自己小家的生活奔忙。加上各家都有自己的家庭影院，电视节目也比较丰富，几乎很少到街头的夜总会、赌场，更不会跑到无聊而令人恐惧的红灯区。相互之间的社会活动，一般就是各种社团，或者朋友之间的家庭与家庭式的交往。至少不像东方有些国家现在的那么严重的婚外恋情与丑闻。”李琬若看着我并不太相信的目光，袒露起自己的一些隐私来。

“我跟丈夫生活了几十年，几乎所有可能一起行动的机会，我们都争取一起行动而不单独外出。好友之间的家庭派对我们也常参加，但仅此而已。其实生活真的很单调。而且在美国越有身份的人，你越须保持身正，否则你的选民会对你不好的德行反感。你是政治家，你就得更加守规矩，要不你的一件件自以为很隐蔽的风流韵事，早晚得曝光。我第一次竞选，跑到朋友那儿请求支持。朋友说，Lily 啊，我们肯定支持你，可你得告诉我们，你的衣柜里有没有脏衣服呀！她们说的脏衣服就是问我有没有私生活不检点的地方，如果有的话，人家就不好支持和投我的票了，因为丑闻一闹出来，令大家都很难堪的。举个例子说，1988 年那次总统选举，民主党候选人哈特（Gary Hart）本来很有希望成为新一届总统，可惜他在竞选的关键时刻，被一名记者披露了他与一个叫唐娜的女人有一夜风流事。政敌面前从来没有对手的哈特，在一次电视辩论会上当有人问他与唐娜的关系时，哈特竟然语无伦次地说‘是唐娜偶然坐在了我的腿上……’这类蠢话。哈特不是不善演讲，而是他知道一旦这样的风流韵事被披露出来，便意味着自己政治命运的结束，所以像他这样的大政治家、大演说家都顿然慌神。最后，哈特在其妻子的苦求下放弃了总统竞选，从此消失于美国政坛。”

哈特并不被中国人熟悉，但克林顿我们则太熟悉了。让一个了解美国政治又与克林顿非常熟悉的人谈谈莱温斯基事件，是再适当不过了——我必须抓住机会逼迫李琬若就此事畅言。

“哇，克林顿的个人魅力是无与伦比的！”不想我的采访对象、堂堂美国华人女市长竟然不加掩饰地在我面前大夸总统的个人魅力。

“我第一次见到克林顿时，他还仅是总统候选人。我们在民主党全国会议上见的面。当有人向他介绍说我是蒙特利公园市市长时，克林顿紧握我的手，两眼直盯盯地看着我，连声说：'喔，你是市长！我对蒙特利公园市非常感兴趣……'我当时的直接感觉是，这个克林顿太迷人了！他的眼睛和神色能让所有与他打过交道的女人心旌摇荡，神飞思乱……那是一种无法抗拒的魅力，作为女人，我能体味同胞姐妹们在见过克林顿后的那种感觉。"李琬若风趣而又准确地告诉了我作为一个女人眼里的美国第42任总统，或许也是白宫女实习生莱温斯基小姐的全部印象。

"克林顿先生年轻，充满活力，是个天才的演说家。每当他站在讲台上讲演时，他的目光和热情会让你感到他就在你身边一样，他的微笑能注入你的心灵，他的声音能点燃你的血液，他的眼睛则让你精神为之一振。总之，他是美国总统中极少有的年轻而随和，不管对男人和女人、老人和少年都产生魅力的那种叫人崇拜的人。因为我担任过民主党党内的党纲委员会国防与外交小组主席和亚裔领袖，所以跟克林顿总统后来就比较熟了，见面的机会也多。他每次见我总是非常热情而真诚。

克林顿先生与白宫实习生莱温斯基的"绯闻"大概中国人没有不知道的，也觉得十分好玩。能见到一位与克林顿很熟的人，听听她是怎么评价这件事，一定很有意思。可当我问李琬若怎么看这一绯闻时，她竟一脸的遗憾。

"怎么说呢？我真的感到这是让美国很丢脸的事，就像让一个女人谈自己心爱的坏男人一样，而克林顿总统其实并不坏，可是偏偏他做了一件让爱他的女人们都感到难以原谅却又不得不面对的错事。我先说我的丈夫陈宝和对他的看法吧。"

李琬若对这极其敏感的问题来了个迂回的回答。"陈宝和是共和党的，他们的党对克林顿的白宫绯闻闹出来是最兴高采烈的，那阵儿几乎所有共和党人都希望借实习生莱温斯基之事把总统搞下台。而我们民主党内后来却觉得克林顿很倒霉，也很吃亏。你们可能不知道，在美国，政党与政党之间的斗争，什么手段都会用得出来。我一直在想，像克林顿这样有魅力的男人，自己又风流倜傥，是个情种。政治对手共和党人想靠下套打击他，以克林顿的个人魅力与工作能力是难以奏效的。叫人遗憾的是总统真的顺着政治对手们的圈套钻了进去。进去本来就不会有好果子吃，可总统在绯闻事件披露后，又不能表现出法国式男人的那种洒脱自信，开始是硬顶着，后来又步步退却，到头来根本无路可退——一步一步按照对手们设计好的圈套钻，最后被逼得只好在全国公民面前低头检讨。弄到后来，全国上下都天天议论总统的这件事给美国人丢尽了脸，就连我丈夫陈宝和都感到克林顿有点可怜了，觉得有人把事件做得过头了。所以他这样的共和党人也开始慢慢转变态度，认为只要对此事有个比较像样的检讨就行了。而那天全美最大的电视台直播总统在法庭上现场回答法官提出的他与女实习生做爱的事，我看到以往总是风度翩翩的总统尴尬透了，我和许多国人都不敢看那一幕……真的。你们在中国以为有人拿绯闻出克林顿的丑，其实这只是表面文章。背后是共和党与民主党两大政党之间的一场激烈斗争。克林顿总统和实习生莱温斯基只是两个政党之间的牺牲品。不仅是全美国人，甚至是全世界人都知道，民主党背景的克林顿执政 8 年中，美国的经济出现了少有的持续发展，这使共和党很难重返白宫，于是有人就利用克林顿的弱点，开始不断制造种种有关总统的绯闻事件，以此诋毁民主党和总统本人的业绩，从而达到重新入主白宫的目的。虽然克林顿总统几乎面临被国会罢免的危机，但是三权分立的政治制度完全没有动摇，联邦地方政府照常运作，不受任何影响，这就是美国式政治可贵的地方。”

关于政局的险恶，也许只有身处政治漩涡中的那些人才能真正感受得到。李琬若与我谈起这方面的事时，脸上随即露出几分凝重。

“我在执政蒙市的那些岁月里，蒙市发生了翻天覆地的变化，可以说从过去一个默默无闻的小市，成了全美乃至世界上都有影响的新型城市，还被白宫联邦政府当作移民和少数族裔自治管理的典范宣扬。特别令我感到自豪的是，蒙市从我那时开始成了全美华人政治与文化的中心。现在的蒙市是华人和亚裔占当地人口比例最高的一个城市，又是北美最重要的华文媒体的中心，蒙市因此有‘小台北’之称。而我当市长的时候，恰逢中美关系发展最快的时期，又是华人到蒙市移民最多的年份，因为祖国大陆刚开放，一批批留学生前往美国，他们到美国后大部分是在加州落脚的，一是加州旧金山硅谷一带，二是我们南加州洛杉矶地区。蒙市地属南加州，又与北加州相邻，所以祖国大陆移民开始涌入这里。由于中美关系的改变，中国台湾人便紧张起来，于是自 20 世纪 60 年代中国台湾出现向美国大移民后，80 年代中叶又出现一个向美国大移民的高潮。中国台湾的新移民到美国后第一个投靠的就是亲朋好友，这又使蒙市接纳了一批从中国台湾来的华人同胞。后中国政府与英国签订了香港回归协议，有些中国香港人害怕 1997 年后的变化，故也纷纷涌向美国。蒙市就这么一下成了华人的世界，用我们当地的老居民话讲：他们头天晚上睡觉时看到的满街还都是星条旗，而第二天推开门一看，尽是北京的烤鸭、台湾的汤圆和香港的生猛海鲜招牌了……”李琬若说到此处，也情不自禁地瞪大眼睛，说：“当时我的感觉也是这样。”

“20 世纪 80 年代之后的华人移民不像我们那一代，他们有的经济条件非常好，一到美国，就买房买车，而且车是最好的，房子是分期付款的，出手又全是现金。这让老居民们目瞪口呆，内心很不舒服，因为美国人虽说生活很富裕，可从来没有像新来的华人那么奢侈过。最令老居民们不可思议的是，华人们一买到房子，就开始大折腾，把屋前宅后的草地花园全翻浇成水泥地，而且还砌上高高的围墙。这让崇尚环境和绿化的美国人大摇其头。最令老居民们愤怒的是，华人们把自己的生活习惯原封不动地搬到了蒙市，开车走路不遵守交通规则，喇叭按得让人头都发痛；中国菜是很好吃，美国人愿意品尝，可一进饭店华人们划拳碰杯的大声嚷嚷实在令人不堪其扰；至于随地吐痰、撞了人还自己有理等恶习，更是叫老居民们苦不堪言。人多了，就要造房子，于是一座座高楼拔地而起，原先市民们习惯中的那种一家一户的别墅式建筑的空间越来越被淹没在耸立的楼宇之间……老居民们终于愤怒了。而他们的第一个愤怒对象就是我。在他们看来是因为我这个华人当了市长，才使蒙市有了那么多新移民，才使美国化的蒙市有了今天这么多令他们无法容忍的'中国化'……”李琬若不无感慨。

“是的。那是一场真正的斗争。”

李琬若异常沉重地回忆道：“以往几百年历史中，华人在美国一直是绝对的弱势，可现在的情况就不同了。也许正是因为华人势力和地位的提高，老居民们更加惶恐，因为我是一市之长，在他们看来我是华人的领头人，是所有华人带来的'罪过'的罪魁祸首。所以也就自然形成了除我李琬若而后快的态势。恰巧这个时候发生了一件重要的事件，你是作家，肯定也知道这件事，就是中国台湾著名的'江南事件'。简单地说，这个江南先生写了一部有关蒋经国先生的书，书中披露的有些事让蒋先生很难堪，后来便出现了震惊中外的江南被杀事件。整个加州是华人的聚集地，也是各种华人政治势力反应最敏感的地方，只要有点风吹草动，这儿就会有人兴风作浪。'江南事件'也不例外。加上中国港台的帮派势力在加州特别是我们蒙市都有机构和成员，'江南事件'一出，各帮派之间便厮杀起来，制造了几起仇杀活动，给我们当地带来了非常不好的影响，尤其影响华人的形象和蒙市的形象。而这恰好被极右的排华势力利用上了。他们认为机会到了，于是重磅炸弹开始向我投来。而拉响这个重磅炸弹的是地方势力极强的警察局局长……”

回忆往事让李琬若频频动颜。“这位局长以前在工作上曾与我有过几次交锋。有一次是他要求调整他们警察的工作时间，说要把原来的一周五天工作制，变为六天工作制，说这样可以给他们警察每人多发一份工资。我作为市长没有同意，因为这样做等于给联邦政府增加额外负担，我要求他们在有效的工作时间里做好自己的工作。这让他记了我一仇。之后又出现了几起警察局与华裔民众纠纷事件，例如警察以交通违规为理由而多次拦截华人驾驶者，要求驾驶者除了交出驾照外还要求他们出示护照或绿卡，这在美国法律上是不允许的，护照和绿卡只有移民局才有权检查，所以我以政府的名义要求警察局在执行公务时应当自律。而警察局则认为我在有意拿他们警察同仁开涮，与他们过不去。市民们当时对警察局意见越来越大，甚至经常将他们告到法庭。市民们在告警察的同时，也不断给我们政府提意见，希望政府能出台规范警察行为的措施。我于是开始筹划成立警察委员会，不定期监督警察局的行为。筹划中的警察委员会是由不同族裔的居民组成，主要起监督作用，这样可以规范警察们的行为。我这个计划还在酝酿之中时，有一天我将此计划透露给了一名市议员，没想到这老兄为了自己下次竞选拉到选票，竟然把此事透露给了警察局。而我筹划成立警察委员会还没多少眉目，反收到了警察协会会长给市议会的强烈谴责书，警察委员会没有成立，我却成了警察们的死对头，矛盾因此开始激化。”

“警察局局长利用到首都华盛顿参加国会主办的亚裔犯罪集

团听证会的机会，在国会会议上声嘶力竭地拿出所谓的大量证据，说我们蒙市的一个‘竹联帮’骨干分子，代号为‘白狼’的人在蒙市开餐馆，以此证明许多来自亚洲的犯罪活动和犯罪集团都是从我们蒙市诱发的。另外，他以自己所谓亲身经历，肯定地声称‘蒙市是亚裔犯罪集团的中心’。他的这一证词使本来在全美名声极佳的蒙市一下变成了人们谈虎色变的可怕之地。蒙市的老居民本来就有气，一听警察局局长在国会上把所谓的‘内部情报’公布于众了，更是一片哗然。他们惊叹自己原来是生活在一个亚洲犯罪集团的黑窝里呀！这份震惊这份恐怖是可以想象的。”

这一刻，我看到了一向被称之为“女强人”的李琬若满脸沮丧——她的内心肯定有别人无法体味的痛楚。

“问题远不是我想象的那么简单。警察局长从华盛顿回到蒙市后没有经得市政经理和市议会同意，私自召开了记者会，他以亚裔犯罪专家自居，又对他在国会的所谓作证大加渲染。显然，有人在颠倒是非，拿这一巧合的事件以点盖面地来否定整个蒙市的大好局面。但蒙市族裔之间的关系本来就像一堆干草，他这么一点火，老居民们的愤怒骤然加剧了。这时，又逢我的市长和市议员任期结束，老实说，凭着工作业绩和公认的能力，我完全可以连选连任，但现在的情况则大大出乎我自己和那些富有正义感的广大市民的预料，斗争的高峰和决战随着新一届市议员的选举而全面展开……”

“令我最感气愤的是极右势力为了整垮我，采取了非常卑劣的手段，在投票的最后时刻制造和抛出一些无中生有的所谓我的丑行来影响选民对我的看法。如蒙市有位华裔开办了一个超级市场，起的名称正好与我的英文名字相同，这本来完全是一种巧合，而且我根本连知道都不知道，可别有用心者借这个华裔超市名称大做文章，诬陷我在当市长期间利用职权谋私利。居民们不明白真相，信以为真。”

“还有一件事是正值蒙市市庆之时，市政府邀请了中国滑冰名将陈婷婷来蒙市参加庆典。由于市政府没有专项邀请费，陈婷婷也纯粹因为家住在蒙市才答应了我们政府的邀请。市庆活动后，我和其他两位议员加上另外两位是蒙市商会选出的‘蒙市小姐’，一起请陈婷婷小姐在餐馆吃了一顿饭，以表谢意。当时随同的一位市政府代表说，既然是答谢市庆活动的贵宾，饭钱应该由市政府出钱报销。这本来算小事一桩，殊不知竞选中，极右分子拿这件事恶意攻击我滥用公款请客，其实市政府及市议员的收入及公务开支都是公开的，任何人都可以索取查询。别有用心者借此事找到我当市长后的公务开支报告，妄加评论，以混淆居民们的视听。”

“然而即使这样，我仍然自信广大市民的眼睛是雪亮的，并且天真地相信正义的力量一定能够战胜邪恶。恰在此时，对竞选形势具有权威性分析的蒙市《进步报》也刊文认为我在过去的四年里政绩辉煌，应当可以获得连任。这也使我错估了真正的形势，所以在竞选战幕正式拉开初期，我既没有开募捐会，也没有投入多少精力去准备自己的竞选活动，照样埋头在自己的工作之中。直到最后两个月时才向县政府请假以投入竞选活动。而当我一旦回过头来进入竞选大战之中时，突然发觉自己已腹背受敌。可偏偏此时，我的竞选经理竟然因为找到了一份高薪而在关键时刻不辞而别，使我的竞选委员会顿时群龙无首。后来有人告诉我这可能是我的竞选对手蓄意制造的一个阴谋。可不管是否是阴谋，我的竞选阵营出现混乱已成事实。”

“有言道祸不单行。就在这时，为我竞选而请了好几个月假的丈夫陈宝和，也收到了公司要他马上回去上班的通知，因为有项他主持研究的计划非他不可。我丈夫一看选举在即，一口回绝了公司的要求。这意味是非常明显的——我们全家的命运都绑在了此次难有希望的大选之上。这种只有我们家里人自己知道的压力每时每刻都像一把悬在头顶的大刀叫我和丈夫紧张得喘不过气来……我终于因来自四面的压力和内火攻心而病倒了。尽管身处四面楚歌之中，我仍看到有那么多支持我的市民和华人同胞，我更联想到自己在当市长的那些日子里我们在蒙市的华人们是怎样的扬眉吐气，所以我强迫自己站起来，重新回到竞选第一线，尽可能地多跑几家居民，多争取一些选票。你问那是什么样的情景？连我自己都不敢回首。要说那情景？可与枪林弹雨的战场悲壮相比——我指的是当时自己在肉体和心灵上承受的压力与所面临的局势。”

“4 月 8 日，决胜负的投票日到了。我竞选总部的气氛达到了最紧张的时刻，说实话我本人当时就有预感要失败，可大家不这样认为，他们坚信我在当市长期间给蒙市带来的看得见的光辉业绩足以抵消那些极右势力们的抹黑。我的支持者比我还天真，他们多是些正直的市民和我的亲朋好友。我非常感激他们对我的坚定支持。令我回味无穷的是当时给我做竞选义工的一位退休老外交官张平先生。张老先生到过许多国家，会说普通话，也会说广东话和上海话，又精通英语和西班牙语。他给我的竞选出了大力。每天早早地到竞选总部来上班，总是第一个到，然后把门打开，比那些有薪水的人都认真负责。将近半年时间，天天如此。上班后他就一整天坐在电话机旁给市民们打电话，一听对方是广东人，他就叽里咕噜一通广东话，把对方说得心里热融融的；一听对方是上海人，就一口一个‘阿拉也是上海人’。当对方是拉丁裔时，他就跟人家聊西班牙的经历和见识，总之是个太可爱的长者。投票日的那天，我们全都在竞选总部等候最终的结果，由于这次竞争掺杂着很多政治因素，我心头早已忧郁多于希望，正准备接受一场严酷的斗争结果。而我的这位张平老哥，计票结果还未出来，他即在一旁摇头晃脑地念着他给我写好的‘就职宣言’，那可爱劲甭提有多动人了！当天计票出来后，我以600多票之差屈居第4而落选，因为新议员和市长选举是3个名额。极右势力推荐的3名候选人击败了我们3位现任市议员，最终夺得了他们梦想夺回的失地。”

“竞选就是这么残酷。当最后的结果出来时，我的支持者抱头痛哭。而最难过的莫过于一直坚定支持我和在我从政近十年里甘心当我贤内助的丈夫陈宝和。他在我落选后准备再回已经工作了多年的公司重新上班时，对方却给他寄来了解雇信。那天他在接到此信时愣在那儿的情景，让我见后心如刀割，觉得太对不起他，对不起这个家，对不起我们心爱的两个孩子了。我再也忍不住扑过去伏在丈夫的怀里悲切地痛哭起来。而丈夫却用他那有力的双臂将我紧紧地搂在怀中像安抚一个受伤的小孩子那样对我说：‘Lily，没事，没事的，我会重新找到工作的，会帮助你再参加竞选，你有能力，你一定能战胜他们的，我们华人在美国不就是你第一个成为女市长吗？你当市长几年里，干得很棒呀！我听人家都这么说的，真的，你干得的确很棒，我为你感到骄傲，永远地骄傲……’丈夫从来不怎么会说话和哄人，而那一晚他给我说了好多好多的话，每一句话都让我感到温暖，感到像潺潺流水浇灌在我那颗被暴日晒裂的心田之中。那一天又是一个终生难忘的夜晚，我依偎在他的怀里，像一个受委屈的小孩，在他深情的抚慰下哭了那么久，把积存在心头的无数屈辱与辛酸全都吐了个彻底……第二天，我看到当地的《洛杉矶时报》和《世界日报》等重要媒体都发表了这样的评论：‘三位现任者包括李琬若全军覆没，蒙市将进入另一番天地’，‘女政治家李琬若的落选，蒙市突变的代罪羊羔，华人在美从政再亮红灯’。我再朝窗外望去，只见蒙市上空乌云密布……”

7. 挡不住的“中国谷”

蒙市真的变天了。

为“英语独尊”摇旗呐喊的哈奇，借着当初收集市民签名所得到的选民资料，并且在老居民“保护自己语言”的情绪推动之下，参选成功，进入蒙市议会。新议会彻底地被哈奇和保守派代表肯博格为首的右派势力占据着。他们上台后的第一件要做的事就是夺回所谓的“失地”。

那年被李琬若大义凛然怒斥顶回去的“英语独尊”派，这下子总算有机会反攻了。哈奇与同一派的议会同僚一上台就积极进行筹划。新的市议会在他们的极力主张下通过了他多年想做而一直没有得逞的事——“英语独尊法案”以多数票正式通过。

不久，原市政府出版的市政公报里再也没有了中文，而由李琬若苦心建立起来并被白宫联邦政府视为经验介绍到各地的以沟通族裔为宗旨的社区关系委员会也被取消。大街小巷内的中文标牌和商店、车场上的汉字招牌同样未能幸免……那些警察驾驶着呜呜作响的警车，挥动着手中的棍棒，在华人区里寻找着一切在他们看来不顺眼的中文标牌，然后不分青红皂白给予毁掉。而这仅仅是开始。紧接着，市议会又通过一项 9004 号决议案，实施在蒙市禁止一年时间的任何建筑提案与申请计划。蒙市等于像一辆已经在快车道上行进的跑车，突然来了一个急刹车。哇，这下全乱套了。整个蒙市居民和外地外国的投资者们如同一夜间遇到了一场大地震，他们根本想不到已经进入 20 世纪 80 年代后期的美国西海岸，竟然会出现历史的车轮突然被拉到了 100 多年前的那般黑暗而愚昧的时代。

这是怎么啦？已经拥有过半人口的华人社区的广大华裔们惊呆了：难道世界真的就变了？

“为什么？问自己吧！早知道今天，为什么不关心选举？不积极去投票？”

“我以为李琬若一定会当选，所以没去投票。”

“为什么？想一想自己吧！以为参政总与自己无关，假如多几个人投自己同胞的票，今天的蒙市会突然乌云密布、暴风骤雨？”

华人社区和华人媒体在震惊之际，终于开始了前所未有的反省。而全美第一位华裔女市长在她政绩辉煌的时候，惨遭竞选失败的消息传出蒙市后，引起的震荡远不止蒙市华人区。那一刻，全美华人区都感到巨大的震动，尤其是华人最集中的与蒙市一山之隔的旧金山市更是掀起了轩然大波。各界华裔领袖纷纷出面声明和发表谈话。原中华总会馆总董事长黄锡伦沉痛地说：“我一直认为，任何一个华人的胜利，是全体华人的胜利；任何一个华人的失败，是全体华人的失败。然而这样的话，平时大家听不进去。李琬若的落选该轮到那些只顾自己利益而不顾全体华人利益的人们清醒了！”资深政治家、旧金山议会议员谢国翔则气愤地指出：“我在蒙市竞选初期就注意到曾有涉及种族的批评和恶意中伤的流言，我认为这是最可耻、最恶毒的做法。”而有一位以读者名义写的一则题为《听来的故事》的短文，则更一针见血地指出：“有人竟然因为李琬若应总统里根邀请在白宫同中国总理握了一次手而被认为是对台湾的‘忘恩负义’。正如肯尼迪总统说过：‘胜利有一百个爸爸，失败则找不到一个妈妈。’我们是否也应该反省一下：在李琬若落选一事中，我们的‘妈妈’到底做了些什么？”

是该清醒了！华人们在接连看到极右势力上台后所做出的侵犯华裔合法利益的种种劣迹后，最终明白了在李琬若与极右分子决战中谁是谁非了。特别是那些当初起劲反对李琬若的建筑商们更加有了切肤之痛，因为这场斗争中他们原以为支持李琬若的反对派就能在蒙市开发建设中获得最大利益，结果现在他们得到的损失却最大。他们因此带着愧疚和金钱来求李琬若重新出山。

“你要多少钱我们给多少钱，只要你能重新回蒙市政坛，一定能打倒那些新上任者的！”

一直企盼能有更多人支持她政治捐款的李琬若，这回让建筑商们看了次冷脸：“谢谢你们的好意。”随即又语重心长地道：“我绝不会参与这次罢免行动。更不会出来竞选议员，现在是大家自律、自省的时候，老移民应该帮助新移民们积极参加社会活动，在蒙市赚钱也勿忘反馈社区、改变我们的形象、培养后继人才。两年后，我们再一起选出华裔代表……”

“真对不起，我们当初认为你一定会当选的……”建筑商们羞愧得无地自容。然而李琬若心里并不比他们好受，因为她比任何人更爱蒙特利公园这个城市，比任何人更珍惜这个城市来之不易的发展，她比任何人更爱自己的华人同胞——20 多年的社会工作使她比别人更多地了解和体味作为少数族裔在美国这块土地上生根成长的艰难。

这时的蒙市华人世界在血的惨痛教训面前，表现出了从未有过的清醒与觉悟。1986 年 7 月 15 日，来自南加州的 600 位华裔代表在朱妙珍、伍国庆等人组织下，举着“反对排斥新移民，还我基本权利”和“要求李琬若重新执政，罢免新一届议员”等内容的标语与口号，浩浩荡荡地经过蒙市大街，最后在市政府大楼前进行了长达数小时的示威。一路上，广大华裔同胞纷纷加入到示威游行行列，他们中有的是六七十岁的华人老居民，有的是刚刚搬来不久的新移民，很多人都是全家出动，其声势在南加州前所未有。

根据法律规定，像蒙市这样的城市，有一千人以上的市民联署签名提出议案，政府就得进行改革或者举行罢免的特别选举。于是华人团体的领导人们便在举行示威游行后，立即开展了向市民征集签名活动，短短几个月里，要求罢免新议员的签名人数达到 6870 人。

1987 年 2 月，洛杉矶县政府选务部做出决定，正式核准了联署签名的罢免案。虽然后来由于种种复杂的法律原因，罢免蒙市新议会成员的活动未能成功，可是华人们的强大势力和雄狮般的觉醒，使曾经猖狂一时的反华排华势力再也不敢轻举妄动了。最重要的一点是，从前很多没有参政意识的华人开始从李琬若落选所带来的严重后果中看到了参政的必要。

李琬若时时不忘提携后进，在 1982 年市议员任内，她认识了一对住在洛杉矶市的年轻夫妇伍国庆和赵美心。在一起从事社区服务工作时，李琬若发现他们两位对政治有浓厚的兴趣，于是就建议他们移居到蒙市，并催促他们加入华裔政治社团。后来赵美心参选学区委员时，李琬若还安排自己整个竞选班底为她助选，获得胜利。接着李琬若又联合社区人士成功地协助她进军蒙市议坛。

1990 年华裔律师姜国梁竞选蒙市议员时，李琬若特地向自己在县政府服务的单位请假一个月，全力为他助选。姜律师当选之后，工作认真，更积极为新移民服务，在社区中获得好评。但是让李琬若最感失望的是，赵、姜两位市议员不合作，华裔的政治力量不易发挥。当姜国梁在议会中提出双语紧急电话服务时，赵美心居然站在保守派一边，提出反对。结果使得华裔居民大为不满，差点就酿成罢免风波。赵美心后来在社区的压力下改变初衷，转而支持双语紧急电话服务的提案。这位美国土生土长的华裔，经过一段时期的工作，渐渐了解了新移民的需要而开始为他们提供服务。

2000 年李琬若鼓励拉丁裔加州参议员苏丽丝（Hilda Solis）参加竞选国会议员，向当时的在任者另一名拉丁裔马丁尼兹挑战。

她对苏丽丝的唯一要求是请苏丽丝支持赵美心参选加州众议员。结果苏、赵两人都顺利当选。李琬若谈起这件事时，欣慰与骄傲之情溢于言表。

今天的蒙特利公园市，各项建设再度出现飞速发展，华人的利益得到空前巩固和提高。以华人为主的亚裔在这个城市已经由过去的少数族裔变成多数居民。当初这些不受欢迎的“客人”，如今占当地人口的60%及主要选举票源。蒙市也因此被美国各界誉为是在美华人向东发展的第一站。由荷兰裔牧师书写几百年历史的圣盖博山谷，也从此变成了名扬四海的“中国谷”！

一日，在蒙市最大的集会广场上，华人社区联合举行了一次前所未有的授奖仪式。这个奖项名称为“斗士奖”，得奖者就是对蒙市做出过历史性特殊贡献的华裔李琬若！

从这一天起，蒙市居民和华裔子孙们将世代记住这个城市有这样一位杰出的女士曾经改变了圣盖博山谷的名字和它的历史进程，而且她是一位华人。

第五章　白宫之路

在美国政坛有句名言，叫作白宫的风水是共和、民主两党轮流转。在共和党与民主党内还有两句话叫作“香梅常香，琬若常青。”

香梅，即为大名鼎鼎的陈香梅女士。

琬若，即为意气风发的李琬若女士。

1．同席异党夫随妻唱

人们常说，美国社会是个万花筒，而美国的政坛则是这个万花筒里最精彩的篇章。即使你在它的外面观赏都可以让你看得如醉如痴。但你看到的还仅是皮毛。如果你想获得最过瘾的那部分内容，最好随着一位政治家的活动和经历去观赏，那是极聪明的选择。

李琬若之所以在美国政坛被人称为“常青树”，这与她对政治的特殊兴趣和个人的良好素质有直接关系，而她对社会与对人尤其是对华裔的那份关注与热心，决定了她永无止境的追求和奋斗精神。她的杰出演讲才能和充沛精力又使她对政治的兴趣与对人的关怀有了取之不尽的动力。马丁·路德·金式的“美国梦想”又使这种动力在她灵魂与血液中获得了完美的升华和沸腾。

有意思的是，因为她纯粹的个人原因，也把一个根本对政治毫无兴趣的人牵进了政治，并且跟着她的政治命运一起跌宕起伏，一起欲罢不能，一起欢乐与悲伤，一起荣耀与蒙耻。这人便是她的丈夫陈宝和先生。陈宝和是一个典型的技术型知识分子，20 世纪 60 年代初的美国名牌大学博士生，专业是飞机设计，沉稳安静，平时连多余的话都不多说一句。但自从与李琬若在去往西雅图的路上遭遇那场车祸之后，他觉得自己的命运与这位对政治有着特殊敏感与特殊才能的女人联系着，而且不可能再分离。陈宝和至今仍然认为如果那次车祸中没有这个女人在他身边，也许他早已被死神拥抱。他还相信，正是那场车祸，才使他和她两个完全不同性格与不同志向的男女终身和谐美满地生活在一起，荣辱在一起。

可读者们千万不要认为陈宝和受妻子李琬若的影响而失去了自我。完全不是那么回事。李琬若是个资深民主党人士，而且还是民主党内有名的亚裔代表人物，当过该党党纲委员会的 18 名委员之一和党代会国防小组主席。李琬若讲，她加入民主党纯粹是当时受肯尼迪总统个人魅力和他的平权主义思想的影响。因为肯尼迪是民主党人，他当时搞总统竞选时，其个人魅力和充满激情的施政纲领，使得无数崇拜他的人纷纷因此而加入了民主党，李琬若就是在那时对民主党的理念产生了好感，所以在她成为美国正式公民后便毫不犹豫地加入了该党。而多数人是因为相信某一党的主张才加入的，如民主党一般多为生活在底层的阶级说话，所以很多底层的人认为加入民主党可以获得权力和利益。而有些则相反，比如李琬若的丈夫陈宝和，他认为民主党过分强调公民对社会福利的依赖，使得福利政策变成了某些“懒人”的温床，他很赞成共和党那种要靠自己努力奋斗才能创造财富和幸福的理念，所以他加入了共和党。

夫妻异党便是这样产生的。李琬若与陈宝和一生恩爱，陈宝和什么都依着妻子，就像竞选市议员当市长这样不仅不赚钱，反而为了竞选要花费大量家庭钱财的事他都坚决支持，他认为妻子是在为华人争取权利，应该毫不犹豫地支持。可是在对党的理念问题上，陈宝和无法与从事社会福利工作出身的妻子谈到一起。据李琬若讲，她丈夫几十年间从没有因为其他什么事跟她红过脸，吵过架。然而在对待党的理念上她这位对政治“不闻不问”的丈夫却常常与政治家妻子吵得面红耳赤，甚至不可开交。这使我奇怪万分，于是我试着“请”出陈宝和先生的脾气——在天津国际大厦饭店里的一次采访中，有预谋地问这位飞机设计师：“我觉得李阿姨的民主党思想有点为劳苦大众服务的思想呀，你们共和党在关心穷人这方面不行，有贵族意识。我这话李阿姨非常赞成啊！”我当着李琬若的面这样问陈宝和先生，并且注意着他的表情变化。

陈宝和先是看了一眼坐在一边的妻子，脸色突然变得紫红起来，随后在房间里走了几步又折回身：“这是错误的。民主党的这种理念，完全不符合人类向更高目标和更快进步的基本发展规律。像美国这样处处体现自我追求和讲究个人价值取向的先进发达国家，人人都应当想法通过努力奋斗和创造获得生活的幸福与财富的丰硕。这是我们共和党的可贵之处，可如果要像民主党所鼓吹的那样就坏事了，人人不好好干活，只想伸手向国家和机构要福利要保障，这不正好让那些不求进取的懒人钻了空子吗？不成了懒得合法，懒得有理，懒得该享福吗？我坚决反对！这与我们东方人的儒教文化也背道而驰，绝对不是一个国家所应该提倡的……”

“你扯那么远干啥？美国的福利政策是针对在富裕国家里人与人之间必然存在的差异才制定出的一种平衡社会的制度，如果没有了这种制度的平衡，你那些创造财富的富人们能安心踏实地创造更多财富吗？穷人们早起来造反把你的工厂和银行给砸了，你还有什么社会进步可言？”民主党的政治家妻子出乎我意料地跳了起来。

“这这……这根本不是那么个问题。平衡和缩小差别是可以的，但也应当用鼓励和动员那些懒人们克服自身的懒病，努力通过创造财富的途径去解决才是正确的理念嘛！”素来温情无言的丈夫却一反常态，让一向在外人面前很要面子的政治家妻子下不了台了。

妻子当仁不让地反击道：“你这观点不全面，在美国的贫富差异已经存在，不是靠几次鼓励穷人努力奋斗就能扭转得了这种贫富关系的。七分之一的富人掌握着全美国75%的财富，你不靠国家通过强硬和完备的福利制度，那些穷人和丧失劳动能力的人即使一生勤奋努力拼死拼活地干，也可能连口饭都吃不起连医院都住不起呀！”

“话可不能这么说……”

我一看平时亲亲密密的老夫妻被我刻意挑起的“战争”给套进去了，连忙出面解围，而解围之后的我和李琬若则笑得前仰后合。“你都看到了吧，只要一说起党内的事，他陈宝和可从来就是这样与我针锋相对。一抬杠，就没完。”李琬若一边笑着擦眼泪，一边指着还默默站在一边的“死老头”这样对我说。

我可真领教美国党员的党性了。

“美国人的党性是很强的。你别看大家在入哪个党的时候就这么一勾，可一旦形成对自己党的理念上的认同后，谁都很难改变的。尤其是那些上了年岁的老资格党员，他们常常一生为了党的理念而奋斗。我和丈夫几十年在一起，什么事都能谈得拢，唯一在党性理念上同床异梦。而在美国人的家庭中，夫妻同床异党又很普遍。这种党派之间的理念之争为家庭带来的知识上的探讨是十分有好处的，这也许是共和、民主两党为什么能在短短的两三百年时间里创造出了一个世界上最强大的国家并且能一直维持着它旺盛生命的缘由。”李琬若看我对美国的夫妻同床异党现象有浓厚兴趣，便给我讲了有关这方面的一个故事：

故事讲的是一对同床异党的亚裔夫妻，而且女的是华人，是李琬若的好友，是我们上面提到过的那位出任过全美第一位华裔女大使的张之香女士。张是共和党人，她丈夫则是犹太裔，而70%以上的犹太人都是民主党人士。张之香的丈夫是位在民主党领袖中人缘很好的党员。这对同床异党夫妻信仰不同，却能通过各自在党内的影响力而双双为对方的政治前途服务卖力。比如张之香在获得布什总统提名出任尼泊尔大使时，必须经国会两院举手通过。这时如有哪一党反对则此提名很难成为现实。张之香的丈夫博尔奇（Stewart Bloch）这时发挥了作用，民主党的国会议员中有很多是他的朋友。“阁下，总统提名出任尼泊尔大使的人选是我的太太，你得举手赞成呀？”“什么，张是你的太太？喔，这么好的人选，我们没有任何理由拒绝嘛！”张的丈夫与民主党国会议员之间因此一阵打趣，于是日后在国会的庄严气氛里，张的任命便获得了两院多数票的赞成而被批准。

李琬若与陈宝和对子女的政党选择，采取置身事外的原则。女儿是民主党，儿子是无党无派，谁也不知道将来他们会有什么变化。

其实在美国，第一代移民没有明确的政党倾向性，民主党、共和党、无党无派，三分天下各占其一。但日裔及土生的亚裔则不同，他们以民主党居多；非裔、拉丁裔、犹太裔以民主党为绝对多数；越裔以共和党居多数；而民选的亚裔官员几乎是清一色的民主党。在美国，入什么党，是一件很个人也很轻松的事。入党不需要宣誓，不需要交党费，也无需用他人的推荐介绍。若想加入一个党，或者想更换党派，只需要在办理选民登记手续时，在表格的政党选择栏中打个记号就行了，而且在下次选举时还可以改变自己的选择。

当然也有例外的“政治跳槽”事件发生。在华人政治圈内最引人瞩目的“跳槽事件”，是前加州州务卿江月桂的儿子邝杰灵。江月桂是一个忠贞的民主党党员，邝杰灵自小就为妈妈助选，贴邮票、寄传单，耳濡目染之下也跟着进了民主党。我认识邝杰灵的时候，他 20 多岁刚出道，担当为母亲争取连任的竞选经理重任。但是，在空军服役期间，他逐渐发觉，共和党建军强国的主张更契合自己的理念。复员后，他在小本经营国际贸易时，又领悟到共和党的理念更有利于私营企业家的发展，于是邝杰灵决定投奔敌营。其母闻讯勃然大怒，母子俩从此展开了为期半年的争辩，心结长年不解。

邝杰灵在共和党大佬们的提携下青云直上。在他选上州财务长后，外人都为江月桂后继有人而为她感到庆幸，但她本人仍不为所动。直到邝杰灵 1998 年角逐联邦参议员赢得初选之后，处于半退休状态的江月桂这才出面支持她的政治“逆子”。这场因政治而起的家庭恩怨总算以大团圆收场。

邝杰灵竞选联邦参议员，可以说给每一位华裔民主党人出了一个难题。不支持他吧，他是华裔，血浓于水；支持他吧，可与他的理念又是那么不同。他的竞争对手是位老资格的加州现任联邦参议员巴巴拉，按说应该支持这位老民主党候选人。经过反复考量后，李琬若最后还是跨党投了邝杰灵一票。

1988 年，在政坛重新恢复元气的李琬若得到一个重要消息，蒙市选区的一位拉丁裔民主党人士、国会议员马丁尼兹由于在教育、立法和行政方面缺乏经验，特别是个人的品行方面很差，诸如他到华盛顿开设办事处带了自己的一名女秘书并给这位相好的女秘书开两份薪水等丑行给公众留下了极坏的影响。《加州月刊》在一期专门评选民选官员政绩的调查表中将马丁尼兹评为最后一名。正在此时，一位在马氏身边工作了好几年的犹太人实在不满他的上司喝酒开车被抓等恶习，就主动找到李琬若。

“Lily，我简直无法容忍像马丁尼兹这样的人当国会议员了，这种美国官员还留在国会不仅是对美国的一种讽刺，更是我们蒙市的耻辱。其他州市的人们认为我们蒙市就没有什么其他好的政治家了，只能选出像马丁尼兹这样劣迹满身的人充当国会议员。不，我们蒙市是个伟大的现代化新城市，而在建设这个伟大的新城市中起到过历史性作用的一位杰出女士就曾经带给蒙市和全美国荣誉。我们为什么不选她，让她出来取代名声不好的马丁尼兹呢？Lily，我是这样真诚地希望你参加反马丁尼兹竞选——只有你有这个资格！”那位犹太友人激动地来鼓动李琬若。

竞选国会议员？我？李琬若对友人的这份提醒展开了激烈的思想斗争。她当即请人对历届美国国会议员做了一番查考，结果发现没有一位华人当过国会议员，却有两位日本人任过众议员和一位日本人在当参议员。与日裔相比，华人在美的历史和人数都要超出一筹，可华人却在美国政权的最高权力机构是个空白。一向对华人在美权利特别看重的李琬若不能平静了。

“我要竞选国会议员。”她在权衡之后又做出了一个重要的政治选择。

然而竞选国会议员远比竞选蒙市市长要复杂和艰难得多，因为国会议员的权力和影响会对整个美国政权产生举足轻重的作用，国会里的一票常常决定美国的一个大政方略。所以美国人把竞选国会议员看作是与总统竞选同等重大的事情。美国的国会议员选举有点与总统选举不一样的是它必须按地区名额来参选。比如整个加州，按人口数量分得50多个国会议员名额，然后再在加州划分几个选区，每个选区再产生若干名国会议员。李琬若所在蒙市和一个拉丁裔大社区被列为加州第三十选区，民主党籍人士马丁尼兹是这个选区选出的国会议员。李琬若要想成为国会议员，竞争的就是这个名额。国会议员的选举还有一个不同的情况是，它的候选人产生必须先在党派之间进行，这一点同总统选举一样。而另一个特点是它的选区范围更大，超过蒙市市区。李琬若面临的竞选困难当时不算小，首先她的政治势力范围主要在蒙市，或者说这儿的华人社区还对她比较有利，可相比之下，即使在蒙市，拉丁裔的人数要比亚裔人士多，比华人就更超出几倍。而三十选区却正好在拉丁社区占多数的地方。其次对李琬若另一个不利因素是，在职国会议员一般可通过职务之便，用国会经费发三次信函向广大选民列举自己的政绩，以求选民投他的票。

马丁尼兹轻而易举就能在这两个方面超过李琬若。我们都知道美国的政治选举就是金钱堆出来的，2000 年美国总统大选所花的钱可以救活非洲几个国家的难民，虽说竞选一个国会议员还不能同总统竞选花的钱相比，可据历任国会议员的竞选经验证明，没有 100 万美元的竞选经费你最好别竞选国会议员。

用中国的话说，李琬若是工薪家庭出身，但她偏不信这个邪，她咬着牙要与马丁尼兹决一胜负——其实击倒马丁尼兹并不是李琬若的最终目的，她想实现竞选国会议员的梦想是要为华人争得更大的荣誉与权利，这也是几代华裔政治家们在美国一直希望却没人实践的崇高追求——向美国的最高权力机构挺进。

政治本身就是一种风险。李琬若此次面临的风险连她自己心里都不是很有底，华人要在美国实现真正的“当家做主”梦想，就必须有人用自己的血肉为后人奠基。李琬若把自己准备竞选国会议员的打算与丈夫商量时，说出了这番颇为慷慨激昂的话。

“我支持你，即使我们再一次倾家荡产。只要你认为需要我们华人去努力一把的，我坚决支持你。”因上一次为妻子竞选连任而失业，现在刚刚有了一份稳定收入的丈夫陈宝和，用他有力的拳头做了个手势给妻子看。

“谢谢，谢谢我的好丈夫。”李琬若又一次发自肺腑地拥抱住她那相知相爱的丈夫。有过几次竞选经历的李琬若心里明白，不管每一次竞选的结果如何，对她家庭而言，损失的绝对不仅仅是几个月间常人难以想象的辛苦与煎熬，而且会给家庭经济带来巨大消耗，甚至是毁灭性的消耗。之前李琬若连任蒙市议员和市长的竞选失败，不仅几个月领不到薪水，回到社会福利部后升迁的机会也失去了。而丈夫陈宝和也突然被原来的公司辞退，一下连工作都泡了汤。一个工薪阶层，因为一次竞选失败却要面临如此大的双重打击，个中的辛酸甘苦只有李琬若和丈夫两人知道。

“当时我不能不考虑由于自己的从政而给家庭带来的经济负担。还是丈夫有办法，他是一家的经济支柱，他用他的智慧和勤劳消除了我的那份恐慌。”李琬若对过去的那场家庭经济危机记忆犹新，因此需要丈夫对她此次的国会议员参选做个家庭经济“心理担保”。

其实李琬若也不是不明白，100 万美元的竞选经费绝对不是闹着玩的，没有财团和家庭的支持，光靠募捐要想凑满这个对工薪阶层来说是天文数字的竞选经费，可不是一件容易做到的事。当初李琬若竞选一个蒙市议员只需要一二十万美元竞选经费就可基本满足所用，而即使这一二十万美元也不知费了她多少口舌。如今 100 万美元的基本竞选经费从哪儿来？到时募捐不到靠自己往里面填？你李琬若与陈宝和不吃不喝几年能一下凑出那么多现金来？是停掉孩子的学费，还是把家里的房子也给抵押出去？如果即便真的到了需要用这种方式救急，一旦有人把消息传出去，不正说明你的竞选到了山穷水尽的地步吗？政敌就会借机给你雪上添霜，彻底置你于死地。

这就是美国政治。

这就是让你心惊肉跳的美国政治。

这就是一个平民出身的华人政治家在美国参政需要付出的代价。

为了获得各界的支持与捐款，李琬若开展了一次她从政十几年后最大的政治游说。根据美国宪法规定，国会议员的选举只在自己的选区，但政治捐款可以不受选区限制，凡是美国正式公民都可以向竞选候选人募捐。李琬若的政治竞选宣言有一个很受人关注的口号，就是要在美国国会获得华人的话语权。这对全美华人是个鼓舞，200 多年来，华人们世世代代遭受极右势力的排华摧残，其最直接的原因是每一项排华法案在国会获得通过时，为华人说话的声音总是被反华势力所压倒。如果现在有自己的华裔代表入驻国会，那不是全美华人的最大心愿吗？于是当南加州的李琬若把竞选国会议员的消息传出去后，各地华人组织和友好人士，纷纷表示全力支持，而李琬若也抓住机会，到各地展开了竞选热身活动。这种活动有两个直接的目的，其一是宣传华人参政的重要性和必要性，其二是募集竞选经费。

纽约、新泽西、波士顿、北卡罗来纳、明尼苏达、芝加哥、西雅图、旧金山等地的华人组织得知李琬若竞选的消息后，主动为她发起了募捐会。令李琬若难忘的一幕是在休斯敦。那儿的华人报纸专门为她的竞选刊出致华裔社区居民的公开信，号召当地华人有力出力，有钱出钱。“我们的先人曾为美国的建设和繁荣，贡献出了血汗与生命，美国没有纪念他们，也没有感谢他们；同样，今天的华人在美国所做的贡献也得不到认同，得到的反而是歧视、迫害和不公平待遇。您可以反对任何政治和派别，但不该反对在国会有个黄皮肤的华裔议员！我们必须有个代表替我们说话！！”公开信引来众多华人同胞的热心相助，他们为毫不相识的李琬若慷慨解囊，精心谋划，其情其景又给李琬若留下一次终生难忘的记忆，同时也更加坚定了她为华裔同胞毕生参政的崇高信念。

竞选竞选，选票无疑是决定胜败的关键。

李琬若在忙完到全国各地拉捐款之后，不得不转头到她的选区拉票。可国会议员的选举又不是靠跑一家一户的那种“拜票”所能做得到的，尤其是党内推荐制的方法，使得候选人先要争取通过党内提名这一关。美国大部分地区还规定了不同政党的选民不能参加另一政党候选人的投票，也就是说，像李琬若要竞选国会议员，她在选区参选时还不能拉共和党选民的票。而当时她的“铁票”多为蒙市市区的华人社区，可华人社区的居民们三分之一是共和党人，三分之一是非党派人士，这等于说李琬若本来有的大部分选票由于政党原因也落空了。怎么办?

“我有办法。”丈夫总是在最关键的时刻为妻子出招。

“快说，有什么高招？”李琬若忙问。

“可以从我做起。我把自己的共和党身份改一下，改成民主党，然后再参加你们民主党的投票呀！”

丈夫的一席话，正是李琬若所希望的，她发现丈夫的心真是金子做的。多少年来，她心目中的丈夫什么都好，就是在政党选择和党的理念上与她李琬若走不到一起。可眼下为了妻子竞选国会议员，他竟然肯放弃几十年不变的政党，改换门庭来投她一票!

“行，我先谢谢你。也谢谢你这一招……”妻子说这话时已热泪盈眶。

第二天，陈宝和真的出门去选民登记部门重新办了一份手续，把自己政党身份那么一勾，勾到了民主党一栏里。社区动员其他共和党人也像他一样去选民登记站重新打钩。然而事情并不十分理想，这种手续带来的行为上的麻烦和理念上的麻烦，使相当一部分本来就不是十分关心政治的华人们不愿参与，陈宝和本人也因为理念的冲突，在他给妻子李琬若投完票后，赶紧把自己的临时民主党身份又改回到了原来的共和党身份。他为妻子可以如此不厌其烦，可别人就不那么愿意像他这样不厌其烦了，结果李琬若的“铁票”损失大半，为她角逐竞选失去了一个重要票源基地。

要害还不在此。

角逐国会议员的另一个重要策略是争取公众人物和社团的支持，这是必不可少的一环。

李琬若以为，凭借她在蒙市打下的基础，这方面的工作应当不成问题。然而事情并不那么简单，尤其是渗入党派组织的竞选活动，那些财团和社团们考虑问题已不再是你这个人能不能选上国会议员的问题，而是把焦点放在全美政党之间谁能在国会到底占多少位子的层面。假定加州多选一个共和党人士进入国会议员，就会促使共和党在国会占多数席位，那么将来国会在通过对共和党有利的法案时就会赢得多数。而对这样地区的国会议员候选人名额，共和党是会全力以赴想法获得的。另一种情形是某某地区某某人是个有影响的人物，当他的一席国会议员的影响力可以抵得上三五个普通议员的席位时，所在党派将不遗余力地通过各种途径帮助这样的人物赢得当地选举，从而进入国会。也就是说，李琬若想竞选成功，不仅有来自民主党自己的压力，也同样有来自共和党的压力。而偏偏她李琬若的选区是在拉丁族裔选民占多数的社区，同华人社区一样，当大家在为一个人投票时，族裔利益常常会超越党派利益。再者，在任国会议员马丁尼兹虽有不少个人品行上的劣迹，但他毕竟是国会议员，只要在台上他就算是只半死不活的老虎，也会把那些受制于国会和白宫领导影响的地方官员及团体吓得魂不附体。

李琬若在洛杉矶县政府工作多年，与政府员工们接触的过程中大家都满腔热情地表示支持她竞选。工会理事们也大部分愿意投她的票，可是加州工会总部一个电话打给洛杉矶工会，说你们为什么不支持现任国会议员？洛杉矶工会会员们在关键时刻就不得不屈服于上面的压力而在投票时转向马丁尼兹。这句话是有来由的，白宫的联邦预算得通过国会，而反过来加州与县政府每年收到的联邦拨款又都与国会议员们的意见有着直接关系，这可是件含有大学问的事，也是与各州各县每个政府机构和团体以及老百姓利益息息相关的大事，你想，谁为自己的州和县政府美言几句，获得的利益可能就是几十亿美元，甚至是几百亿美元的联邦拨款呀！现任国会议员之所以得罪不起，道理之一就在于此。李琬若的竞选因此也遇到了许多不可逾越的障碍。

全美社会工作人员协会（National Association of Social Workers）是李琬若与其关系非同一般的社团组织，因为自己是从事社会福利工作，二十多年里为了提高社会工作者的地位，她可谓尽全力为这个组织到处奔波呼吁，曾立下汗马功劳。而该协会也鼓励它的成员参与政治活动。但当李琬若回“娘家”恳求支持她竞选国会议员时，该会却以“不敢得罪现任议员”为由拒绝了她。

另一个简称PAC的组织是美国竞选活动中候选人获得大量经费的重要来源，它的全称为“政治行动委员会”。在美国，很多利益团体都有自己的政治行动委员会，因为由这个组织募捐到的钱不管多少均为合法，而这个组织就可以用这些钱来支持他们的代言人。政治行动委员会不是把钱随便投给某一个候选人，他们往往把政治捐款看作是一种投资行为，而且通常采取实用主义态度来支持在任官员。当李琬若来到这个组织登门造访时，该组织负责人很友好却又很无奈地朝李琬若耸耸肩，说：“我们承认马丁尼兹很不理想，但我们眼下还是得罪不起他。”

面对政治圈的冷酷无情，李琬若深深感受到了参政的残酷现实。但她没有因此气馁，反而更想通过自己的成功证明这些不支持她的团体的判断错误。于是，李琬若竞选班子利用向选民们直接寄发揭露马丁尼兹劣迹的宣传材料和召开记者招待会等活动，向政治对手发起了一轮又一轮的进攻。一时间，马丁尼兹议员的一件件丑闻在全国性媒体上纷纷曝光。他一看苗头不对，急求在加州有着巨大政治影响与社会背景的“柏曼政治组织”。

“Berman Machine”——柏曼政治组织，是一个以犹太裔国会议员柏曼为首的政治团体。柏曼在担任加州州议员时，曾为争取西裔盟友特意将蒙市一带的选区划为西裔选区。在他任国会议员后，又成立了柏曼基金会，汇集了大笔来自犹太人的资金，以扶植自己的政治势力。马丁尼兹便是柏曼组织一手“培养”起来的这么一个人物，也因此成了柏曼组织最忠诚的马前卒。马丁尼兹在国会的投票总是看柏曼的眼色，这种政治交易在美国国会里习以为常，见怪不怪。由于柏曼在加州的政治势力不算小，李琬若明知这是政敌的阵营，她也想直接与柏曼当面陈述为什么想取代马丁尼兹。但柏曼是什么人？他傲慢地拒绝接见。可后来一看他的“小兄弟”被华裔小女子李琬若痛击得无处可藏时，便只好亲自出面调停。

“只要你不再给马丁尼兹找麻烦，或者最好的一招是你不再与他竞争国会议员，退出选举，我就可以负责为你安排一个联邦级官员。”柏曼不愧是位老政治家，见面后就如此直截了当地与李琬若谈起了政治交易。

“为什么？”李琬若强压心头之火，反问道。

大人物以为东方面孔的李琬若已经被他的鱼饵所吸引，便仰在大沙发里伸着懒腰说道：“我本来根本不想在第三十选区花钱的，都是因为你在挑战，害得我不得不花更多的钱去挽救马丁尼兹这个不争气的废物……哎哎，我还没有说完，你怎么就走了？”

柏曼自以为是地在那儿大发感慨，结果发现眼前这位东方女子“噌”地站立起来，头也不回地离他而去。不用说，柏曼这回是发誓要为马丁尼兹保住三十选区这个国会议员位子了，他想假如真有一天被刚才这位桀骜不驯的东方女子夺走了这个国会议员席位，他柏曼怎么可能还能像搬动马丁尼兹这个小卒那么容易搬动这位东方女子手中的那一票嘛！

“都是你的不检点，害得我要花出几倍的钱才有可能为你扫平道路！”柏曼很生气地对俯首听命于他的马丁尼兹说。

柏曼的政治影响和金钱真的发生了作用，许多加州和蒙市的团体与社区本来支持李琬若的选民纷纷在最后时刻退缩了。而马丁尼兹在使坏招方面却非常精通。有一天，一位拉丁族裔的人士主动找到李琬若的选务部志愿做义工，他态度诚恳，工作卖力，让人不能拒绝。可是这人加入义工阵营后，却迟迟不按李琬若竞选班子制定的计划实施。李琬若他们还没有弄明白是怎么回事，此人已经带着情报回到了马丁尼兹阵营。

“可恶，原来他是个间谍呀！”

“卑鄙，我建议找个记者把此事登在报上。”

李琬若的竞选同事愤愤不平地要求采取行动。

“不行，这样做并不会有好的效果。应该检查的是我们自己用人不当。”李琬若表示反对。她不想把事情弄复杂了，再说美国的政治竞选就是这般险恶，派间谍，搞阴谋，几乎是大家惯用的手段，你为人正直可以不去使用这类手段，但并不能阻止别人不采用呀！“我们还是干我们的。”

李琬若坚持自己心诚的原则，并期望以此让更多的选民们相信应当选一位好的国会议员才是真正的民意。她的努力并不是不起作用，尤其是在她竞选陷入低潮时，许多友人和华人义无反顾地挺身而出。像洛杉矶社会福利部和她多年共事的拉丁裔主管多兰等拉丁朋友顶着同族裔社区的攻击，为李琬若在拉丁社区召开筹款会，当时到场的拉丁裔人士多达150人。正直勇敢的拉丁裔民权领袖柴维斯等有影响的拉丁裔朋友都表示拥护李琬若做他们的国会议员。让李琬若一辈子尊为师长的有“模范州长”之称的前加州州长布朗先生不仅公开支持她，而且亲自向选民写了不少推荐李琬若的信函。三十选区最大的日报《圣谷论坛》也发表社论支持李琬若参选。特别让李琬若感动的是以前她应邀做过报告的东洛杉矶学院的大学生们闻讯后也纷纷通过电话与文宣形式加入了她的竞选行列……

然而就在投票的最后两周，李琬若的竞选总部告急：所有竞选经费已经用完。

“你估计还需要多少钱？”李琬若急出一身冷汗。最后的两周是最最关键的时刻，而这时所要的竞选经费就等于像往马路上撒钱一样，有多少也不显。

“我们筹集的80万元已经花完，按照常规，至少还需三四十万元……”竞选经理看看李琬若的脸色，不敢再多报。

李琬若听到还要“三四十万元”时，两眼呆呆地看着竞选经理久久没有说话。

“Lily，别着急，我想从朋友那儿再借些，等竞选完后我会想法尽快还人家的。你看怎样？”丈夫安慰道。

李琬若摇摇头，然后有气无力地问：“家里钱你都拿出来了？”

“嗯……”丈夫的声音说得很低。

“能不能先拿出来用一下，好给帮助我们竞选的义工们发个交通费和吃个饭用？”李琬若用乞求的眼光看着丈夫问。

“好吧。我就回去取。”丈夫低着头，侧着身子从妻子身边走过。夫妻两人此时此刻不敢对视一眼。

竞选前的两周是冲刺的最重要关头，在这紧锣密鼓的时候，绝对不能松弛。李琬若抹了抹尚未从眼眶滴出的泪珠，强装欢颜地出现在她的选民面前。她知道事情已经做到这一步，是成是败都必须坚持到底，即使是身败名裂，也可为华人参政积累几分经验教训。

6月7日，国会议员的初选投票结果公开，李琬若没有得到足够的票因此失去了民主党的提名。这个结果她是预料到的，但历经数月，各种政治势力与美国政治现实的种种交易，使李琬若饱尝了各种滋味。这次失败的竞选，她和丈夫不仅耗尽了大量精力和时间，将过去所有的积蓄全部用完，还因此亏空了20多万美元。可她没有后悔，用她自己的话说是在此次失败中看到了美国政党内部的问题实质和美国政治的千疮百孔。

事隔几年，李琬若选择了一条迂回道路，推荐拉丁裔的好友、加州参议员的苏丽丝女士同政敌马丁尼兹再次决战一场，最后终于以绝对优势把政坛小丑马丁尼兹从国会里赶了出去。马丁尼兹果然品行极低劣，他一看所在的民主党内没人再理会他，便摇身一变，到选民登记处重新画了个勾，将自己的身份改为共和党人。这样一位有九届国会议员资格的党员，一夜间因为自己的政治失势而公开出卖政党利益，投靠异党，也算是美国政坛的一幕滑稽戏吧。

2. 总统身边的"蜜月"生涯

在美国政坛有句名言，叫作白宫的风水是共和、民主两党轮流转。在共和党与民主党内还有两句话叫作"香梅常香，琬若常青。"前者说的是共和党里的华裔女政治家陈香梅女士，她在美国共和党内享有很高声望，是位一直吃香的东方面孔。后者说的是民主党人士李琬若，她在民主党内也有“常青树”之称。不同的是陈香梅女士是因其丈夫“飞虎将军”陈纳德（Claire L. Chennault）而涉足美国政坛，并获得殊荣的；李琬若则是凭一介留学生的草根身份，通过自身努力奋斗而跻身美国政坛的。两位同族华人女杰，走的是不同政治道路，也很能体现美国共和、民主两党不同的政治理念和政党色彩。

令我好奇的是中年之后的李琬若的外形与风华正茂时的陈香梅十分地相似。我第一次看李琬若的近影时，猛地叫出一声：她怎么跟陈香梅长得那么像呀！

当见到李琬若本人时我忍不住好奇地问她这个问题。她笑笑，说：是像，但又不像。

我再问像在何处、不像又在哪时，李琬若笑而不答，把话题转到了别处。可这疑问一直没有在我心头消除。后来在我采访完后，慢慢感受到了李琬若自己所说的“像”与“不像”了。以我个人的理解，从她俩在美国为了华人利益不屈奋斗和努力参政方面，及在美国政坛所享有的崇高声望而言，她俩十分相像。不同之处，我感觉李琬若走的政坛之路，要艰难和崎岖得多，因而也更能体现“美国精神”，尤其是对年轻一代和新移民们更具教育和影响意义。细细看过陈香梅和李琬若的照片后，我还是发现了很多不同之处，比如陈香梅的眉眼就像她的名字一样，有种寒冬里争艳的蜡梅风采，一对眉毛，总是向两边高高扬起，充满着一种高贵与傲美。而李琬若则相反，她的眉毛总是平平的，像两条柳丝，甜甜的笑容，就像其名字一样充满着柔情与平易近人的秀美。

陈香梅的故事在中国家喻户晓，而李琬若的事迹似乎更美国化些。她从一名普通留学生成长为美国历史上第一位华裔女市长就值得华人引以为豪，而她后来利用自己在民主党内的特殊地位为中美关系做了大量有益工作，特别是她在白宫和克林顿总统政府下任职的“政治蜜月”时期，她的故事都令人听后有种如痴如醉的感觉——

“Lily，快来！”1995年4月的一天，丈夫从门外的邮差手中接到一个沉甸甸的信函，打开一看，忍不住大叫起来：“了不得！了不得！这回我又要忙乎一阵了。”

“什么事又要劳你大驾？”李琬若从里屋探出头来。

“好事。不过三星上将阁下，你得先慰劳一下我这个家庭大兵。瞧，这么多表格还得我给将军阁下您填写呢！”

妻子被丈夫一通莫名其妙的话说得有些在云雾中旋转的感觉。

“你被国防部任命为三军妇女顾问了！”已过花甲之年的丈夫还像当年在西雅图见到妻子领到华盛顿大学的硕士学位证书那样情不自禁地过去抱住妻子，连声恭贺。

确实，这个任命对李琬若乃至整个华裔社会来说，都是莫大的荣光。像当年李琬若出任全美第一位华裔女市长那样，当她被克林顿政府的国防部部长佩里任命为美军陆海空部队妇女顾问这一享有三星上将荣誉军衔的消息传出后，美国、中国乃至世界各地的华文报纸都迅速做了报道。了解美国军队历史的人知道，美国三军妇女顾问委员会是50年前由时任国防部部长的马歇尔将军设立的，它的任务是协助国防部部长制定有关军队中妇女总体政策的。1995年国防部部长佩里任命的妇女委员会共有16名委员，李琬若是唯一的一个亚裔委员。

当月27日，李琬若从洛杉矶出发，飞抵首都华盛顿。自从政以来，她无数次来过这个美丽的城市，但进入国防部五角大楼还是第一次。这个世界上最强大军队的最高指挥总部，别说对移民来的外国血统人士而言有种神秘感，就是美国本土出生的人也难有机会进入其中。现在李琬若是带着三星上将的荣誉军衔来此接受授衔和宣誓就职的。与她同被任命的还包括退休女将军珍妮·霍尔姆等。当李琬若登上五角大楼那高高的台阶时，她特意昂了昂头，把胸脯也挺了挺，“那一刻，我想到了自己是个黄皮肤的华人。一个曾经不被西方人放在眼里的东方民族的代表，我感到格外骄傲……”李琬若事后说，当她走入大楼门口时，两旁持枪的士兵向她行礼致敬，而她则彬彬有礼、落落大方地缓步走入大厅。这时，佩里部长等国防部高级将领们已经在大厅内等候。就职仪式在美国军歌中进行，这对李琬若来说是一次既新奇又神圣的就职仪式。在这雄壮的军歌声吹响的时候，李琬若面对星条旗，想得最多的是她这一生经历的从政生涯不正像一次又一次上战场的女兵吗？而正如美国女兵所说的那句口号“我们是精兵，不只是女兵”一样，她李琬若在从政之路上也向世人证明：她作为华裔参政美国联邦政府，是个出色的政坛精兵，而不只是少数族裔女人。

说起李琬若进入白宫接受任命，这已经不是第一次了。自参加竞选国会议员受挫折后，她对从政方式进行了重要修正，由过去的靠竞选参政，转而为了争取任命的参政方式。这是两种完全不同的参政形式，前者需要个人花巨大精力和财力，与政治对手竞争决战，靠拉选票获得机会。后者通常是经过熟人介绍，凭借你个人的声望和政治资本及同政党和政府要员之间的密切关系而获得的。

如小布什当选总统，他本人是靠全国大选走进白宫的，而所有他的内阁成员则全部是由他任命的，这些内阁成员的官职如何分配，通常是根据政府需要和你个人才能，但也要考虑在竞选总统时为他出力大小来论功行赏。就任小布什新政府国务卿的黑人将军鲍威尔，可以算作是那类有特殊才能的人选，而另一位小布什的政要、国家安全助理赖斯则属于论功行赏的人物，因为小布什在外交方面几乎是“不及格生”，正是这位名牌大学的教务长帮他解了不少围，所以小布什上台后这么重要的岗位就给到赖斯头上。几乎每一位新总统上任之后，都要进行一次如同宋江在梁山泊给各路绿林好汉排位子那样非常头痛的安排。据李琬若讲，有些任命和安排是在总统尚为候选人时就安排和确定好的。如以克林顿为例，这位来自阿肯色州的小州州长能够当选总统，固然有他本人的政治因素和个人魅力，但为什么那么多州市的地方人士特别是民主党人士那么起劲地给他拉选票？一个重要原因是谁出力大，谁就有权让未来的总统许诺给他们什么官职、多大官位。

不成文的“合同”是早先就订好的。

李琬若说，当时克林顿非常希望有钱的亚裔民主党人帮他政治捐款和拉亚裔选票，那么亚裔领袖们就得跟克林顿谈判：你总统先生得先给我们讲好，如果你入主白宫，就得给我们联邦政府里安排多少多少个部长或者副部长职位。我们一致推荐加州大学柏克莱分校校长田长霖为能源部长。

这是一种交易形式。

另一种获得白宫任命的是，比如李琬若，她在亚裔和华人中有一定影响，克林顿需要在对华关系中有人做中间人，那么李琬若就有可能获得克林顿政府的重要任命。然而庞大的联邦政府有几千个要职，这些要职也随着人事的变动而变动，大量空缺的官位则需另辟蹊径，那就是你想获得任命，就必须主动提出申请，并且有要人推荐。

从主政蒙市多年的政治生涯中，李琬若开始意识到，由于华人在美国社会的力量有限，加上华裔自身参政意识尚未达到像犹太裔和非裔那么坚强有力，靠单一的竞选之路参与美国主流社会的政治生活还有相当困难，即使你花费了大量财力和精力，也未必能达到理想效果，因此她后来凭借着自己已经积蓄的政治资本和参政热情，开始转为谋求联邦政府任命的从政仕途。而这一条参政之道，使她直接从一个州的有限范围，一跃进入美国联邦政府高层，产生的政治影响也大为增强，成了真正意义上的美国华人领袖人物。

她因此称这样的从政经历是她在总统身边工作获得的“政治蜜月”阶段。

“蜜月”是甜美的，长期从事社会工作和在基层社区活动的李琬若，依靠自己的专业才能和热情为他人办事打下的基础，同各界人士建立了良好的工作关系和个人关系，这为她日后获得白宫重要任命铺展了一条光明通道。

谈起这一段政治秘闻，李琬若可谓津津乐道。我把她的话写出来，相信会给中国读者和那些从事美国政治研究的专家一些裨益。

早在1984年时，李琬若由民主党全国主席莫耐德先生(Monett)提名，并经民主党全国委员会投票通过出任民主党党纲委员会委员。该委员会共有25位成员，他们多是民主党资深领袖人物或在联邦政府和国会有要职。党纲委员会主席通常是由副总统候选人或者党主席亲自担任。当时的副总统候选人费拉罗(Ferraro)女士担任该委员会主席。委员会下分三个小组，分别为国防外交、经济内政和民权三部分。那次民主党全国委员会召开期间，一位拉丁族裔的民主党资深领袖有一天突然问初涉民主党内领袖行列的李琬若是否愿意担任“国防外交”小组主席。

李琬若当时第一个反应是：开什么玩笑？因为她知道，来自纽约州的参议员莫乃汉、众议员索拉兹等重量级的政治领袖，都是熟悉外交和国防的专家，怎么可能轮到她这个“无名小卒”呢！

“不要着急。我已经分析过：在我们党内，现在的党纲起草人有两派人士，一派是竞选总统候选人，一派是党内元老派，两派势均力敌。恰恰你这样的中间派人士最不会得罪任何一方，所以容易获得全体的支持。不信我们试试。”老谋深算的政治家帮助李琬若如此这般一分析，便在开会时首先提名李琬若，结果出乎意料地获得通过，一举使李琬若成了党内的“国防外交小组”的主席。

一位黄肤色的东方女人成了美国政党内党纲修改委员会最重要的一个小组主席，这在美国政党史上也是不多见的。

李琬若深知肩负的责任。她在会议期间尽力扮演好这一角色，为日后在民主党内确定华裔和她本人的政治地位奠定了基础。政党内的国防与对外政策，其实也就是美国的国防与对外政策。

在那次会议上，李琬若看见了犹太裔领袖们在政治上毫不妥协的抗争精神，令她终生难忘。继马丁·路德·金之后，美国当代最著名的黑人领袖杰克逊牧师当时是民主党的总统候选人之一。在一次党纲委员会会议上，这位刚直的黑人牧师站起来建议美国当局应该与以色列的死对头巴勒斯坦解放组织对话，牧师先生的话音未落，众议员索拉兹等好几位犹太裔代表立即跳起来，如同隆隆炮火，将牧师的这一建议压得毫无反抗之力。其他几位总统候选人见势不妙，再也不敢在中东问题上提一个字。

美国政党高层的权斗内幕，使李琬若更加认清了华人参政的重要性。她暗暗下定决心要争取跻身政坛高层，因为只有这样，华人参政的价值才可能获得最直接和最重要的体现。然而，中国有句话叫作“高处不胜寒”。在美国政坛的高层同样有许多你无法想象到的黑幕与血幕，稍不留神，就会被挤压得粉身碎骨，身败名裂。

李琬若最初进入民主党高层时，可以说她除了当过使美国社区建设和城市改革成功的蒙市市长外，别无任何党内资本。而在美国政坛高层圈子内的台前幕后交易漩涡中，像她这样背景的人唯一可能获得权力中心人物们赏识的途径，那就只有使出全身本领为党派要员效力。

每四年一届的总统选举便是考验一个族裔领袖人物效忠所在政党的最好时机，因为此时此刻政党内部的核心人物为了与另一个政党争夺进入白宫的机会，极其渴望各州地市和各族裔派别都出来投本党候选人的票。加州是美国的大州，历来是共和党和民主党争夺最激烈的地方，而这里又是华人力量最集中的地方，华裔社区的政治意向将影响整个加州的政治势力。李琬若作为该地区一位有影响的华裔女政治家，自然而然成了民主党高层在这一地区十分看重的一员。当然，由于她在这个地方的影响力，作为政治对手的共和党也非常敬重她。

从20世纪80年代初以来的近20年间，李琬若一直是民主党全国代表大会的加州代表团资深代表，洛杉矶和旧金山又是加州重镇，故自卡特总统以来的多次民主党全国代表大会都在这两个城市召开。尽地主之谊的李琬若便成了当然的党内挑大梁角色。美国的党代会实际上又是美国最大的政治舞台，其影响和声势绝不亚于两党总统候选人的大角逐。据李琬若介绍，全国党的代表大会，特别有趣的是整个会议简直像个世界超级大派对，中国人看了一定会笑破肚皮。

“我参加过几次民主党的全国大会，那是美国四年一次的政治大聚会，也是美国政治的总表演。党代表大会的一个最重要的议程是选举出自己的总统候选人，这也使得大会引起世界关注。通常代表大会是在一个大的体育场召开，里面至少可以盛下几万人。因为除了来自各地的党代表外，美国的大公司都会到场，光美国和世界各地的新闻记者就有一万多人参加，你说那阵势大不大？”李琬若绘声绘色地描绘起她经历的一次次盛会时，眼里满是光芒。

“只要踏进这样的会场，你不可能没有激动的感觉。你想想，世界上有哪一种舞台有几万人同时唱一首歌，同在一个场馆里击鼓起舞？那都是些政治家呀！谁见过美国的政党代表大会竟然会是一个彻彻底底的大派对！未来的总统，党主席和各地代表团所有成员，说唱就唱，要喊就喊。你要是赞成哪一个总统候选人，你就可以在那儿敲锣打鼓，摇旗呐喊。你要是不同意，你也可以在那儿直接撕破脸或指桑骂槐。最有意思的还是党代表大会的会场上，有那么多非党人士来凑热闹。你比如说我们民主党代表大会吧，它请的各地党员代表自然没说的，可偏偏好莱坞的大牌明星们也粉墨登场，跟总统候选人和党主席肩并肩地坐在一起，说是为了给未来总统拉选票来的。这就是美国政治，一切都是为了选票，只要能把选票拉到手，在党代会现场跳脱衣舞完全属于允许之列……”我的女主人公说到这儿，现身说法地在我面前情不自禁地扭动起身子，似乎也想让我感受一下美国党代会的疯狂而滑稽的场面。

“趣事还在后头。你说拉票可以理解吧，可偏偏各个工商企业巨头也都来了，而且凡是著名的企业不光老板要到现场，副手和公关部经理等浩浩荡荡一大帮人都进驻到党代表大会的会场内。这还不算，大会允许各个公司商号在会场内搭房设棚，拉出广告标牌，开起临时小店。那戏真是好看呀，这边坐着各地党团代表们，那边正对着主席台的是五花八门的公司广告标牌或者企业商号的标志旗号，你说党代表大会不是唱戏是什么？你问为什么请企业也进来？没有请呀，党的总部只请的是代表大会的各地代表，没有专请企业呀！是人家主动进驻会场的呀！看到那么多大企业大商号代表来了，主持会议的党主席和总统候选人不仅一点不恼怒，反而脸上露出抑制不住的喜悦与笑容。你问又为啥？为的是钱呗！你总统选举不需要钱吗？人家老板来了，就是冲着给某某总统候选人送钱来的，所以党主席和总统候选人乐都乐不过来。代表们有没有意见？为什么有意见呢？选你当代表，不就是为了共同把自己党的候选人送进白宫吗？人家看得起你们党的候选人，不也就是看得起代表你嘛！再说，你一个代表，平时能见得到那么多大老板吗？这样的机会不是对谁都有利嘛，这不是挺好的嘛！那些大老板是很精明的，他们知道自己企业和生意能不能做得更好，取决于同总统的关系和未来政府政策。党代表大会上出点小钱捐给政治家们，明天获得的公司收益可能是几倍几十倍甚至更大，何乐而不为呢？于是老板们可以不参加总统的就职仪式，但必须赶在新总统诞生之前就先把路铺好，倘若等新总统进入白宫后再暗送秋波可就晚矣。你听了觉得好玩吧？”

“当然好玩，十分稀罕！”我说。

“可就这么个乱七八糟的会议，还真叫人激动和新鲜，还真能达到党和总部设计的目的——把总统候选人选了出来，把自己总统候选人送进白宫的钱也收到了手。这就是美国政治，一种像变戏法似的政治。我第一次参加党代表大会时，看到那么多世界著名公司，心里惦记着为什么看不到华人开的公司出现呢？可去年（2000年）在洛杉矶的民主党代表大会上，我突然眼睛一亮，我看到了杨致远的雅虎公司也举着大牌子醒目地出现在会场，我高兴地跑过去，拉着杨致远的手跟他合影留念。那一刻，我突然感觉我们华人太了不起了，瞧！我们不是要人有人、要物有物地全都打入美国的政治心脏了吗？这还不够自豪吗？太值得自豪了！再说像我一个明明白白的中国面孔，不正在美国的政治与权力中心的舞台上跑前跑后吗？假如离开了我们这些人，它美国政治舞台说不准哪儿就会出点麻烦哟，这实在是一件特别有意思的事。”

李琬若无法抹去作为美国党的一名得力干将所经历的一次次施展身手的那些“蜜月”生涯和美好记忆。也正是她的这些卓越努力，才换得后来白宫对她的多次任命。

“我们行善，不可丧志；若不灰心，到了时候就要收成……”1993年1月20日，随着美国第42任总统克林顿在代表权力象征的国会台前发表这篇以《圣经》为结束语的就职演说声音落定，白宫门前的草坪上顿时响起21响礼炮，当这礼炮声回荡在美利坚合众国上空时，一位新的总统又在北美新大陆诞生。

作为民主党的亚裔领袖人物，李琬若的政治生涯也随着克林顿总统的诞生而走入一个新的辉煌阶段。民主党主席布朗先生入驻白宫出任商务部长时，在前一年大选时与他建立了良好关系的李琬若，被推荐任命为联邦工业贸易政策委员会顾问。这是一个具有相当权力的经济委员会，其成员大多是美国著名企业的高管，对美国和全球经济有着重要影响。新改组的联邦工业贸易政策委员会不久就完成了一项具有历史意义的工作——敦促国会通过了美国加入世界贸易组织的法案。美国同样十分重视加入世贸组织，克林顿总统在白宫亲自主持了签字仪式并在法案上签字。那一次的仪式极其隆重，克林顿除邀请了他的内阁全体成员外，还将民主党内为他出过力的干将们都一一请入白宫，李琬若便是其中之一，并且被安排在最前面一排。“这本来是美国的事，可怎么回事，看到克林顿总统提笔签字的时刻，心里突然想到：什么时候我们中国也能加入世贸组织那该有多好啊！也正是那一刻，我意识到自己无论在美国担当多重要的角色，可我内心深处则深深地爱着养育我的东方祖国……”李琬若深情地对我说。

正是这份对祖国的深情和挚爱，在她担任联邦工业贸易政策委员会顾问期间，也正是美国与中国关于知识产权争得最热闹的时候，当时美国国内有许多人主张借此取消对华最惠国待遇，以此来强迫中国在保护美国知识产权方面做出让步。尤其是来自工业界和国会的压力，使克林顿政府左右为难。

中国最惠国的资格（后来改称为永久贸易伙伴资格）在美国国会遭遇阻力时，几位全美最杰出的100个华裔领袖组成的“百人会”代表被邀请到国会，就这一问题发表意见。“百人会”在国会举行的记者招待会上发表声明，明确表示，继续给予中国最惠国待遇符合美国的利益。他们还重申，美中关系必须遵循一个大原则，那就是“努力求同，尊重差异”。华裔社团针对美国重大外交政策直接向总统和国会进言，“百人会”首开其端。

3. 可哭可笑的“中国间谍案”

前苏联解体后，美国一直有一个腔调那就是“中国威胁论”。中国在日益强大，那些反华势力看得心如火焚，于是一出出滑稽可笑的好戏就在媒体和国会里上演了。

1999 年 3 月 8 日，李琬若像往常一样打开电视，第一眼就看到了一个华人面孔不断地在美国最重要的新闻节目里闪动……她先是一愣，因为这么一个东方面孔以前不曾见过。再听节目主持人报道时，李琬若仿佛当头重重地挨了一棍：在美国原子弹实验中心——新墨西哥州的洛斯阿拉莫斯国家实验室工作的美籍华裔科学家李文和，因涉嫌向中国泄露美国原子弹机密而被开除公职。据称李文和早在 1996 年就开始被联邦调查局监视，怀疑他是将美国先进的 W-88 微型核弹头资料偷给一位严重危及美国国家安全的“中国大间谍”。

上帝，他们到底想拿华人干什么？！李琬若第一个反应就意识到这是又一起更加严重的极右势力蓄意制造的“中国威胁论”。虽然当时她还不清楚事件真相，但仅凭一位政治家的敏感警觉，她认定这是美国国内掀起的又一波反华浪潮。果然，霎时间全美几乎所有的媒体都在最重要的节目和版面上连篇累牍地评说报道中国如何如何地通过留学生和在美华人为他们窃取军事和科技机密情报，一篇篇文章和报道的言外之意都在暗示着一个主题：在美国和到美国的所有华人都是不可信的，他们可能是间谍分子，美国正在遭受最严峻的安全考验……

用李琬若的话描述："过去美国对中国和华人的报道极少，而李文和事件出现后，几乎天天都可以在媒体上看到东方人的面孔和中国的问题，当然那东方人的面孔是让美国人感到恐惧的间谍面孔，而中国则是美国最危险的敌人……"经过一番精心策划之后，新墨西哥州的大陪审团宣布：李文和被指控59项罪名而被逮捕。

按照美国法律，所有被指控的人只要尚未进行审判都有权利要求保释，但李文和一案出人意料的是在刚刚宣布他只要交100万美元后就可以获得保释不到一天时间里，联邦法院又突然做出不准保释的决定。所有这些事态发展，呈现给美国公众一种前所未有的严重态势。

"那段时间里，美国上下，从东到西，从南到北，被搅得昏天黑地，所有的黄种人都被当作避之不及的恐怖分子。就连我们这些已经融入美国主流社会的美国公民也似乎让人感觉是些可怕的外国间谍。"李琬若痛苦地给我拿出当时《世界日报》转载的美国有线电视新闻网（CNN）与《时代》周刊公布的一项民意调查报道。这篇报道刊登了当时的美国民意调查结果显示：81%的美国公民相信《考克斯报告》所说的中国"偷窃"了美国核武器情报，近一半的民众认为中国对美国构成"严重威胁"，其比例高出伊拉克对美国构成威胁十二个百分点，高出俄罗斯对美国威胁一个百分点。总之，中国是美国最具有威胁的"敌人"。

而一贯标榜讲究人权的美国此次也一反常态，当李文和被关押后连亲朋好友的探视都不允许。后来，女儿好不容易在监狱与父亲见了一面，看到李文和手脚都戴着中世纪用的那种沉重镣铐。

那么，李文和到底是个什么人呢？他真的像美国国会那帮人和媒体上渲染的是一个"中国大间谍"和"工于心计的凶神恶煞吗”？

非也。其实李文和只是美国国会中的一部分极右势力炮制“中国威胁论”并打击排挤在美华人的一个假想敌。后来美国当局所提供的全部“罪名”也仅仅是他李文和“不当地下载”了被李文和同行认为谁都可以获取的一些资料放在自己的电脑上而已。

“他是一个什么样的人？他是一个憨厚得不能再憨厚的人。当联邦调查局的人已经对他多次询问后，我问他要不要请律师时，他说请律师要花很多钱；当那些看管他的狱警们给他戴上手铐脚镣不准他自由活动时，他还对我说‘他们受过教育，上过大学，懂得其他语言，读雨果的书，也听莫扎特的音乐’……”李文和的女儿含着悲愤的泪水告诉人们她父亲其实就是这样一个人。

李文和确实就是这样一个安分守己的华人。从他女儿的叙述中，李琬若自然而然地联想到李文和是属于那类与她丈夫陈宝和一样勤勤恳恳为美国服务和忠于职守的科研人员，或者说是“书呆子”，这样的人几乎不可能成为出卖人格和国家利益的间谍。但是在全美上下狂轰滥炸的李文和报道中也有一些正直善良的美国科学界人士站出来说话。

曾在李文和工作的洛斯阿拉莫斯国家实验室负责反情报的美国中央情报局官员、现已退休而仍在那儿当顾问的罗伯特·弗鲁曼第一个站出来，一针见血地指出，他不相信中国能从洛斯阿拉莫斯或者其他属于能源部的实验室得到有关美国核弹头的绝密情报。“所失窃的资料可能出自分发给美国政府数百个部门以及私营军工承包商的文件。”而依据这样的“事实”指控一名科学家，并定为政府首要的嫌疑人只能是因为李的种族”。62岁的弗鲁曼指出，像李文和那样下载资料在那个实验室里的普通白人科学技术人员都做过；能源部的另一项指控是李文和曾经在1986年和1988年两次到过中国，并在那里会见过一个物理研究机构的官员，这就是他被认为"大间谍"的最主要和直接的"事实"。而会见中国官员的时候，与李文和同一个实验室的白人科学家还有13名之多，唯独华人出身的李文和偏偏被调查指控为"中国间谍"。

"我的工作受到人们的尊敬，我不会作为一个把此案搞得一败涂地的人载入史册，因为我没有。此案搞得一败涂地的结果是可以意料的，因为它没有任何事实。"弗鲁曼最后对《华盛顿邮报》说。

那些日子，李琬若说她经历了人生中甚至比她当年参加竞选国会议员更令她焦虑不安的无数个日日夜夜。她知道李文和这场官司是事关在美华人命运的又一次异常艰难的苦战，不战则可能"全军覆灭"，战而未必取胜。但自己多年从事政治的经验告诉她：勇敢地站出来为遭受不公的同胞李文和解脱困境，是华人们唯一可以维护自己在美权利的途径。

"百人会"会长邓兆祥和副会长谢正刚，以及其他包括李琬若在内的华裔人士一致决定要站出来，维护正义。之后，洛杉矶亚太法律服务中心等社团领袖们紧急商议对策。很快，在李琬若等一批著名华人领袖的主持倡导下，美国华人最大的16个组织有史以来第一次以电话的方式召开声援李文和、向政府讨还对华人公道的紧急会议。参加的26位华人领袖们一致认为李文和案件的本身就是对中国和在美所有华人的一种敌视、一种不公，大家再不能沉默了，也再不能只发些嗡嗡小声了，而要大声疾呼，尤其是要向国会和白宫大声疾呼。电话会议历时150分钟，全票通过了一项"联合声明"。

一时间，从来都是以文质彬彬著称的美籍华裔人士的声音，迅速出现在各大媒体之上，像《纽约时报》就以一个整版的篇幅刊出了华人社团集体声援李文和的"联合启事"。要知道，仅《纽约时报》这样的一张版面就得花几十万美元，而所有这些钱都是华人们自动捐献出来的。

李琬若给我讲了一个华裔教授为了声援李文和，一年多时间内把全部时间和精力都花了进去，到美国各地呼吁做报告，最后就差把自己的裤子当出去了。这样的无私情怀和感人事迹在整个李文和事件中比比皆是。李文和的女儿过去一直对华人参政不感兴趣，但她看到同胞们为声援自己的父亲而如此出力卖命，感动至极，后来她也勇敢地站出来到全国各地演讲，控诉当局对她父亲的不公关押与诽谤。

“每到一地，我会惊奇地看到竟有那么多华人同胞支持我、声援我，那种场面是我从未见过的！”原来文弱的新一代华裔女儿也在残酷的斗争中觉醒。后来这位叫李纯宜的女孩也成了整个事件冲锋陷阵的人物。

在发动华人组织联合行动的同时，李琬若还通过她在白宫任职的渠道，联合其他政要包括黑人著名领袖杰克逊和原国防部部长佩里等人直接向白宫和政府施加压力。迫于华人组织的强大攻势，克林顿政府后来不得不出面说调查李文和“间谍案”尚没有掌握“足够的证据”。

但已经进入司法程序的“李文和案”解决起来并不那么简单，尤其是新一轮总统大选将至，共和、民主两党都想表现出自己对“国家负责”的意志，所以平静一阵后的“李文和案”又紧张起来，共和、民主两党都想通过在这一事件上的强硬态度拉选民的票，这使得进入司法程序的“李文和案”再度升级。

李琬若他们看清了政坛的这种投机行为，又及时号召华裔和亚裔在大选中坚持自己不低头的立场：你共和党不是想获得华裔和亚裔的选票吗？那么你必须给我在李文和一案中说说清楚，到底他是有罪还是无罪？你民主党不是想从华裔和亚裔那儿获取助选经费吗？那么好吧，你正在执政的克林顿政府就好好地运用你政府的法律和情报机构，将李文和事件的真相查清吧！否则有关你们的大选问题免谈！

——能通融通融吗，等我们大选胜利了一定重新认真审理李文和案，争取恢复他的名誉和你们华人的名誉。

——不能。这一次没有余地。我们的条件必须答应。

在一次次惨痛教训面前，华裔领袖无论自己是哪一派政党组织，都默契地形成了统一的战线，不再轻易相信那些来自党派政客们两面三刀的游说。

3月李琬若等人发起直接向克林顿总统写信陈情，强烈要求政府公平审理李文和一案和不要借此案打击广大华裔，特别是为美国科技做出重要贡献的华裔科学家。6月，李琬若和谢正刚等“百人会”的要员们又趁面见克林顿的机会，当面要求总统正视他们的要求。当时克林顿都被问住了：“我真的不知道华裔科学家们在我们美国的状况，不过你们给我提供这方面的材料和数据是非常有意义的事。”

据此，谢正刚等又联络各地华裔科技方面的同胞，立即整理出了一份反映华裔科学家们在美国科技界所占有的地位和贡献报告。这份报告中指出：美籍华人很早就参与了美国战略、战术体系的研发工作，且往往在设计、制造和部署等方面起着关键性作用。在国防有关的科研机构中，美籍华人科技人员占了10%～15%的比例。像AVCO实验室的林绍基、南加州大学的郑显基、太空总署的ANDREWCHI和加州理工学院的吴耀祖、休斯飞机公司导弹系统部总裁王华蕉和UCIA的何志明等华裔科学家都为美国国防科技工作做出了杰出贡献，美国政府和美国人民可以从他们身上充分相信广大华裔科学家的“忠诚是不容置疑的”。

这份报告对白宫克林顿政府后来在对待李文和一案上的态度改变起了重要作用。白宫办公厅主任为此专门召见李琬若等“百人会”华裔领袖代表征求意见。

7月，大家又牵头组织了在美国ABC夜线(NICHTLINE)节目推出一个有关华人所受种族歧视问题的专题节目，对美国公众正面认识华人起到了积极作用。同时，李琬若他们借“百人会”在洛杉矶召开年会之际，约见能源部长进行面对面的对话，敦促官方不要让麦卡锡式的疯狂在今天重演。

团结就是力量。随着大选越来越接近，极右势力蓄意挑起的这场针对中国和广大在美华人的阴谋活动，在广大华裔和各界正义人士的共同努力以及中国政府的严正立场影响下，渐渐开始出现崩塌。先是国会中要求罢免那位李文和“间谍案”始作俑者的能源部负责情报的特鲁洛克，之后是联邦法院不得不回过头来向李文和“求和”——条件是李答应承认“不当地下载”了资料，法院便释放他。

1999年9月10日，美国有关当局突然宣布：鉴于李文和承认不当地下载了机密材料，联邦法院同意以一项轻罪指控他，以前指控的58项罪名全部取消，判他9个月监禁，近日刑期已满，即予释放。

消息传出，全美一片嘘声。美国公众们议论纷纷，说政府和法院到底在做什么事？昨天还被说成前所未有的一起“中国大间谍案”，转头又成了子虚乌有的一桩错案，国家的情报部门还要不要脸了呢？美国还要不要脸面了？

在释放李文和的消息公布当天，克林顿总统和负责此起案件的联邦法官帕克在公众面前向李文和及其家属表示道歉，克林顿称美国政府在此次事件中“令我们整个国家难堪”，帕克说：“我相信，你受到了极不公正的对待。审判前你在拘留所遭受的屈辱性的拘押完全是不必要的惩罚。我受执法部门的引导，于去年12月下令对你实施拘押，为此我深感抱歉。李博士，我极为悲伤地告诉你，我觉得，去年12月我是受了误导，这种误导来自司法机关，来自联邦调查局，来自墨西哥地区的联邦检察官。”此外，《纽约时报》后来也刊登文章，表示歉意。

美国人对中国和华人们所做的许多令他们自己都难堪的事又何止一两起，其实他们早该反省反省了。

3天后，被无辜关押了长达9个月的华裔科学家李文和走出了暗无天日的牢房，迎接他的是李琬若等全美华人们的一片狂欢……许多华裔科学家流出了眼泪，甚至有人抱住李文和痛哭流涕。多少年来，华人们特别是从事科学研究领域的华人科学工作者们一直受到美国有关当局的不平等待遇，他们常常受到莫名其妙的询问和审查，是科技尖子却不能接触最核心的机密技术；是贡献最大的却得不到公平提升；是干活最卖力的却比别人少拿薪水……李文和的终获清白，对这些华裔科学精英来说也是他们的清白。在全美科研机构里，三分之二的技术骨干是华裔，而美国有关当局却以法西斯式的手段对待李文和这样的人，天理不容。

在我和李琬若交谈的二十多天里，这位历经沧桑的女政治家一谈起李文和事件就会激动万分，她告诉我：她和在美国的一些有识之士多少年来一直在奔走呼吁华人参政，以前总没多少人听得进去，但通过李文和事件，大家开始理解与支持他们的观点了。“虽然我们美国华裔不能像犹太裔那样很早就意识到参政的重要性，现在觉醒晚了些，但毕竟觉醒了就好。就连李文和这样过去只管干活，从不过问政治的人，现在也明白了参加投票、参与政治的必要了。”

在我写到此处时，已是21世纪。一天深夜，远在大洋彼岸的李琬若通过电话告诉我，她近日见到了李文和，这位走出黑暗岁月的科学家见到李琬若后的第一句话就说：“Lily，你们以前说的华裔要参政看来完全是对的，从现在开始我也要投入维护华裔权利的斗争之中……”

4. 为千千万万华人编织一个真正的美国梦

1994 年某日。北京，中南海。中国领导人正在与李琬若等一行美籍华人亲切交谈。这是李琬若第一次与中国高层领导接触，李琬若深深地感到中美两个大国之间有太多的方面需要沟通。多次来往于两国之间后，李琬若更感到虽说中美两国互相之间有很多隔阂，但常常是中国对美国的了解远远多于美国对中国的了解。在今天的中国电视与报纸等媒体，随时都可以看到美国社会的一切情况，就连总统竞选，十有八九的人能说出个大概，而今天的美国人仍然对中国知之甚少，似乎除了尼克松访华事件，就是李文和事件，再多就知道长城、北京烤鸭，还有就是廉价的纺织品。

2000 年 10 月，全球华人领袖们应中国政府邀请在美丽的青岛召开大会。会议之后，李琬若和其他二十多名知名人士又应中国国家领导人之邀到北京一聚。在互相交谈中，李琬若更加清楚了一件事，那就是她应当为中美两国之间架起一座相互了解的桥梁。作为现任美国国务院东西方中心常务董事，李琬若义不容辞，应当鞠躬尽瘁。

2001 年刚刚开始，美国白宫的小布什新政府还未正式上班，就为李琬若带来一份厚礼：一位她关注多年并结下忘年之交的年轻华裔女士被任命为联邦劳工部部长，这位华裔就是赵小兰。赵女士 1953 年生于中国台湾，1961 年时随父母到美国，1979 年毕业于哈佛大学并取得硕士学位。后来与联邦参议员米奇·麦康奈尔结婚。1989 年曾任共和党政府的交通部副部长。此次出任小布什政府的劳工部长，时为华人在美任职最高的一位。

李琬若对赵小兰的关注已有很长时间，还在赵刚刚大学毕业走上美国社会时，她们就成了一对好姐妹。虽然李琬若大赵小兰一二十岁，但正是共同的政治信念使她们常在一起为在美华人的事操劳。由李琬若、张之香等人在1973年发起成立的美华妇女协会，是华裔女性的最大组织，李琬若是元老和第三任会长，她利用这一组织培养和发现了一批华裔女政治家，赵小兰便是其中之一。现在这个组织不仅成为美国华人圈内的一支重要政治力量，她们的内部组织也十分健全。有一次李琬若参加北加州美华妇女组织的活动，那里的华裔妇女组织负责人告诉她，她们的协会已经连后面三任的分会会长都安排好了。可见一代代政治接班人有望茁壮成长。

另一位年轻人也是李琬若引以为骄傲的，他就是时任亚太法律中心主任、被亚裔社区居民称为"亚裔杰克逊"的郭志明律师。郭志明可以说是李琬若看着成长起来的新一代华人领袖，当年李琬若在蒙市出任洛杉矶社会福利部亚裔事务处处长时，郭志明是位大学生。由于郭特别敬仰李琬若的政治风范和气度，便在实习时来到李琬若身边。当时李琬若为了华人和亚裔的权利到处奔走呼吁给郭留下了深刻印象。这位学法律的第二代华裔年轻人，心目中就有了一个向李琬若学习、做一名为广大华裔争取基本权利服务的法律工作者的志向。走出大学后，郭志明把自己的想法告诉了李琬若，时任蒙市市长的李琬若对郭志明的想法十分赞同，这与她一贯主张的华人参政理念完全一致。

在李琬若的支持下，南加州的第一个亚太法律服务中心筹委会成立，李琬若和朱妙珍等当地有影响的华裔领袖及著名律师都是这个筹委会的委员。郭志明放弃高薪出任该中心的主任，成为南加州第一个专门为华人和亚裔提供法律义务服务的常设机构。由于郭志明本人一身正气，又热心诚实地为广大华人和亚裔居民服务，该中心自1983年成立之后，在当地声誉越来越高，成为全美最有影响的一个维护华人和亚裔权利的法律机构。

郭志明本人从小生长在美国，但为了更多地了解东方文化，他不惜下功夫专门在中国香港居住了一年之久，虽然广东话还是没有学好，可却与一位熟谙东方文化的土生土长的中国小姐结了婚。郭决心为华人和亚裔民权运动奉献一生，他的无私无畏行动，获得了在美华人和亚裔社区的广泛好评。1998 年郭志明荣获在美国民间有着巨大声誉的“麦克阿瑟奖”，是有史以来首个亚裔律师获此殊荣。现在，他所领导的亚太法律服务中心，已有四十多位专职律师和一千多位兼职人员。许多新一代的华人律师把能够到亚太服务中心工作和实习看作是一种荣誉。因为年轻的新一代华人们都知道这里发出的声音，常常是全美华人维护自身权利的最强音。

还有一个邝杰灵值得一提。邝杰灵在竞选加州财务长时，李琬若不辞辛劳为这位异党同裔的年轻人到处奔波拉票，有人好奇地问李琬若，说你是民主党最坚定的党员和民主党内的亚裔领袖人物，为什么如此热心支持一个异党分子？李琬若笑笑，说理由只有一个：他是华人，他假如能竞选成功将是我们华裔新一代在加州获得最高职位的人，能看到一位自己的同胞出任加州高职，这便是我的理念之一。

“为了更多华裔同胞的美国梦，我们可以暂时放弃一切；为了更多华裔同胞实现自己的美国梦，我们又必须努力争取一切。”这是李琬若一句说得非常多的从政口号。

为了实现这个梦想，李琬若倾注了自己毕生的力量。她因此成为“百人会”“全国美华协会”“美华妇女协会”等数十个美国主要华人组织的重要发起人与创始人，在各个领域、不同行业中发挥作用，争取族裔权利。

近年来，她又在与其他族裔尤其是犹太及拉丁族裔的合作与交往中清醒地认识到，美籍华人社区既要发挥各种社团组织的积极作用，同时更应该向犹太裔学习。美籍犹太人没有华人那么多社团组织，但他们的内部却极为团结，尤其是当族群利益受损或同族同胞被伤害时，他们团结一致对外的精神和形成的力量之强大，令人敬佩。而华裔恰恰在这方面做得远远不够。

在加州，亚裔的人数已经超过其他族裔，其有头有脸有名有姓的华人团体与组织多达几百个，各种同乡会、同学会多如牛毛，而一旦出现华人的权利被侵犯时，却不能形成一股力量。这是李琬若思考和企盼解决的一大问题。值得欣慰的是，在她和诸多华裔有识之士的努力下，这种格局正在被全新的华裔组织形式逐步取代。

李琬若现在最高兴和最得意的事是，她常常能在华裔社区里听到她孙子辈的孩子们在谈自己理想时高声地告诉你：“我未来的愿望是想当美国总统……”

这是一个个黄皮肤、黑眼睛、说着流利英语的孩子们说的话，他们的自信和直率，让李琬若感到的是一种好比老园丁在丰收面前流露出的那份喜悦之情。

后记　关于中国人的重新定义

按照我们中国人的习惯，农历正月初一到了才是新年的开始。我的本部作品，正是在世纪之交完成的。当我为美籍华人李琬若写完最后一个字时，已经听到窗外迎接新世纪的鞭炮开始鸣响。夜空一片五光十色，这种情景在我现在居住的北京城里已经不会有了，只有在我的老家江南苏州还能见得着。当我无意间把本部作品的最后一个字留在我的故乡完成时，我同时无意间发现自己和这个世界上的所有人共同承接了一个伟大的时刻，那就是我们都无比幸运地成为两个千年交替的见证人。

人之所以多愁善感，就是因为我们懂得思考与联想，其实永恒的时间是千篇一律的。昨天和今天，没有什么大的变化，即使一万年前的今天也是这个样。时间和纪元，都是我们人为地赋予它的，于是才有了阴历和阳历，有了年月与时分，有了我们的时间概念。

但又有谁能说不是因为这个时间概念才使这个我们赖以生存的世界有了今天的五彩缤纷，有了我们人自身的发展与进化，有了我们对过去和未来的重新认识？

一切都是因为相关的时间，才开始了相关的进程。在这中间，人的变化无疑是最大的。我们对这个世界，尤其是对自我，也许只有通过时间这把尺子、这面镜子，才能彻底地认识，或者彻底地否定，或者彻底地再一次塑造出新的模样来。总而言之，时间对我们的眼光和观念来说，显得太重要了。

十几年前，当中国的年轻人疯狂地挤向开放的国门出国留洋时，曾有人劝我也往国外走。我的回答不算彻底的爱国主义，但却十分坚定——我说我在国内都没有干好，为什么要到国外去呢？为政治前途还是为赚钱？两者在国内不是照样可以嘛！

那时我认为一流的人才是绝不会削尖脑袋往国外走的。

几年前，我有机会来到美国、加拿大访问和考察。在那些日子里，在所接触到的某些海外华人身上，我感到了一丝悲哀，因为我看到有些漂洋过海的华人在异国的土地上，不是互相钩心斗角，就是为了利益贪得无厌、不择手段。他们能说一口流利的英语，却依然随地吐痰……

那几个月的考察，让我深为自己仍是中国人百感交集——某些在国外不够自重的中国人大失我泱泱大国的水准！我甚至想赶紧把英语学好，然后著文撰稿，告诉“老外”，真正的中国人到底是什么样的。

真正的中国人应该是：具有很高的文化修养；具有气宇轩昂的精神风采；待人诚实可靠，办事干脆利索；肝胆相照，侠气仗义；能在政坛叱咤风云，能在财富之路上横扫千军……

中华民族同样是一个优秀民族！

中国人本来就是世界大家庭中最杰出的人群之一。

我得感谢李琬若。首先是她从感情上让我重新树立了对海外华人的信心。这一点很重要，至少使我从许多年的悲观中开始有了喜悦。因为过去我一直对那些漂洋过海的包括出国留学的众多华侨或者已经加入他国国籍的华人没有好感，原因还是一个——我觉得他们出去后的种种表现令我们中国人感到丢脸。

我得感谢李琬若之二，是她使我有机会真正认识了美国华裔中的主流，看到了他们的才华与努力，他们的成就与奋斗精神，他们的胸怀与抱负，他们的远见与卓识。

我得感谢李琬若之三，是我对自己产生了另一种信心，这种信心是对我们这个民族和国家的自信。五千年了，中国人自有国家到现在，算得上是世界上历史最悠久的国家之一了，腐朽的文化和封建残余意识的影响，一度使我们故步自封，现在大家终于意识到：原来我们落伍了，我们需要更新换代，我们可以从认识自己的不足中迎头赶上！

于是我在边写这部作品时边思考一个问题：什么是真正的中国人？中国人是不是需要重新定义？

看来这是非常有必要弄清的大是大非问题。

正如我在书中写到的“其实我们中国人自己并不知道自己是谁”，现在中国人真该知道知道自己到底是谁了。

我想，从李琬若个人所经历的美国岁月与美国政治中，中国人应该明白以下几点：

一是我们不能再像过去一样盲目地否定自我或者盲目地夸耀自己；

二是我们不能再凡事只顾自己不顾集体，尤其要关心整个民族的尊严；

三是我们不能再没有远见地光抓小事而忽视抓大事，要抓长远，抓影响全局的事情，抓全体利益；

四是我们不能再不讲究参与、不讲究合作、不讲究谋略、不讲究信誉、不讲究通情达理与积极向上。

其实，还可以列出长长的“我们不能再……”，这“我们不能再……”只是一种象征意义的说法而已。

在本书写作过程中出现了太多反复，使帮助我一起工作的几位亲爱的朋友、编辑同志也跟着受了不少累，我从心底对所有亲爱的朋友表达一份深深的谢意。自然我也应该感谢我的家人，她们同样在过去的两年多时间中为我的写作做出了种种付出和牺牲。

最后，我期望本书不仅能让中国的读者认真地看一遍——尤其是政界的读者，因为多了解些美国政坛内情与构成，会对处理中美关系大有好处，而且我更期望美国读者特别是美籍华裔和那些制定政策的白宫官员与国会议员们也能够看一看，那样会从中找到一些自己以往无法解答的答案。

2000年冬至2002年春于北京

出版说明

何建明先生是中国文坛著名作家，长年坚守在报告文学一线。“非典”、汶川地震、天津大爆炸、利比亚撤侨等重大事件发生时，何建明先生都尽可能出现在第一时间、第一现场，将第一手材料及时地呈现给读者，将中国故事讲深、讲透、讲生动、讲精彩。他强烈的责任感和使命感让人感动，其直面真相、忠于现实的精神令人钦佩，是中国当代报告文学界极有影响力的领军人物。

有感于斯，我社特收录何建明先生近40年创作的报告文学作品，结集为《何建明文集》三十卷出版。这些作品是对时代、社会、自然和人文的记录、呈现与见证，是作者响应时代的召唤，置小我于大我之中，循着时代背景和社会需求而创作的，完整、真实地表现了社会各个层面人物的喜怒哀乐，代表了当代中国纪实文学、非虚构创作的高峰水平，大气磅礴、激情豪迈，极具胸怀和气量。其中多部作品获得鲁迅文学奖、国家图书奖、“五个一工程”奖、徐迟报告文学奖等。

每个时代都有自己的特征，每部作品都有自己的特点。为了全面展示何建明先生历时40年创作内容、使用语言和文学风格的变化，本文集对何先生已发表的所有作品原则上不做修饰和润色，除特殊情况外也不做大的删节和修改，以保证今天的结集出版，仍不失当年作品的激情和味道。